La gloire des vaincus

HENRI TROYAT

La Lumière des justes :	
I. LES COMPAGNONS DU COQUELICOT	*J'ai lu* 272/4
II. LA BARYNIA	*J'ai lu* 274/4
III. LA GLOIRE DES VAINCUS	*J'ai lu* 276/4
IV. LES DAMES DE SIBÉRIE	*J'ai lu* 278/4
V. SOPHIE OU LA FIN DES COMBATS	*J'ai lu* 280/4
LA NEIGE EN DEUIL	*J'ai lu* 10/1
LE GESTE D'ÈVE	*J'ai lu* 323/2
LES AILES DU DIABLE	*J'ai lu* 488/2
Les Eygletière :	
I. LES EYGLETIÈRE	*J'ai lu* 344/4
II. LA FAIM DES LIONCEAUX	*J'ai lu* 345/4
III. LA MALANDRE	*J'ai lu* 346/4
Les Héritiers de l'avenir :	
I. LE CAHIER	
II. CENT UN COUPS DE CANON	
III. L'ÉLÉPHANT BLANC	
FAUX JOUR	
LE VIVIER	
GRANDEUR NATURE	
L'ARAIGNE	
JUDITH MADRIER	
LE MORT SAISIT LE VIF	
LE SIGNE DU TAUREAU	
LA CLEF DE VOÛTE	
LA FOSSE COMMUNE	
LE JUGEMENT DE DIEU	
LA TÊTE SUR LES ÉPAULES	
DE GRATTE-CIEL EN COCOTIER	
LES PONTS DE PARIS	
Tant que la terre durera :	
I. TANT QUE LA TERRE DURERA	
II. LE SAC ET LA CENDRE	
III. ÉTRANGERS SUR LA TERRE	
LA CASE DE L'ONCLE SAM	
UNE EXTRÊME AMITIÉ	
SAINTE RUSSIE. Réflexions et souvenirs	
LES VIVANTS (théâtre)	
LA VIE QUOTIDIENNE EN RUSSIE AU TEMPS DU DERNIER TSAR	
NAISSANCE D'UNE DAUPHINE	
LA PIERRE, LA FEUILLE ET LES CISEAUX	*J'ai lu* 559/3
ANNE PRÉDAILLE	*J'ai lu* 619/3
GRIMBOSQ	*J'ai lu* 801/3
UN SI LONG CHEMIN	*J'ai lu* 2457/3
Le Moscovite :	
I. LE MOSCOVITE	*J'ai lu* 762/3
II. LES DÉSORDRES SECRETS	*J'ai lu* 763/3
III. LES FEUX DU MATIN	*J'ai lu* 764/2
LE FRONT DANS LES NUAGES	*J'ai lu* 950/2
DOSTOÏEVSKI	
POUCHKINE	
TOLSTOÏ	
GOGOL	
CATHERINE LA GRANDE	*J'ai lu* 1618/7
LE PRISONNIER N° 1	*J'ai lu* 1117/2
PIERRE LE GRAND	*J'ai lu* 1723/5
VIOU	*J'ai lu* 1318/2
ALEXANDRE Ier, LE SPHINX DU NORD	
LE PAIN DE L'ÉTRANGER	*J'ai lu* 1577/2
IVAN LE TERRIBLE	
LA DÉRISION	*J'ai lu* 1743/2
MARIE KARPOVNA	*J'ai lu* 1925/1
TCHEKHOV	
LE BRUIT SOLITAIRE DU CŒUR	*J'ai lu* 2124/2
GORKI	
A DEMAIN, SYLVIE	*J'ai lu* 2295/2
LE TROISIÈME BONHEUR	*J'ai lu* 2523/2
TOUTE MA VIE SERA MENSONGE	*J'ai lu* 2725/1
FLAUBERT	
LA GOUVERNANTE FRANÇAISE	*J'ai lu* 2964/3
MAUPASSANT	
LA FEMME DE DAVID	*J'ai lu* 3316/1
NICOLAS II	*J'ai lu* 3481/5
ZOLA	
ALIOCHA	*J'ai lu* 3409/1
LE CHANT DES INSENSÉS	
YOURI	*J'ai lu* 3634/1
VERLAINE	
LE MARCHAND DE MASQUES	

Henri Troyat
de l'Académie française

La lumière des justes

***

La gloire des vaincus

Éditions J'ai lu

PREMIÈRE PARTIE

1

— Quoi ? Tu n'es pas encore prêt ? cria Kostia Ladomiroff en ouvrant la porte de la chambre.

Le regard en coin, la mâchoire tendue, Nicolas répliqua par un grognement et continua de se raser. Pouvait-il avouer qu'il faisait traîner sa toilette en attendant le facteur ? Cette nuit encore, il avait rêvé, avec une précision extraordinaire, qu'il recevait une lettre de Sophie, une lettre qui expliquait tout, qui arrangeait tout ! La lame, tenue obliquement, attaqua la joue de bas en haut, à rebrousse-poil. Un chemin rose courut dans la mousse de savon.

— Et Ryléïeff qui nous attend ! dit Kostia avec dépit.

— Il n'a pas fixé d'heure.

— Non, mais je suis sûr que tous les autres sont déjà chez lui. Il doit y avoir du nouveau.

— Depuis hier soir ? dit Nicolas. Cela m'étonnerait !

Il eût voulu que l'histoire du monde s'arrêtât aussi longtemps qu'il n'aurait pas une lettre de sa femme. Pourquoi ne lui répondait-elle plus depuis trois semaines ? Et si elle s'était trompée d'adresse ?... Mais non, il lui avait bien dit qu'il logeait chez Kostia Ladomiroff, près de la place Saint-Isaac ! Une seule explication : sa correspondance était surveillée par la police.

— Ne crois-tu pas que la censure arrête notre courrier ? murmura-t-il.

Kostia tira un papier de sa poche.

— Qu'est-ce que c'est ? dit Nicolas.

— Une lettre. Je viens de la recevoir.

— Le facteur est déjà passé ?

— Oui.

Déçu, Nicolas se demanda s'il ne ferait pas mieux de courir en chaise de poste jusqu'à Kachtanovka pour revoir Sophie. Quatre jours pour aller de Saint-Pétersbourg à Pskov, autant pour revenir... La tentation était forte, mais il ne se voyait pas lâchant ses camarades au moment où, peut-être, par un coup d'audace, ils allaient, tous ensemble, offrir la liberté à la Russie. Avec autant de fermeté que s'il eût tranché une question politique, il arrêta d'un trait de rasoir la patte de sa joue gauche, puis celle de sa joue droite. Le temps de s'essuyer la figure, de nouer sa cravate, d'enfiler son gilet lie-de-vin, sa veste couleur noisette, et il déclarait :

— Kostia, je sens que, ce matin, nous ferons du bon travail !

Ils se précipitèrent dans le vestibule, où le vieux Platon, assis près de la fenêtre, dans sa livrée verte à galons d'argent, tricotait un bas. Houspillé par son maître, le serviteur courut chercher les manteaux, les chapeaux, les galoches.

Avant de sortir, Kostia, qui était coquet, s'admira dans une glace. Le toupet de son crâne était parfumé au jasmin. Son nez, en forme de bec, dominait une lèvre rasée. Une émeraude brillait à son doigt. Ses longues jambes d'échassier étaient tendues d'un tissu gris tourterelle.

— Je n'ai pas très bonne mine ! dit-il. Vraiment, cette révolution m'énerve ! Allons, mon cher !...

Dans la rue, un vent glacé mordit les deux hommes au visage. Une petite neige transparente recouvrait les trottoirs. Sur la chaussée, luisante de verglas, les chevaux de fiacre patinaient, jambes écartées. Des passants besogneux se hâtaient, le dos bossu, les poings au fond des poches, le nez dans le col du manteau. Malgré l'heure matinale, des boutiques de la perspective Nevsky entrebâillaient leurs portes. A la devanture d'une librairie, Nicolas remarqua un portrait du grand-duc Constantin Pavlovitch avec cette légende : « Sa Majesté l'Empereur Constantin 1er, tsar de toutes les Russies. » Or, depuis la veille, 12 décembre 1825, nul n'ignorait que le grand-duc Constantin Pavlovitch, irrité des faux bruits qui couraient sur son compte, avait envoyé une estafette de Varsovie à Saint-Pétersbourg pour confirmer sa renonciation au trône.

— Ils auraient vraiment pu enlever ce portrait ! soupira Nicolas.

— Ils attendent de savoir par quoi le remplacer ! dit Kostia. Alexandre 1er est mort, Constantin Pavlovitch, sans bouger de Varsovie, repousse la couronne, et Nicolas Pavlovitch, après avoir proclamé son frère empereur, se demande s'il pourra faire revenir la troupe sur son serment. Tu avoueras que c'est l'interrègne le plus extravagant de l'Histoire ! On offre l'empire de

Russie comme une tasse de thé à l'un, à l'autre, et personne n'en veut !

Nicolas regarda de plus près l'effigie du grand-duc Constantin Pavlovitch, cette face de carlin, au nez écrasé, au front bas, à la lippe lourde.

— Malgré son air de brute, dit-il, je le préfère encore à mon homonyme, qui est rude et sonore comme un tambour. Constantin aurait peut-être accepté une réforme des institutions !

— Je ne le crois pas, dit Kostia, mais il est bon que les petites gens en soient persuadés. Si la troupe renâcle devant le deuxième serment qu'on va exiger d'elle, toutes les chances seront pour nous. Si elle s'incline...

Il leva légèrement la main comme pour donner l'essor à un oiseau de malheur.

— Elle ne s'inclinera pas ! dit Nicolas avec force. Elle ne peut pas s'incliner !

— Pourquoi ?

— Parce que son intérêt lui commande de nous suivre ! Parce que... parce que je sens que tout ira bien !...

Il réfléchit une seconde et chuchota :

— Pourtant, nous sommes des menteurs, vieux frère, d'horribles menteurs ! Nous luttons pour la liberté et nous n'osons pas le dire au peuple. Nous lui faisons croire que notre but est d'installer Constantin sur le trône. Mais, si nous réussissons notre coup d'Etat, les soldats s'apercevront vite que nous ne voulons pas plus de Constantin que de Nicolas, que Constantin n'a été pour nous qu'un prétexte, que nous nous sommes servis de son prestige pour provoquer non pas une révolution de palais, mais une révolution tout court ! Alors, Kostia, tous ces gens simples ne nous reprocheront-ils pas de les avoir bernés ? Ne se retourneront-ils pas contre nous pour nous punir de leur avoir offert l'indépendance ? La deuxième partie de notre tâche consistera, sans doute, à persuader les masses que le bonheur sans le tsar vaut mieux que le malheur avec le tsar !

— Tu as raison ! dit Kostia subitement effrayé.

Nicolas le bouscula pour le remettre en marche et reprit gaiement :

— Tu en fais une tête ! C'est justement ça qui est passionnant ! Dominer les hommes, agir sur son temps, diriger le cours de l'Histoire !...

Pour se donner du cœur, il se disait que sa femme l'encourageait de loin, dans ses idées libérales. C'était elle qui lui avait révélé la misère du monde et le moyen d'y remédier. Peut-être eût-il été de l'autre côté de la barrière, parmi les fidèles serviteurs du trône, s'il ne l'avait rencontrée, un jour de l'été 1814, à Paris. A quoi tiennent les grandes vocations politiques ? Oubliant son compagnon soucieux, Nicolas fit le reste du chemin en donnant le bras à Sophie. Il ne sortit de ce mirage qu'en arrivant devant la maison de Ryléïeff, au bord de la Moïka, près du Pont Bleu. Une plaque de cuivre, à droite de la porte, indiquait que c'était là le siège de la « Compagnie Russo-Américaine ». Le fait que le chef des conjurés fût, en même temps, le directeur d'une société pour l'exploitation de comptoirs dans le Nouveau Monde, paraissait à Nicolas le comble de l'absurdité. Il s'amusait en pensant que, de ce lieu, partaient à la fois des ordres officiels pour étendre l'autorité du tsar sur des terres lointaines et des ordres secrets pour détruire l'autorité du tsar sur ses propres terres.

Filka, le petit cosaque de Ryléïeff, débarrassa les visiteurs de leurs manteaux. Dans la salle à manger vide flottait encore une odeur de pain frais, des canaris chantaient dans une cage, la flamme d'une veilleuse éclairait un groupe d'icônes aux noirs visages byzantins. Une voix de femme gourmandait quelque domestique derrière la porte menant aux chambres. Nicolas ne connaissait pas Nathalie Mikhaïlovna Ryléïeff. Elle ne se montrait jamais aux séances de l'Union du Nord. Savait-elle seulement le danger que courait son mari ? Tout dans ce logement était si paisible, si ordonné, si propre, qu'en y apportant ses préoccupations personnelles Nicolas avait l'impression de traîner des souliers boueux sur un parquet bien ciré.

— Ton maître est-il là ? demanda-t-il au petit cosaque.

— Oui, dit Filka. Il y a déjà des messieurs avec lui, au bureau.

Nicolas et Kostia entrèrent dans une pièce exiguë, surchauffée, dont la fenêtre, armée d'un grillage, ouvrait sur le mur de la cour. Il y avait à peine la place de se mouvoir dans ce réduit, entre le divan de cuir noir, la table chargée de paperasses, la bibliothèque vitrée et les brochures de *l'Etoile polaire*, empilées contre les pieds des chaises. Ryléïeff était assis en amazone sur les bras d'un fauteuil. Une robe de chambre jaune, élimée, tachée d'encre, pendait de ses épaules. Son cou d'enfant émergeait d'un foulard de soie blanche. Dans son visage basané, aux pommettes saillantes, aux lèvres minces, féminines, les beaux yeux, larges, doux et mélancoliques avaient un éclat fascinant. Une chevelure brune, très bouclée, lui emboîtait le front. Il n'était pas encore guéri du mal de gorge qu'il avait contracté en courant la ville, jour et nuit, pour gagner des soldats à la cause de l'insurrection. Le petit Youri Almazoff, en uniforme de lieutenant du régiment de Moscou, et le long, le maigre Kuhelbecker, en redingote, l'entouraient. Tous trois avaient des mines de circonstance.

— Sait-on quelque chose de nouveau ? demanda Nicolas en serrant les mains qui se tendaient vers lui.

— Pas encore, dit Ryléïeff, mais je crois que les événements vont se précipiter. Les conseillers de Nicolas Pavlovitch n'ont plus aucun intérêt à retarder la publication du manifeste.

— Pourquoi, dans ces conditions, n'essayerions-nous pas d'agir dès maintenant ?

— Parce que notre seul prétexte pour soulever la garnison est l'ordre qui lui sera donné de se parjurer en prêtant serment à Nicolas Pavlovitch après avoir prêté serment à Constantin Pavlovitch. Tant que la date de ce deuxième serment n'aura pas été fixée, nous ne pourrons rien entreprendre. Peut-être le décret impérial est-il déjà rédigé, et nous n'en savons rien, c'est absurde !

— Il doit tout de même y avoir un moyen de se renseigner ! dit Kostia.

— Plusieurs de nos amis, qui ont des relations à la cour, ont promis de m'avertir dès que le document passera à la signature, dit Ryléïeff. Mais je suppose que le secret sera gardé jusqu'à la dernière minute. Nicolas Pavlovitch voudra agir par surprise, sans laisser aux troupes le temps de s'interroger sur leur devoir...

Pendant ce discours, Nicolas réfléchissait à s'en faire craquer la tête. Il éprouvait une envie folle de rendre service à Ryléïeff, qu'il considérait comme un homme d'une probité et d'une intelligence supérieures. Soudain, une idée le frappa, et il dit joyeusement :

— Je connais quelqu'un qui est sûrement au courant de la préparation du manifeste !

— Qui ? demanda Ryléïeff.

— Hippolyte Roznikoff, répondit Nicolas.
— C'est vrai ! s'écria Kostia. Je n'y avais pas pensé !
— Attendez-donc ! dit Ryléïeff. Hippolyte Roznikoff... Roznikoff... Cela me rappelle quelque chose... N'occupe-t-il pas un poste important auprès du gouverneur de Saint-Pétersbourg ?
— Il est aide de camp du général Miloradovitch, dit Nicolas.
Ryléïeff eut un sourire enfantin :
— Ce serait parfait ! Vous êtes très lié avec lui ?
— Nous avons servi tous deux dans les gardes de Lithuanie, en 1814, puis à l'état-major, en 1815, à Paris. Seulement, après mon mariage, nous nous sommes perdus de vue...
— Excellente occasion pour renouer avec lui ! Tâchez de le joindre aujourd'hui même ! Faites-le parler sans éveiller ses soupçons !
Nicolas ne se sentait plus de bonheur à l'idée de cette mission délicate. Youri Almazoff alluma un petit cigare et déboutonna le haut de son uniforme. Au milieu de son visage aigu et pâle, les gros sourcils noirs paraissaient postiches.
— Si le bel Hippolyte a eu vent de quelque chose, il te le dira ! grommela-t-il. Premièrement parce qu'il est bête comme ses bottes, deuxièmement parce que, sans savoir tes opinions, il te considère comme un ami. Au cas où tu voudrais le rencontrer, je te signale qu'il prend son café, tous les jours, à la confiserie Schwarz, rue Morskaïa.
— Je sais, dit Nicolas. J'irai le cuisiner là-bas, tout à l'heure.
Ryléïeff empoigna une fiole sur le guéridon, se versa une cuillerée de médicament, l'avala d'un trait et fit la grimace :
— Quelle sale mixture ! Mais il faut que je me

soigne, si je veux être d'attaque pour le grand jour !

Il tapota, du plat de la main, les dossiers étalés sur sa table et dit encore :

— Quand je pense à tout le travail que j'ai là, en retard !

— Si nous réussissons, vous n'aurez plus à vous occuper de la Compagnie Russo-Américaine ! dit Nicolas avec élan. Vous serez... vous serez à la tête du nouveau gouvernement !... Vous serez notre dictateur libéral !...

— Je n'y tiens pas ! dit Ryléïeff, et une quinte de toux le plia en deux.

Kuhelbecker, qui observait une carte de la Sibérie placardée au mur, arrondit ses gros yeux de poisson, relâcha sa lèvre inférieure et dit :

— Et si nous échouons, voilà où on nous enverra !

Il y eut un silence gêné.

— Eh bien ! ce ne sera pas mal non plus ! dit Ryléïeff, en rebouchant le flacon. La Sibérie est un pays magnifique !...

— Je vous laisse la responsabilité de cette affirmation, dit Kostia. Quel est ce pointillé qui traverse toute la carte ?

— L'itinéraire suivi par les convois de ravitaillement de la Compagnie Russo-Américaine, dit Ryléïeff. Ils vont jusqu'à Okhotsk, sur le Pacifique. De là, des bateaux, affrétés par nos soins, partent pour l'Alaska. J'ai souvent rêvé d'entreprendre ce grand voyage. Dernièrement encore, mon ami Masloïédoff, qui fait là-bas la pluie et le beau temps, m'a écrit pour m'inviter. Trop tard ! Nous avons autre chose en tête, n'est-il pas vrai ? De la prodigieuse aventure qui a poussé les Russes à la conquête du Nouveau Monde, je n'aurai connu que la paperasse !

— Vous parlez comme si votre vie devait finir demain ! dit Nicolas.

— Vous avez raison ! concéda Ryléïeff avec un rire forcé. Je suis ridiculement pessimiste. C'est la faute de ces médicaments qui me détraquent l'estomac. Il est tout de même surprenant que Golitzine et Obolensky ne soient pas encore là ! Et Stépan Pokrovsky, que fait-il ?

— Il s'est foulé la cheville, avant-hier ! dit Kostia.

— Allons bon ! Et votre ami Vassia Volkoff ?

— Je crois que des affaires de famille l'ont obligé à partir ce matin pour Pskov.

— Il ne sera donc pas des nôtres ?

— Non.

— Quel contretemps ! Et le prince Troubetzkoï ?

— Il a dû aller au palais pour avoir des nouvelles !

— Sans doute ! Sans doute ! Dieu ! Qu'il est désagréable de vivre dans l'incertitude à la veille d'une action aussi importante !

De nouveau, une toux rauque déchira la gorge de Ryléïeff. Il s'épongea le visage avec un mouchoir à carreaux, dirigea sur Nicolas un regard luisant d'inquiétude et reprit :

— Je compte sur vous, n'est-ce pas ? pour interroger Hippolyte Roznikoff !

Et, sans attendre la réponse, il ajouta :

— Vous m'excusez, messieurs, j'ai deux ou trois lettres à écrire pour les besoins du service. Que cela ne vous empêche pas de bavarder entre vous...

Il tailla une plume. Sa main tremblait. « Un vrai chef ne s'énerve pas ainsi », pensa Nicolas.

★

Hippolyte Roznikoff avait tellement changé que Nicolas ne retrouvait plus en sa présence le ton de leurs conversations d'autrefois. Il regardait cet aide de camp avantageux, aux moustaches noires cirées, au menton replet, au poitrail large, orné d'aiguillettes étincelantes, et cherchait à travers lui le souvenir du jeune officier ardent, moqueur et arriviste qui, quelque dix ans plus tôt, était son meilleur compagnon à Paris. Et, tandis qu'il déplorait intérieurement que son ami se fût abêti dans la voie des honneurs, il avait conscience que celui-ci, de son côté, le plaignait d'avoir gâché sa vie en se mariant avec une Française et en quittant l'armée. Ainsi, les paroles banales qu'ils jetaient entre eux avec de grands rires ne les empêchaient pas d'éprouver l'un devant l'autre la sensation pénible de la fuite du temps et du gauchissement des caractères. La gêne de Nicolas était si contraignante, qu'il se demanda s'il saurait interroger le bel Hippolyte sans trahir ses intentions. Deux tasses de café fumaient devant eux. La confiserie était à demi vide. Un serveur traversa la salle, portant un plateau garni de tartelettes.

— Je ne te retiens pas trop, j'espère, dit Nicolas. Tu dois être débordé de travail, en ce moment !

— Pourquoi, en ce moment ?

— A cause du manifeste !

— Ce n'est pas moi qui le rédige, dit Hippolyte en riant.

— Non, mais en tant qu'aide de camp du général Miloradovitch, tu participes, sans doute, à l'organisation de la cérémonie. Sait-on déjà quand aura lieu la prestation de serment ?

Nicolas avait posé cette question avec une feinte négligence, en portant à ses lèvres la tasse de café noir, où trempait un zeste de citron. Il se sentait diplomate en diable. L'excitation du jeu faisait battre son cœur, mais sa tête demeurait froide.

— Je ne peux rien te dire ! trancha Hippolyte.

— Pourquoi ?

— Ce n'est pas encore officiel.

— Mais ce le sera bientôt ?

— Très bientôt.

— Dans quelques jours ?

— Dans quelques heures, dit Hippolyte avec importance.

Nicolas supporta le choc sans rien laisser paraître.

— Dans quelques heures ? dit-il. Mais alors, le manifeste est déjà signé !

Visiblement, Hippolyte était partagé entre le désir de garder le secret selon les consignes qu'il avait reçues et celui d'étonner son ami.

— Après tout, si ce n'est pas moi qui te le dis, tu l'apprendras par quelqu'un d'autre ! soupira-t-il. La moitié de Saint-Pétersbourg est déjà au courant. Oui, le grand-duc Nicolas Pavlovitch a signé le manifeste aujourd'hui, à l'aube. Le Conseil d'Empire est convoqué pour ce soir, à huit heures. Demain matin, 14 décembre, toutes les troupes de la garnison prêteront serment au nouvel empereur !

— Pas possible ! balbutia Nicolas.

Un bonheur angoissant l'étouffait. Ce serait lui qui, le premier, apporterait la nouvelle à Ryléïeff, lui qui mettrait la révolution en marche ! Peut-être les conjurés devraient-ils leur réussite à la rapidité de son information ! Il ne put empêcher qu'un sourire lui vînt aux lèvres.

— Ça t'amuse ? demanda Hippolyte.

— J'avoue que je ne m'attendais pas à une telle précipitation ! dit Nicolas.

— Elle est nécessaire : l'interrègne n'a que trop duré !

— Oui, oui, sans doute...

Hippolyte fronça les sourcils et chuchota :

— Tu dis : « Sans doute », et tu n'en penses pas un mot !

Tant de perspicacité surprit Nicolas : il croyait confesser un imbécile et se voyait démasqué par lui, sans avoir à se reprocher la moindre maladresse.

— Allons ! reprit Hippolyte, cesse de jouer au plus fin avec moi ! Ce sont tes amis qui t'envoient ?

— Quels amis ? dit Nicolas, désemparé.

— Rassure-toi, je ne vais pas te demander leurs noms ! D'ailleurs, je les connais presque tous... et beaucoup d'entre eux me sont sympathiques ! Mais laisse-moi te donner un conseil avant qu'il ne soit trop tard : ne reste pas avec eux ! Ils sont sur le point de commettre une folie ! Tu vas te perdre, vous allez tous vous perdre inutilement, si vous tentez de vous opposer à la prestation du serment par la troupe ! Ce n'est pas une poignée d'officiers libéraux qui pourra inciter au désordre tout un peuple élevé dans le respect de la religion, de la patrie, de la monarchie !

Nicolas eût aimé répondre avec flamme à ce discours, mais la prudence lui ordonnait de refouler son enthousiasme.

— Qu'est-ce que tu racontes ? dit-il. Je ne suis au courant de rien !

Il joua si bien l'ahuri, qu'un moment Hippolyte sembla le croire.

— Vraiment ? dit-il. Pourtant, je t'ai vu avec eux...

— Il y a longtemps, lorsque j'habitais Saint-Pétersbourg ! Je suis devenu un provincial, mon cher !

— Quand tu reviens ici, c'est encore eux que tu fréquentes !

— Où est le mal ?

— Ose prétendre que vous ne critiquez pas le gouvernement entre vous ?

— Qui ne le critique pas ? Je me suis laissé dire que le gouvernement, parfois, se critiquait lui-même. Bien sûr, il nous arrive de souhaiter ceci ou cela, mais il y a loin de ces bavardages à l'insurrection dont tu parles. Dieu nous préserve d'une pareille catastrophe !

Il avait honte de mentir avec tant d'éloquence, mais ce n'était pas la seule raison de son malaise. Ainsi, les autorités étaient prévenues qu'un complot menaçait le trône. Si Ryléïeff comptait sur l'effet de surprise pour emporter la décision, il serait déçu. A moins que les partisans du futur empereur ne fussent aussi brouillons que ses ennemis. L'esprit de Nicolas travaillait à une vitesse vertigineuse. Il était impatient de quitter Hippolyte pour annoncer à ses camarades les graves événements qui se préparaient. Mais Hippolyte, après un accès de méfiance, revenait à la bonhomie. Il avait trop bien réussi dans sa carrière pour admettre que le monde fût mal fait. Les mécontents n'étaient pour lui que des jaloux. Or, Nicolas, étant d'une famille aisée, n'avait rien à envier à personne. On pouvait se déboutonner devant lui. Avec une complaisance appuyée, Hippolyte lui parla de son travail auprès du général Miloradovitch, de ses chevaux, de ses pertes au jeu et de ses bonnes fortunes. Nicolas, bouillant sur place, profita du premier silence pour dire :

— On m'attend, il faut que je m'en aille !

— Une femme ? dit Hippolyte en clignant ses grosses paupières bistres.

— Oui.

— Tu me raconteras ça ! Je suis friand d'histoires galantes. Pourquoi ne nous voyons-nous plus ?

— Je ne sais pas.

— Veux-tu que nous nous retrouvions ici, demain, à la même heure ?

— Demain ? marmonna Nicolas. Mais c'est le 14 décembre... le jour du serment...

— Et alors ? Tu es pris ?

— Non, dit Nicolas. A demain.

★

Nicolas lança la nouvelle comme une bombe. Mais personne n'en fut étonné. Ryléïeff, assis à la table du conseil, se contenta de dire :

— Nous savons ! Nous savons ! Ce sera pour demain !

Sans doute était-ce Troubetzkoï, qui, à son retour du palais, avait donné l'alerte. Nicolas regretta d'arriver en second. Un grand nombre de conjurés étaient déjà réunis dans la salle à manger et le bureau de Ryléïeff. Il y avait là les trois frères Michel, Nicolas et Alexandre Bestoujeff, Obolensky, Kakhovsky, Youri Almazoff, Kuhelbecker, le prince Troubetzkoï, Kostia Ladomiroff, Schépine-Rostovsky, Odoïevsky, Batenkoff, Rosen, Arbouzoff, Panoff, d'autres encore. A tout moment, de jeunes officiers entraient, sortaient, revenaient, s'asseyaient sur un bras de fauteuil, sur le bord d'une fenêtre, allumaient une pipe. Grenadiers, sapeurs, marins, fusiliers de la garde — Il semblait que tous les régiments de la garnison eussent délégué un représentant à la conférence. Les civils étaient rares, mais parlaient aussi haut que les militaires. Un faible courant d'air, passant par le vasistas, remuait la fumée autour de la grosse lampe à huile qui pendait du plafond.

— Ce que vous ne savez peut-être pas, dit Nicolas, c'est que les autorités ont des soupçons !

— Elles ont plus que des soupçons, dit Ryléïeff. Elles ont une certitude.

— Quoi ?

— Oui, mon cher, bien des choses se sont passées en votre absence. Je viens d'avertir nos camarades que nous étions dénoncés. Le sous-lieutenant Rostovtzeff, qui, sans être des nôtres, jouissait malheureusement de l'amitié d'Obolensky, a remis hier, au grand-duc Nicolas Pavlovitch une lettre le prévenant de notre complot.

— C'est ignoble ! balbutia Nicolas. De qui tenez-vous cette information ?

— De Rostovtzeff lui-même. Il est venu nous voir, Obolensky et moi, cet après-midi. Il prétend qu'il a voulu nous sauver malgré nous en nous empêchant d'agir. Comme preuve de sa bonne foi, il nous a confié une copie de sa lettre. La voici...

Ryléïeff désigna une feuille de papier, sur la table. Nicolas se saisit du document et le parcourut du regard : « Une mutinerie se prépare. Elle éclatera au moment de la prestation du nouveau serment. La lueur de l'incendie qui se produira alors illuminera peut-être la chute finale de la Russie... »

— A-t-il nommé quelqu'un ? demanda-t-il.

— Il m'a juré que non, dit Obolensky.

— Peut-on le croire ?

— Je le suppose. Rien ne l'obligeait à me faire cet aveu.

— Comment avez-vous pu ne pas tuer ce traître ? s'écria Nicolas.

— Obolensky l'aurait étranglé avec plaisir, dit Ryléïeff. Je l'en ai empêché, car cela n'aurait servi à rien. Peut-être même, par ce crime précipité, aurions-nous compromis nos dernières chances de succès !

— Parce que vous estimez qu'il reste un espoir ? dit Nicolas.

— Oui, puisqu'on ne nous a pas encore arrêtés !

Nicolas jeta un regard autour de lui. Il y avait une gravité mystique sur les visages qui entouraient la table. Le plus contrarié de tous paraissait être le prince Troubetzkoï, celui en qui beaucoup de jeunes officiers voyaient le chef militaire de l'insurrection. Grand et maigre, il inclinait sur sa poitrine creuse une face toute en longueur, aux favoris roussâtres et aux lèvres désenchantées. Ses oreilles se détachaient de son crâne comme les anses d'un vase. Une demi-douzaine de décorations bridaient le tissu vert de son uniforme. Il marmonna :

— Contrairement à Ryléïeff, je vous avoue que les révélations de Rostovtzeff me donnent à réfléchir sur l'opportunité d'un soulèvement pour la journée de demain !

— Je ne comprends pas vos hésitations, prince ! répliqua Ryléïeff avec vivacité. En fait, l'intervention de Rostovtzeff, loin d'empêcher notre insurrection, la rend inévitable. S'il nous manquait une raison pour agir vite, il nous l'a fournie !

— Comment cela ?

— En nous mettant au pied du mur. Nous savons maintenant que, même si nous ne passons pas à l'action, nous serons arrêtés ! Allons-nous nous croiser les bras, en attendant qu'on vienne nous chercher à domicile ?

— Ryléïeff a raison ! tonna Michel Bestoujeff, capitaine du régiment de Moscou. Mieux vaut être pris sur la place du Sénat, les armes à la main, que dans son lit !

Ces paroles exaltèrent Nicolas comme s'il les eût prononcées lui-même. Il faisait très chaud dans la pièce. Une odeur de tabac et de cuir de bottes donnait du sérieux à la réunion. Les figures luisaient, comme passées à l'huile, Ryléïeff se dressa, les deux poings appuyés à la table, et dit avec une emphase funèbre :

— Même si notre initiative doit être vouée à l'échec, elle réveillera la Russie somnolente. Nous donnerons la première secousse. Plus tard, nos fils, nos petits-fils, instruits par nos erreurs, reprendront et achèveront notre œuvre. La tactique d'une révolution est contenue dans le seul mot : oser ! Nous oserons ! N'est-ce pas, mes amis ?

Des voix rudes lui répondirent :

— Oui ! Oui ! Nous oserons !

— Au moins, on parlera de nous dans l'Histoire de notre pays ! clama le capitaine des dragons Alexandre Bestoujeff, qui avait une stature athlétique et une basse d'opéra.

— Messieurs... messieurs, je vous en prie, soyons logiques ! dit le prince Troubetzkoï.

— Avant de poursuivre cette discussion, je voudrais savoir, prince, si vous serez avec nous, demain, sur la place du Sénat ! dit Ryléïeff.

— Certainement, si ma présence vous semble nécessaire...

Une flamme d'indignation passa dans les yeux de Ryléïeff :

— Hein ? Vous oubliez que nous vous avons désigné comme dictateur militaire pour la journée !...

— Je doute que votre choix soit heureux, repartit le prince Troubetzkoï. Il y a longtemps déjà que j'ai quitté les rangs. La garde m'a oublié. Elle refusera de m'obéir...

— Allons donc ! dit Alexandre Bestoujeff. Le souvenir de vos faits d'armes, pendant la guerre nationale, est dans la mémoire de tous les soldats !

Les grandes oreilles du prince Troubetzkoï bougèrent. Son nez parut s'allonger vers sa bouche.

— C'est de la vieille histoire ! dit-il. D'ailleurs, si j'ai pu montrer quelque bravoure sur un champ de bataille, je ne me sens pas du tout qualifié pour entraîner des troupes mutinées dans les rues de Saint-Pétersbourg !

Un silence glacial accueillit ces paroles. Le prince Troubetzkoï se vit entouré de juges. Tous le condamnaient. Certains même, parmi les plus jeunes, semblaient le mépriser, malgré ses décorations. Un regain d'orgueil lui fit redresser la tête, au milieu de l'hostilité générale.

— Insensés ! bredouilla-t-il. Vous n'avez même pas une idée du sort qui vous attend, si l'affaire tourne mal ! Vous êtes là, heureux, bien au chaud, ne manquant de rien, sûrs de votre droit, ivres de votre chance !... Demain, tout cela peut vous être ravi ! Vous deviendrez des esclaves, pis que des esclaves, le rebut de la nation russe !

Un gouffre s'ouvrit devant Nicolas. Cet homme avait raison. Mais il ne fallait pas l'écouter. Si on se mettait à réfléchir, il n'y avait plus d'héroïsme possible.

— Assez ! dit Batenkoff d'un ton cassant.

— Je n'ai pas l'intention d'ajouter quoi que ce soit à cette mise en garde, dit le prince Troubetzkoï. Mais pourquoi voulez-vous que ce soit moi qui prenne votre commandement ?

— Parce que nous n'avons personne pour vous remplacer, dit Ryléïeff.

— Qui sera mon aide de camp ?

— Obolensky.

Le prince Troubetzkoï joignit ses longues mains osseuses et en fit craquer les phalanges. Ryléïeff le regardait de ses yeux sombres, à courte distance, fixement, comme pour le fasciner.

— C'est bon, dit Troubetzkoï. Je ferai de mon mieux.

Il paraissait mécontent, mais résolu. Les visages se détendirent. Obolensky arrangea machinalement les aiguillettes de son uniforme. C'était un homme de belle taille, le front barré de deux rides précoces, la physionomie élégante, pensive et calme.

— Il s'agit maintenant de savoir sur quelles troupes nous pouvons compter à coup sûr ! reprit le prince Troubetzkoï.

— Combien vous faut-il d'hommes ? demanda Ryléïeff.

— Six mille, au moins.

— Vous les aurez ! cria Kuhelbecker avec aplomb.

Cette affirmation d'un civil fit rire les militaires.

— Evidemment, dit le prince Troubetzkoï, le mouvement devra être donné par l'un des plus vieux régiments de la garde. Sinon, les autres flancheront...

— Le régiment Ismaïlovsky sera certainement des nôtres, dit Ryléïeff.

— De mon côté, je puis garantir le régiment de Moscou, annonça Michel Bestoujeff.

— Moi, celui de Finlande, dit le baron Rosen.

— Les équipages de la marine marcheront avec moi, dit Nicolas Bestoujeff.

Et, se tournant vers son frère Alexandre, il demanda :

— Tes dragons te suivront, je suppose ?

— Oui, dit Alexandre Bestoujeff. Je les persuaderai.

Chacun jetait son cadeau dans la corbeille de l'insurrection. Morceau par morceau, toute l'armée russe y passait. Nicolas se retenait d'applaudir. Quel dommage qu'il eût quitté la carrière militaire ! Il eût aimé offrir plus que lui-même à la cause de la liberté. Pourtant, quand on fit les comptes, on s'aperçut que personne, parmi les officiers présents, ne pouvait assurer la participation d'un régiment complet. Qui parlait de son escadron, qui de son bataillon...

— Nos effectifs diminuent à vue d'œil ! constata le prince Troubetzkoï.

— Ils augmenteront en cours d'opération, dit Ryléïeff.

Troubetzkoï, les yeux au ciel, soupira :

— Dieu vous entende ! Quoi qu'il en soit, voici mon plan : le premier régiment qui refusera de prêter serment sera acheminé en bon ordre, tambour battant, drapeaux en tête, vers la caserne du régiment voisin pour le décider à son tour. Les autres suivront, entraînés de proche en proche. Grossie de tous les affluents, l'armée de l'insurrection se réunira finalement sur la place du Sénat, à proximité du palais. Devant ce déploiement de force, le grand-duc Nicolas Pavlovitch renoncera à ses prétentions et le Sénat publiera un manifeste instituant le gouvernement provisoire...

Dans ce discours, prononcé d'une voix égale, les événements s'enchaînaient d'eux-mêmes, sans heurt, sans effusion de sang, les hommes au pouvoir s'inclinaient avec politesse devant ceux qui, avec non moins de politesse, exigeaient leur départ, et la Russie s'éveillait un beau matin, dotée d'une aimable constitution monarchique.

— Vous nous parlez là d'une révolution à l'eau de rose ! dit Ryléïeff avec un sourire narquois.

— Je vous parle d'une révolution légale ! répliqua Troubetzkoï sèchement. La seule qui, pour moi, soit acceptable !

— Révolution légale ! dit Nicolas. Ces deux mots ne vont guère ensemble !

Troubetzkoï lui décocha un regard fatigué et murmura :

— Notre gloire sera, peut-être, de les avoir réunis.

— En tout cas, dit Ryléïeff, je n'approuve pas votre idée de visite d'un régiment à l'autre.

— Pourquoi ?

— Cela nous fera perdre un temps précieux. Pendant que nos troupes se promèneront entre les différentes casernes, le grand-duc Pavlovitch organisera sa défense et nous serons battus. Il faut, le plus vite possible, amener directement sur la place du Sénat les soldats dont nous pouvons être sûrs. Même s'ils sont peu nombreux : ils serviront d'exemple !

— Et s'il n'en vient qu'un bataillon ? dit Troubetzkoï.

— Un bataillon d'hommes résolus vaut mieux qu'une multitude indécise !

— Qu'entreprendrez-vous avec ces hommes résolus ?

— Je marcherai sur le palais.
Le prince Troubetzkoï eut un haut-le-corps :
— Ah ! non, messieurs ! Pas ça ! Le palais doit demeurer pour nous un refuge inviolé !
— Pourquoi ?
— Parce que, si la soldatesque l'envahit, vous ne pourrez plus la tenir !
— Mais si ! Mais si ! la troupe nous écoutera ! D'ailleurs, il est encore trop tôt pour parler de tactique. Quand nous serons sur les lieux, les circonstances nous indiqueront la voie à suivre.
— Je n'aime pas les batailles improvisées.
— Nous ne pouvons tout de même pas prévoir une répétition !
— Que ferons-nous en cas d'échec ?
Ce mot retentit comme une insulte aux oreilles de Nicolas.
— Il n'y aura pas d'échec ! dit-il.
— Que ferons-nous en cas d'échec ? répéta le prince Troubetzkoï imperturbable.
— Nous nous replierons sur Staraïa-Roussa, dit Ryléïeff, et soulèverons au passage toutes les colonies militaires. Les insurgés du Sud opéreront leur jonction avec nous : Pestel se tiendra prêt à Toultchine, Volkonsky à Oumane, Serge Mouravieff-Apostol à Kiev...
Le prince Troubetzkoï approuvait à petits hochements de tête. Enfin, on lui exposait une action cohérente.
— Je préfère votre plan de retraite à votre plan d'attaque ! dit-il.
— Cela ne m'étonne pas de vous ! dit Nicolas.
Il éprouvait un tel besoin d'être encouragé, qu'il détestait le prince pour son attitude pessimiste.
— Messieurs, messieurs, du calme ! dit Ryléïeff. N'oubliez pas que le prince Troubetzkoï est notre

« dictateur désigné » pour la journée de demain.

Nicolas était en verve. Il dit, à mi-voix, en français :

— Ce n'est pas un « dictateur désigné », c'est un « dictateur résigné » !

Quelques officiers éclatèrent de rire. Ryléïeff fronça les sourcils. Sans doute, tout en critiquant la mollesse du prince Troubetzkoï, déplorait-il que celui-ci eût perdu l'estime des conjurés. Mieux valait, pensait-il, un mauvais chef que pas de chef du tout. Pour refaire l'unité des esprits, sinon autour d'un homme du moins autour d'une idée, il pria le baron Steinheil de lire le manifeste qui serait remis au Sénat. Le baron Steinheil avait un visage parcheminé et rêveur, de grosses lunettes à monture d'écaille, un menton en forme d'œuf, posé sur une haute cravate blanche, et un habit vert bouteille usé aux coudes. Il tira de sa poche un papier gribouillé, raturé, affirma qu'il mettrait ses notes au propre dans la nuit, et lut d'une voix atone :

— « Le manifeste du Sénat proclamera la suppression du régime précédent et l'institution d'un gouvernement provisoire. Ce gouvernement provisoire sera chargé de préparer l'élection d'une Assemblée Constituante, d'abolir le servage ainsi que tous les privilèges de classe, de dissoudre l'armée permanente et les colonies militaires, d'établir la liberté des cultes, d'assurer l'égalité de tous devant la loi, l'indépendance des tribunaux, la publicité des débats judiciaires, de supprimer la censure, de réformer l'administration... »

Les conjurés connaissaient par cœur cette longue litanie politique. Mais ils l'entendaient chaque fois avec le même enthousiasme. En songeant que toutes ces idées généreuses venaient de France, Nicolas était tenté de remercier sa femme. Autour de lui, les yeux s'embuaient dans des visages durcis par la volonté de vaincre. Des officiers s'embrassaient en s'appliquant des claques dans le dos. Le prince Troubetzkoï lui-même était ému.

— J'espère, mes amis, dit-il, que notre action sera digne du but que nous nous proposons d'atteindre !

Il se dirigea vers la porte.

— Vous partez déjà, prince ? demanda Ryléïeff.

— Oui. Je ne voudrais pas me coucher trop tard.

— Pour être frais et dispos demain matin ?

— C'est cela même, dit le prince Troubetzkoï d'un ton embarrassé.

Cependant, Nicolas scrutait les visages de ses camarades, perdus dans la fumée, et songeait à part soi : « Des princes, des comtes, des barons, des officiers de la garde, des jeunes gens oisifs, des bourgeois ! N'est-ce pas la première fois dans l'Histoire du monde qu'une révolution est déchaînée par ceux qui n'ont rien à gagner si elle réussit ? D'habitude, c'est le peuple opprimé qui se soulève contre les privilégiés de la naissance et de la fortune, aujourd'hui, ce sont les privilégiés de la naissance et de la fortune qui risquent leur peau pour offrir la liberté au peuple. Non, jamais il n'y eut d'entreprise plus désintéressée, plus noble, plus étrange ! Jamais les hommes ne furent plus grands et plus fous ! Tous ces garçons, avec leurs visages ordinaires, sont des héros dignes de l'antiquité ! Je suis, moi-même, un héros ! »

Il s'allégeait, ses pieds ne touchaient plus le sol. L'air de la pièce, malgré son odeur de renfermé, avait quelque chose de grisant. Il suffisait de respirer là-dedans, pendant dix minutes, pour éprouver l'ivresse du sacrifice. Vouloir c'était pouvoir, décider c'était réussir. Dieu était sûrement mêlé, d'une manière ou d'une autre, à cette affaire.

Le prince Troubetzkoï avait déguerpi. Filka apporta des bouteilles de vin, et un grand plateau avec du pain, du fromage et du saucisson. Seuls ceux qui étaient près de la table pouvaient se servir. Les autres réclamaient. Des verres passaient de main en main. Nicolas reçut le sien par-dessus quatre rangées d'épaulettes. En prenant une tartine, il enfonça ses doigts dans du beurre. Personne n'avait envie de rentrer chez soi. Dehors, c'était le froid, la nuit, la raison, la famille... Surtout, ne pas y penser pour ne pas faiblir !... Tout le monde parlait à la fois. De mâles éclats de rire venaient de l'antichambre. Les propositions les plus saugrenues fusaient, tels de joyeux pétards, dans le brouhaha des conversations :

— La nouvelle capitale devrait être Nijny-Novgorod !

— La première des choses à faire serait de s'emparer de Cronstadt !

— Pourquoi ne transformerait-on pas les soldats des colonies militaires en Garde nationale à la française ?

— Nous n'avons pas de cartouches ! Il serait sage de commencer par envahir l'arsenal !

— Vous êtes des gamins ! cria le capitaine Iakoubovitch. Vous ne connaissez pas le soldat russe ! Je vous apprendrai, moi, la bonne méthode !

Il était grand, efflanqué, jaune de peau, bleu de crin, avec des moustaches tombantes, en queue d'aronde, une croix sur la poitrine et un bandeau noir sur l'œil. Un tzigane en uniforme d'officier de dragons.

— Ouvrez tous les tripots, reprit-il, laissez les hommes se saouler la gueule, piller les magasins, trousser les filles, bouter le feu à quelques baraques ! Il faut des incendies pour exciter la foule ! C'est joli, ça éclaire, ça donne chaud ! Puis tirez-moi d'une église une dizaine de bannières, et en avant, avec les images saintes, les fusils et les haches, vers le palais ! Là, vous mettrez la main au collet du grand-duc Nicolas Pavlovitch et vous proclamerez la république !

— Taisez-vous ! dit Ryléïeff. Ce sont ceux qui parlent le plus qui font le moins ! Amenez votre régiment, demain, sur la place, c'est tout ce qu'on vous demande !

— Je ne veux pas attendre demain ! dit Iakoubovitch. Je veux agir cette nuit !

Un éclair éblouit Nicolas : mais oui, pourquoi pas cette nuit ? Les officiers se regardèrent. Une même pensée courait de l'un à l'autre.

— Vous êtes fous ! aboya Ryléïeff en tapant du plat de la main sur la table.

Et il se mit à tousser. On lui tendit un verre de vin. Il le but et continua :

— Vous êtes fous ! Que feriez-vous, cette nuit ? Vous savez bien que les soldats ne bougeront pas tant qu'ils n'auront pas reçu l'ordre de prêter serment !

— Nous n'avons pas besoin de soldats ! cria quelqu'un, du fond de la pièce.

C'était le lieutenant en retraite Kakhovsky. Il avait un visage émacié, une maigre moustache sur une grosse bouche, des gestes saccadés, et un air de démence et de tristesse dans ses yeux bruns, asymétriques et luisants de fièvre.

— Je dirai même, reprit-il, que des soldats

nous gêneraient. Ce qu'il faut, c'est pénétrer subrepticement dans le palais, tuer le grand-duc et faire la révolution ensuite !

Iakoubovitch arrangea le bandeau noir qui avait glissé de son œil et dit d'une voix caverneuse :

— Pour tuer le grand-duc, il suffirait d'un homme courageux.

— Voulez-vous être cet homme ? demanda Ryléïeff avec brusquerie, agacé par les fanfaronnades de son interlocuteur.

Iakoubovitch se troubla :

— Pourquoi moi ? Ce n'est pas parce que j'ai eu envie, autrefois, d'assassiner le tsar Alexandre qu'il faut me charger maintenant, d'assassiner son frère. Je suis d'un tempérament plutôt calme. De propos délibéré, je ne ferais pas de mal à une mouche. Puisque nous avons besoin d'un exécuteur, tirons au sort. Combien sommes-nous ici ?

Il promena le regard de son œil unique sur l'assistance. Tous se taisaient.

« Et si c'est moi qui suis désigné ? », pensa Nicolas. Une pointe le piqua au cœur. Quelle que fût son hostilité au régime, il n'aurait jamais le courage de tuer le grand-duc Nicolas Pavlovitch. Cet homme-là, malgré ses défauts, n'était pas de la même essence que les autres. Il appartenait à la lignée de ceux qui, par la raison, la violence, la patience et la ruse avaient, en quelques siècles, construit la Russie. Même pour un esprit fort, il était difficile d'oublier que l'Eglise considérait le tsar comme un représentant de Dieu sur la terre. Toute l'enfance orthodoxe de Nicolas se révoltait contre le sacrilège que ses camarades allaient peut-être exiger de lui. Se dérober, c'était perdre leur estime ; accepter, c'était perdre son âme.

— Eh bien ! reprit Iakoubovitch. Etes-vous d'accord ? Inscrivons nos noms sur de petits papiers, jetons-les dans un chapeau...

Nicolas entendit sa propre voix qui disait :

— Permettez, messieurs, cette proposition mérite d'être discutée...

— Elle n'est pas nouvelle pour nous, dit Alexandre Bestoujeff. Pestel l'avait déjà faite, ici même, il y a quelques mois.

— A cette différence près, dit Nicolas, que Pestel avait des hommes de main pour accomplir la vilaine besogne !

— Vous avez peur d'être choisi ? dit Iakoubovitch en riant.

Ses dents étincelèrent dans sa face olivâtre.

— Oui, dit Nicolas simplement.

Dans le silence qui suivit, il devina que le grand nombre l'approuvait. Alors, il ajouta :

— Il faudrait n'être pas Russe pour penser autrement !

— Bien envoyé ! s'écria le prince Golitzine. Nous avons beau être des révolutionnaires — peut-être même des athées — nous avons été baptisés, nous sommes allés à l'église, nous avons le respect du tsar dans le sang !

Batenkoff, voûté, osseux, noueux, se redressa comme pour se débarrasser d'un fardeau et dit, lui aussi, d'une voix caverneuse :

— Je ne suis pas un pleutre, je me déclare prêt à mourir sur la place du Sénat, sous la mitraille, mais lever la main sur le tsar, jamais !

— Jamais ! Jamais ! affirmèrent d'autres voix.

— Alors, nous ne tirons pas au sort ? demanda Iakoubovitch.

— Non ! dit Ryléïeff. Dans le cas présent...

Un bruit de vaisselle lui coupa la parole. Kakhovsky avait balayé les assiettes et les verres d'un mouvement de bras. Il bondit sur la table. Ses yeux étincelaient dans ses orbites sombres. Sa tête arrivait à la hauteur de la lampe. Il brandissait un poignard.

— A quoi bon tirer au sort ? brailla-t-il. Le destin m'a désigné depuis mon enfance ! Je suis seul au monde ! Je n'attends rien de personne ! Je n'ai peur ni de Dieu, ni du diable, ni du tsar ! Vous répugnez à vous salir les mains ? Je vous offre les miennes !

— As-tu fini de hurler des insanités ? dit Ryléïeff. Descends de là !

— Le sang du tyran coulera ! poursuivit Kakhovsky. Le pays délivré chantera vos louanges ! Toute la gloire sera pour vous, tout l'opprobre pour moi ! Je resterai, pour les siècles à venir, le boucher sanguinaire, celui dont le nom seul fait frémir les petits enfants ! O patrie ! voilà ce que j'accepte par amour pour toi !

Alexandre Bestoujeff le tira par la manche et il sauta de la table.

— Donne-moi immédiatement ce poignard ! dit Ryléïeff.

Kakhovsky lança le poignard dans un coin de la pièce. Le manche tinta en cognant un meuble.

— Pardonne-moi et garde cette arme en souvenir, dit Kakhovsky.

— En souvenir de quoi ?

— De la proposition que je t'ai faite. Je ne la répéterai pas. Nul ne peut me comprendre. Je suis seul !...

Un halètement distendait ses narines blanches. Sa pomme d'Adam montait et descendait au-dessus de son col.

— Comédie ! grommela Alexandre Bestoujeff. Nous parlons depuis des heures et nous ne sommes pas plus avancés qu'en venant ici ! Une seule chose est certaine : il ne peut plus être question de reculer ! Nous nous retrouverons tous, demain, sur la place du Sénat !

Le cornette Odoïevsky, benjamin des conjurés, mit une main sur son cœur, contracta son visage frais et rose dans une expression de ferveur romantique, et cria :

— La mort nous attend ! Mais quelle mort glorieuse !...

— Mes amis, il se fait tard ! dit Ryléïeff.

Sans doute pensait-il à sa femme, qu'il avait reléguée dans sa chambre pendant la durée de la réunion.

— Excusez-nous auprès de Nathalie Mikhaïlovna ! dit Nicolas.

Le gros des invités reflua vers le vestibule où s'entassaient les pelisses, les shakos et les sabres. Filka dormait en travers de la porte. Ryléïeff le réveilla d'une taloche. Le gamin se dressa sur ses jambes et se frotta les yeux. Le manteau sur les épaules, le chapeau à la main, les conjurés s'attardaient encore. Quelque chose les retenait ici. Peut-être la conscience que le monde réel commençait au-delà du seuil. Nicolas lui-même hésitait à s'en aller, comme on hésite à sortir d'un songe. Il laissa passer devant lui la plupart de ses camarades.

— A demain ! Que Dieu nous aide ! Courage ! disait Ryléïeff.

Chaque fois, la porte d'entrée retombait avec un bruit sourd. Bientôt, il ne resta plus dans l'antichambre que Kakhovsky, Alexandre Bestoujeff, Obolensky, Golitzine, Pouschine, Iakoubovitch, Kostia, Nicolas et Ryléïeff. Kakhovsky s'était assis sur un coffre, sous la rangée des portemanteaux. Tête basse, il semblait attendre l'arrivée d'une voiture, au bord d'une route.

— N'as-tu rien à me dire ? demanda-t-il soudain en levant sur Ryléïeff des yeux à la pupille dilatée.

— Si, murmura Ryléïeff. J'ai réfléchi. Nous sommes trop mal organisés pour une action de masse. Toi seul peux nous sauver. J'accepte ton sacrifice.

Il marqua un temps et ajouta d'une voix douce :

— Va et tue le grand-duc.

— Comment cela ?

— Mets un uniforme d'officier et faufile-toi dans le palais... Ou bien encore, attends que le grand-duc sorte sur la place du Sénat pour se montrer au peuple...

— Je l'abattrai sur la place du Sénat, dit Kakhovsky.

Son visage, habituellement très mobile, se calma, comme si cette décision lui eût apporté une grande paix intérieure. Un sourire enfantin descendit de ses yeux à ses lèvres. « Peut-on être heureux de tuer ? pensa Nicolas. Mais non, il n'est pas heureux de tuer, il est heureux de risquer sa vie. Il est heureux de se perdre !... »

— Ah ! mon cher, je t'admire ! s'exclama Iakoubovitch en serrant la main de Kakhovsky.

— Vous me féliciterez après, si j'en réchappe, ricana Kakhovsky. Mais peut-être alors ne voudrez-vous plus me reconnaître ? Je serai une mauvaise fréquentation pour vous !

— Ne dis pas de sottises ! coupa Ryléïeff.

Et il l'embrassa. Nicolas était mal à l'aise. Il prit congé du maître de maison en même temps que Kostia.

— A demain ! dit Ryléïeff. Que Dieu nous aide !

Dans la rue, Kostia et Nicolas marchèrent quelque temps en silence, respirant la nuit, écoutant la ville qui dormait.

— Je n'ai pas très bonne impression, dit Kostia.

— Moi non plus, dit Nicolas.

— Alors, à ton avis, que faut-il faire ?

— Tu oses hésiter ? dit Nicolas d'une voix tremblante.

— Non ! Non ! Si tu y vas, j'y vais ! dit Kostia.

Ils firent un détour pour passer devant le palais d'Hiver. L'énorme bâtiment s'étirait dans la nuit, à la lisière d'un champ de neige. Les sentinelles gelaient, debout, dans leurs guérites rayées. Autour d'un brasero s'assemblaient des cochers aux yeux d'escarboucle, aux barbes de feu. Des chevaux dormaient, queue et tête pendantes, attachés à des bornes. Balancées par le vent, des lanternes projetaient de gauche à droite leur halo blafard coupé d'une croix. Nicolas leva les yeux vers une suite de fenêtres éclairées, au deuxième étage. Peut-être le grand-duc était-il là, dans son bureau ?

— Lui aussi, il veille, il se prépare ! dit Nicolas.

Les deux amis restèrent un moment à contempler ces rectangles lumineux, taillés dans un mur sombre aux corniches de neige. Puis fatigués, transis, la tête lourde, ils reprirent, bras dessus, bras dessous, le chemin de la maison.

2

A force de vouloir dormir, Nicolas s'éveilla tout à fait. Une nuit noire masquait la fenêtre aux carreaux piqués de givre. Il battit le briquet, alluma une bougie, vit à sa montre qu'il était cinq heures, et retrouva aussitôt son angoisse et son exaltation de la veille. Mais, à l'approche du danger, ses sentiments perdaient de leur caractère sublime. Son corps se mettait à avoir peur en même temps que son esprit. Ce phénomène, il le connaissait bien pour l'avoir éprouvé, avant chaque bataille, pendant les campagnes de 1814 et de 1815 contre Napoléon. Pourtant le courage que ses supérieurs exigeaient de lui à cette époque n'avait aucun rapport avec celui dont il avait besoin maintenant. Jadis, il ne se préoccupait que de dompter ses nerfs pour obéir à des ordres indiscutables. Aujourd'hui, il devait, en plus, interroger sa conscience pour déterminer où se situait l'intérêt de la patrie. Il était à la fois politique et soldat. La gêne qui résultait pour lui de ce double emploi se compliquait de l'idée qu'il avait fait la guerre en célibataire et qu'il faisait la révolution en homme marié. La vie ne compte pas quand nul ne compte pour vous dans la vie. Il aimait trop Sophie pour être parfaitement libre de ses mouvements. Même en sachant qu'elle l'approuvait, il se sentait coupable envers elle du risque qu'il allait prendre. Chaque souvenir qui lui venait d'elle l'attendrissait, l'affaiblissait. Les prunelles écarquillées sur le vide, il revit le visage de sa femme avec une précision telle que le souffle lui manqua ; ces grands yeux noirs, cette lèvre supérieure un peu courte, ce long cou renflé à la base, la lumière nacrée d'un sourire, une main fine ramenant un châle sur une épaule... Il sauta hors du lit, ouvrit l'écritoire, commença une lettre :

« Ma bien-aimée, si je ne reviens pas de la périlleuse journée qui se prépare, sache que ma dernière pensée aura été pour toi. Pardonne-moi d'avoir sacrifié au salut de mon pays une existence que, peut-être, j'aurais dû te consacrer tout entière. Mon excuse est qu'en me dévouant à cette œuvre politique j'avais la conviction de servir une cause qui t'était aussi chère qu'à moi... »

Il noircit quatre pages, les cacheta et écrivit sur le pli : « À remetre, en cas de malheur, à mon épouse, Madame Ozareff. »

Placé entre deux chandeliers d'argent, le message ne pouvait passer inaperçu. Platon se chargerait de le faire parvenir à destination. Après s'être ainsi mis en règle avec lui-même, Nicolas se lava, se rasa et enfila sa chemise la plus fine, son habit le mieux coupé, comme pour honorer la mort par l'élégance de sa toilette. Tournant le dos à la glace, il plia le genou devant une icône. Dans le silence de la nuit, son âme s'éleva sans effort. Les mains jointes, il dit :

— Si notre combat est juste, porte-toi à la tête

de nos troupes, mon Dieu, pour nous aider à vaincre !

Avant de se signer, il ajouta, plus humblement :

— Protège-moi, mon Dieu.

Puis, haussant la bougie pour éclairer son chemin, il alla frapper à la porte de Kostia. Sans réponse, il entra dans la chambre. Hors d'un bouillonnement de draps et de couvertures surgit la silhouette furieuse d'un homme éveillé en sursaut :

— Hein ? Quoi ? Qu'est-ce qu'il y a ? Quelle heure est-il ?

En apprenant que Nicolas, incapable de dormir, voulait retourner chez Ryléïeff, Kostia se fâcha :

— Fais ce que tu veux ! Je n'irai pas avec toi ! Il est trop tôt !

— Mais les régiments vont prêter serment dans quelques heures !

— Je te dis qu'il est trop tôt ! J'ai sommeil ! Va-t'en !

— Je reviendrai te chercher !

— C'est ça !

Kostia tira son bonnet de nuit sur ses oreilles, se recoucha le nez au mur, et poussa un tel ronflement que Nicolas battit en retraite. Platon, lui, était déjà levé.

— Il y a une lettre sur ma table, lui dit Nicolas. S'il m'arrive quelque chose, tu la feras porter à ma femme.

— Mais qu'est-ce qui peut vous arriver, barine ? demanda Platon, la face ramollie d'inquiétude.

Nicolas dédaigna de répondre, mais accepta de boire une tasse de thé et de manger un craquelin avant de sortir.

Il faisait encore sombre quand il s'arrêta devant la maison de Ryléïeff. Son intention était de repartir s'il ne voyait pas une lueur derrière les rideaux. Or, non seulement plusieurs fenêtres étaient éclairées, mais un bruit de voix débordait sur le trottoir.

En recevant Nicolas, Ryléïeff lui annonça qu'il n'avait pas fermé l'œil de la nuit. Il avait un visage livide, sali de barbe, des boutons de fièvre aux coins de la bouche. Quelques conjurés l'entouraient, avec des airs farouches et incertains. Questionnant les uns et les autres, Nicolas apprit que les plans de l'insurrection étaient désorganisés. En effet, l'intrépide Iakoubovitch venait d'aviser Ryléïeff qu'il renonçait à soulever ses hommes; Kakhovsky, choisi pour abattre le grand-duc, s'était délié de sa promesse, sous prétexte qu'il ne pouvait prendre sur lui seul un crime dont finalement personne ne lui saurait gré; quant à Troubetzkoï, il était moins résolu encore que la veille. Dans certaines casernes, la prestation de serment avait déjà commencé. Le Sénat se réunissait à l'instant même. Il fallait agir, et on était sans nouvelles d'un grand nombre d'officiers. Le baron Rosen avait-il pu entraîner le régiment de Finlande ? Southoff n'était-il pas en difficulté avec ses grenadiers ? Et le régiment Ismaïlovsky, que devenait-il ? Et le régiment Préobrajensky ? Nicolas Bestoujeff insistait pour aller voir ce qui se passait au régiment de Moscou, dont son frère Michel était capitaine en second.

— Oui, dit Ryléïeff. Allons-y ! Ce seront les Moscovites qui porteront le premier coup !

Il achevait de s'habiller, quand le baron Steinheil, qui habitait à l'étage supérieur, se présenta en robe de chambre marron et pantoufles fourrées.

— J'ai mis au point le manifeste, cette nuit, dit-il. Voulez-vous que je vous le lise ?

— Nous sommes encore loin du manifeste ! grommela Ryléïeff.

— Pourtant, certaines choses doivent être précisées...

— Plus tard... plus tard !...

— Alors, je rédige tout à mon idée ?

— Mais oui !

Filka se dressa sur la pointe des orteils pour tendre un manteau à son maître. Celui-ci enfila une manche, réfléchit et murmura par-dessus son épaule :

— Tu diras à la barynia que je serai bientôt de retour.

Sur ces mots, la porte vola contre le mur et une jeune femme éplorée se précipita dans le vestibule. Son peignoir rose à semis de pâquerettes était boutonné de travers. Des mèches de cheveux blonds s'échappaient de son bonnet de dentelle. Emportée par son élan, elle perdit une mule, fit encore trois pas en boitant et tomba sur la poitrine de Ryléïeff.

— Ne pars pas ! gémit-elle.

— Nous sommes les soldats de la liberté, Nathalie Mikhaïlovna ! Le devoir nous appelle ! dit Nicolas Bestoujeff, si mal à propos que Ryléïeff lui lança un regard de reproche.

— Quel devoir ? sanglota Nathalie Mikhaïlovna. Je ne connais qu'un devoir pour mon mari : rester en vie pour sa femme, pour son enfant !

— Mais personne d'entre nous n'a l'intention de mourir, Nathalie ! dit Ryléïeff.

— Si ! si ! Tu vas à la mort ! Je le sais ! Vous allez tous à la mort ! Vous êtes fous !

Agrippée à Ryléïeff, elle l'étreignait, le palpait, couvrait ses mains de baisers, et lui, tout en essayant de la raisonner, regardait ses amis comme pour leur demander pardon de cette scène peu glorieuse. La gorge serrée par l'émotion, Nicolas pensait à Sophie. Elle était certainement plus courageuse que Nathalie Mikhaïlovna, plus apte à comprendre les nécessités de la politique, mais, dans des circonstances aussi graves, n'eût-elle pas, elle aussi, tenté de le retenir ? Il en arrivait presque à le souhaiter, tant il avait besoin de se sentir aimé en cette minute. Tous les hommes, tête basse, se découvraient plus ou moins coupables devant cette femme en larmes, qui défendait son bonheur. Soudain, elle cria :

— Nastenka ! Nastenka ! Viens prier ton père de ne pas nous abandonner !...

Une fillette en chemise de nuit se faufila entre les conjurés et enlaça la jambe de Ryléïeff. Elle était mal éveillée, levait sur tous ces inconnus des yeux bleus pleins de larmes et balbutiait, comme une leçon apprise :

— Ne t'en va pas, mon petit papa ! Reste avec nous pour nous protéger ! Tu es notre ange gardien !...

A bout de forces, Nathalie Mikhaïlovna s'évanouit dans les bras de Ryléïeff. Il la transporta dans la chambre voisine, appela une servante et reparut peu après, avec un sourire contraint :

— Je m'excuse de cet incident, mes amis. Filons !

Les conjurés se dispersèrent. Un fiacre emporta Bestoujeff, Ryléïeff et Ivan Pouschine, qui voulaient rendre visite au prince Troubetzkoï avant de commencer la tournée des casernes. Brusquement désœuvré, Nicolas revint à la maison, où il pensait trouver Kostia vêtu de pied en cap et l'attendant pour sortir. Mais Kostia n'était plus chez lui. Platon avait un air perdu.

— Il a fait ses bagages, il a commandé une voiture et il est parti ! dit-il.

— Il a fait ses bagages ? répéta Nicolas étonné. Ce n'est pas possible ! Tu te trompes !

— J'ai aidé moi-même à charger la malle ! Une petite malle ! Il ne doit pas être allé loin ! Peut-être à sa maison de Tsarskoïé-Sélo !...

— Il ne t'a pas laissé son adresse ?

— Non.

— Et il ne t'a rien dit pour moi ?

— Si. Il m'a dit : « Traite Nicolas Mikhaïlovitch aussi bien que si c'était moi-même ! »

— C'est tout ?

— Oui, barine !

« Il a eu peur, il s'est enfui », pensa Nicolas avec tristesse. Sa déception était telle, qu'il n'avait même pas la force de se fâcher. Il essayait de comprendre comment il avait pu mettre toute son amitié dans un lâche. Et Vassia Volkoff que des affaires de famille avaient fort opportunément appelé loin de la capitale ! Pourtant, c'était un garçon courageux ! Il l'avait prouvé lorsqu'il s'était battu en duel contre Nicolas. Oui, mais alors il agissait sous l'empire de la colère, pour venger son honneur. C'était plus facile que risquer sa vie, sans haine, délibérément, pour une conviction politique. Cette double dérobade, arrivant après celles de Kakhovsky et de Iakoubovitch, laissait mal augurer des chances de la révolution. Tous les conjurés n'allaient-ils pas, à tour de rôle, trahir la cause pour laquelle, hier encore, ils se disaient prêts à verser leur sang ? En viendrait-il un seul, tout à l'heure, sur la place du Sénat ?

Impatient d'en avoir le cœur net, Nicolas se rua dehors. Un jour grisâtre naissait au-dessus de la ville. Le froid était trop vif, il ne neigeait pas. La flèche dorée de l'Amirauté s'enfonçait dans une étoupe noire de nuages. L'employé du service de l'éclairage descendait les lanternes de leur potence, les éteignait, renouvelait l'huile des réservoirs et les remontait par une poulie. Un gamin passa, tenant une liasse de journaux sous le bras et criant :

— Le manifeste ! Le manifeste !

Nicolas acheta une feuille : ce n'était pas le manifeste, mais le texte du serment au nouvel empereur. Les cabarets étaient fermés. Il y avait peu de fiacres dans les rues. Des cloches sonnaient dans le brouillard de l'aube, d'une manière saccadée et lugubre. Aux abords d'une église, Nicolas rencontra une théorie de petites vieilles, emmitouflées, toutes semblables, comme les fillettes d'un pensionnat. Elles avançaient deux par deux, en tâtant devant elles, avec une canne, la boue gelée du trottoir.

— Pourriez-vous me dire quel nom était cité dans les prières, ce matin ? demanda Nicolas à l'une d'elles.

Interpellée par un inconnu, la petite vieille fut prise d'une frayeur de poule, arrondit un œil, battit du châle, voulut s'enfuir, puis caqueta :

— Comment ça, quel nom ?

— Je veux dire... pour quel tsar avez-vous prié ?

— Pour Nicolas Pavlovitch ! répondit la petite vieille rassérénée. C'est lui notre nouveau père. Que Dieu lui donne bonheur et longue vie !

Elle rejoignit ses compagnes, chuchota avec elles, et se retourna plusieurs fois sur Nicolas, comme si elle eût échappé de justesse à une aventure.

Nicolas dépassa le chantier de la cathédrale Saint-Isaac, amas de pierres, de poutres et d'échelles, et déboucha sur la place du Sénat. La statue équestre de Pierre le Grand dominait, du haut de son rocher, un désert. La Néva était gelée sur toute sa largeur. Des passerelles reliaient la terre ferme au brouillard laiteux de l'autre rive. A l'aplomb du quai de l'Amirauté, des ouvriers taillaient des blocs dans la glace. Nicolas s'intéressa un moment à leur travail. Puis il revint sur la place du Sénat, qui lui parut, déjà, plus animée. Mais les figures qu'il voyait là n'avaient rien de révolutionnaire. Des marchands forains déballaient des friandises grossières sur leurs tréteaux. Un vendeur de boissons chaudes déambulait avec, sur son dos, une bouilloire de cuivre à la cheminée fumante, et, autour de son cou, une guirlande de petits pains. Deux laquais en livrée promenaient avec ennui six lévriers aux longues pattes cassantes, aux reins peureux, vêtus de paletots verts à pompons. Des carrosses défilaient, mollement bercés par leurs ressorts. Les valets de pied, debout à l'arrière des caisses, glissaient à six pieds au-dessus du sol, avec des profils de destin. Les glaces des portières armoriées jetaient des reflets insolents au passage. Sans doute s'agissait-il de hauts dignitaires, allant au palais pour offrir leurs compliments au tsar après la prestation de serment. Une telle sérénité se dégageait de ces images, que Nicolas se dit : « Il n'y aura rien, il ne peut rien y avoir ! La ville ne veut pas de nous ! Les pierres même, ici, sont monarchistes ! » Il avait froid, il avait faim. Sa montre marquait neuf heures vingt-cinq. Des ouvriers avaient envahi les échafaudages de la cathédrale. Un bruit de scie déchira l'air. Des marteaux se mirent à cogner.

Nicolas suivit le boulevard de l'Amirauté, tourna dans la rue Gorokhovaïa et entra dans le café Schwarz, à l'angle de la rue Morskaïa. Un escalier conduisait à la salle, qui était en contrebas. La lumière du jour pénétrait par des soupiraux en forme de demi-lune. Les consommateurs voyaient aller et venir, au-dessus de leur tête, les pieds diversement chaussés des passants. D'une pièce contiguë arrivaient un bruit de billes de billard entrechoquées et les rires des joueurs. La chaleur du poêle, le parfum du chocolat et de la pâte sucrée, le murmure des conversations, enveloppèrent Nicolas et l'engourdirent. Il commanda de la limonade et se rappela qu'il devait rencontrer Hippolyte Roznikoff, ici-même, ce soir, vers trois heures. Hier, en acceptant cette invitation, il était sûr que les événements l'empêcheraient de s'y rendre. Aujourd'hui, il donnait raison à son camarade : « Ce n'est pas une poignée d'officiers libéraux qui pourra inciter à la révolte tout un peuple élevé dans le respect de la religion... »

Les cloches sonnaient toujours, assourdies par l'épaisseur des murs. A la table voisine, deux hommes, habillés en bourgeois, devisaient à voix basse en buvant leur thé. L'un d'eux, qui avait une face rouge, grêlée, ne quittait pas Nicolas de l'œil. « Ce sont des policiers ! », pensa-t-il. Une fureur le saisit. Il dut se retenir pour ne pas aller au mouchard et lui demander de quel droit il le dévisageait ainsi. Cette révolution, que ses camarades n'osaient tenter, il eût aimé pouvoir la faire seul. Remâchant sa colère, il regardait distraitement les pieds des passants, par la fenêtre en demi-lune. Au bout d'un moment, il lui sembla que ces pieds devenaient plus nombreux. Une forêt de houseaux remplaçait les chaussures civiles. Le sol tremblait à la cadence de mille pas confondus. Des cris gutturaux retentirent. Un grondement de tambours roula, de marche en marche, jusqu'au fond du café. Comme un fou, Nicolas se précipita dans la rue. Des uniformes le bousculèrent. Il en reconnut, avec fierté, les couleurs. Le régiment de Moscou défilait, au pas accéléré. Les hommes marchaient, penchés en avant, la baïonnette pointée, la face déchirée par un énorme cri :

— Hourra, Constantin !

Nicolas les eût embrassés ! Des gamins trottaient sur les flancs de la colonne. Tous les chiens du quartier aboyaient. Aux fenêtres des maisons apparaissaient des figures inquiètes, dont le nez blanchissait en s'écrasant contre les carreaux. Qui avait pris la tête du détachement ? Nicolas courut pour remonter jusqu'aux premiers rangs. Comme il y arrivait, le battement des tambours lui emporta les oreilles. Dans un éclair de joie, il vit Michel et Alexandre Bestoujeff qui brandissaient, au bout de leurs épées, leurs tricornes aux plumets blancs. Derrière, venait le petit lieutenant Youri Almazoff, tout en os et en nerfs, avec ses sourcils noirs froncés et son sourire étincelant comme la neige. Puis le capitaine en second Schépine-Rostovsky, cramoisi, débraillé, les yeux en billes. Il montra à Nicolas son sabre ensanglanté et dit :

— J'en ai taillé trois en pièces !

— Qui ? demanda Nicolas.

— Peu importe !... Des canailles, des suppôts de l'autocratie !... Ils voulaient empêcher le régiment de sortir !... Hourra !

— Hourra ! hurla Nicolas.

Il regrettait de n'être pas en uniforme. Précédés de leurs drapeaux, les hommes du régiment de Moscou — sept ou huit cents à peine — se déversèrent avec violence sur la place du Sénat. Alexandre Bestoujeff les arrêta près du monument de Pierre le Grand, les forma en carré, face au bâtiment de l'Amirauté, et détacha en avant une chaîne de tirailleurs. Puis, visité par une inspiration théâtrale, il se mit à aiguiser son épée sur le roc de granit servant de socle à la statue. Il était en uniforme vert, pantalon blanc, bottes de hussard et écharpe de parade. A l'abri des baïonnettes, les insurgés se retrouvaient et s'embrassaient avec des cris de joie. Ceux-là même que Nicolas avait cru ne jamais revoir apparaissaient tout à coup, comme tombant du ciel. Iakoubovitch, avec son bandeau noir sur l'œil, Kakhovsky, en habit violet, chapeau haut de forme et large ceinture rouge, d'où dépassaient le manche d'un poignard et la crosse d'un pistolet, Obolensky, Golitzine, Kuhelbecker, Ivan Pouschine. Ils parlaient tous à la fois, sur un ton exalté :

— Eh bien ! Le voici donc ce fameux régiment de Moscou ! dit Nicolas. Bravo ! les frères Bestoujeff ! Si seulement Iakoubovitch avait pu nous amener de l'artillerie !

— Nous n'avons pas besoin d'artillerie ! grogna Iakoubovitch.

Et il ajouta :

— Vous m'excusez, il faut que je vous quitte !

— Où vas-tu ?

— Faire un tour, par là...

— Mais tu reviendras ?

— Bien sûr !

— Que fait Ryléïeff ? demanda Youri Almazoff.

— Il ne va pas tarder ! dit Obolensky.

— Et Troubetzkoï ?

— Celui-là, je serais surpris si nous le voyions aujourd'hui ! soupira Golitzine.

— Nous nous passerons de lui ! rugit Kuhelbecker en agitant un pistolet.

— Attention ! dit Nicolas. Tu ne sais pas t'en servir !

C'était la première fois qu'il tutoyait Kuhelbecker. Mais, en cette minute, il avait l'impression que tous ceux qui l'entouraient étaient ses amis d'enfance. La maison de Ryléïeff se reconstruisait sur la place. On était, en plein air, derrière la haie des baïonnettes, comme à l'intérieur du petit logement de la Moïka, aux portes closes. Ryléïeff arriva lui-même bientôt, un sac de soldat sur les reins. Sa figure puérile était écrasée par un important chapeau bolivar. Les sous-pieds de son pantalon avaient craqué et traînaient par terre. Il se baissa pour les arracher tout à fait. Il paraissait fatigué, nerveux. Toute la matinée, il avait couru d'une caserne à l'autre, sans résultat.

— Nous sommes bien peu nombreux ! dit-il.

— Mais nous pouvons tout de même marcher sur le palais ! dit Nicolas.

— Pas encore.

— Qu'est-ce que nous attendons ?

— Les renforts... les renforts qui vont venir !

— Et s'il n'en vient pas ?

— S'il n'en vient pas, s'écria Ivan Pouschine, nous pourrons toujours demander un coup de main à ceux-là !

Et il désigna, d'un geste large, la foule qui s'assemblait autour du carré. Nicolas n'avait pas encore prêté garde à cette affluence de civils en un lieu où ils n'avaient que faire. Les badauds s'approchaient des soldats, les regardaient sous le nez, entraient en conversation avec eux, tentaient de se faufiler à l'intérieur du réduit. A plusieurs reprises, Alexandre Bestoujeff donna l'ordre de les disperser. Mais, après s'être éloignés de quelques pas, ils revenaient avec une obstination monotone.

— Je me méfie de la populace ! murmura Ryléïeff. Si nous nous laissons gagner par elle, nous sommes perdus !

— Il faut de l'ordre dans le désordre ! renchérit Kuhelbecker d'un ton sentencieux.

— Dommage ! dit Ivan Pouschine. Il y aurait eu quelque chose à faire avec ces gaillards-là !

Nicolas voulut voir quelle espèce de gens étaient attirés par ce remue-ménage précurseur d'une émeute. Il franchit la ligne dispersée des tirailleurs et entra dans la cohue. Il y avait là de tout : des moujiks, des ouvriers du chantier voisin, de petits fonctionnaires aux uniformes minables, des marchands en longues houppelandes et des individus qui semblaient n'appartenir à aucune classe sociale, maigres, sales, vêtus de haillons, armés de gourdins. Quel appel mystérieux les avait arrachés aux bas-fonds de la capitale pour les ameuter à deux pas du palais d'Hiver ? Savaient-ils au juste ce que signifiait l'épreuve de force qui allait se livrer ici ? Avaient-ils entendu parler de liberté, d'égalité, de constitution ? Ils piétinaient, bougonnaient, se poussaient du coude.

— Vous allez voir, chrétiens ! grondait un colosse barbu. Aujourd'hui, tout sera renversé cul par-dessus tête ! Ceux d'en bas seront en haut ! Le moujik ne transpirera plus que pour son plaisir !

— Ce n'est pas de transpirer qui me gêne, c'est de ne pas manger ! bredouilla un ouvrier au caftan déchiré et aux pieds enveloppés de chiffons.

— Eh bien ! tu mangeras, à t'en crever la panse ! Les messieurs te laisseront leur part ! Il n'y aura plus de messieurs ! Nous serons, à notre tour, des messieurs !

— Je suis plus doux avec mon cheval que les barines ne le sont avec moi ! déclara un cocher de fiacre au grand chapeau noir à bords roulés.

Nicolas revint vers les soldats. Là aussi, les conversations allaient bon train :

— Il paraît que le grand-duc Constantin Pavlovitch est parti de Varsovie et qu'il marche sur Saint-Pétersbourg avec toute une armée !

— Il va montrer à son frérot Nicolas de quel bois il se chauffe !

— Tous ceux qui auront prêté le deuxième serment seront passés par les baguettes !

— Le chiffre est déjà fixé : huit cents coups par soldat ! Et puis, la Sibérie !...

— Pourquoi les Ismaïlovtsy ne sont-ils pas encore là ?

— Des paresseux !

— De mauvais officiers les empêchent de venir !

— Nous devrions aller les délivrer !...

— Si seulement on commençait à se battre, ça nous réchaufferait un peu !

Les hommes avaient quitté leur caserne en uniforme de parade, sans prendre le temps d'enfiler leurs capotes. Transis de froid, ils sautillaient sur place et se bourraient de coups de poing. Dans cette bousculade fraternelle, leurs shakos à hauts plumets se saluaient comme des marionnettes. Midi sonna à la tour de l'Amirauté. Il n'y avait toujours ni ennemi ni renforts en vue.

— Et Troubetzkoï qui n'est pas encore là ! dit Ryléïeff. C'est inadmissible ! Je vais le chercher !

Il partit. Youri Almazoff et Golitzine proposèrent à Nicolas d'aller se réchauffer dans un café.

— Achetez-moi des bonbons ! leur cria Kuhelbecker.

— Quel genre de bonbons ?

— Au citron. J'adore ça !

Ils se frayèrent un chemin à travers la foule. A peine étaient-ils assis dans le café, qu'un gamin entra en courant. Blond de paille et rose-pivoine, les yeux émerveillés, il glapit :

— Messieurs les officiers ! Messieurs les officiers !

Personne ne l'avait jamais vu.

— Quoi ? demanda Nicolas.

— D'autres soldats arrivent ! dit l'enfant.

— Pour nous ou pour eux ?

— Je ne sais pas.

Les trois hommes se jetèrent dehors. Au passage, Youri Almazoff acheta tout de même des bonbons au citron pour Kuhelbecker. Nicolas se hissa sur la grille du monument de Pierre le Grand. Des étincelles d'argent dansaient au loin, à l'angle du boulevard de l'Amirauté. C'était un bataillon du régiment Préobrajensky, marchant au pas de parade. Il s'arrêta devant le chantier de la maison de l'état-major, entourée d'une palissade en planches. Un cavalier parut sur le front des troupes. Impossible de distinguer son visage. Mais cette silhouette cambrée, ce chapeau à plumes, cet uniforme blanc et vert, ce cordon bleu...

— C'est le tsar ! s'écria Nicolas. Je vous assure que c'est le tsar !...

Il s'aperçut qu'il venait de sacrer empereur celui dont il niait la légitimité une minute plus tôt.

— Je crois bien que tu as raison, frère ! dit Alexandre Bestoujeff en clignant des yeux. Et regarde qui est auprès de lui ! Notre ami Iakoubovitch ! Le brave des braves ! Il nous a définitivement trahis, celui-là !

— Ne le jugez pas trop vite, dit une voix. Il peut nous être plus utile là-bas qu'ici !

Nicolas se retourna : Ryléïeff était revenu dans le carré. Sous son chapeau à larges bords, il avait l'air d'un poète famélique. Soucieux, renfermé, le menton rond, le front pâle, l'œil vague...

— Quelles nouvelles des autres régiments ? demanda Nicolas.

Au lieu de répondre, Ryléïeff dit :

— Attention ! Un visiteur de marque !

Tous les regards se portèrent vers le point qu'il désignait, du côté de la cathédrale Saint-Isaac en construction. Un traîneau débouchait sur la place du Sénat, au galop de deux chevaux gris pommelés. A l'intérieur se tenait le général Miloradovitch, gouverneur de Saint-Pétersbourg. Appuyé de la main gauche à l'épaule du cocher, il tendait le bras droit pour montrer l'ennemi dans un geste de détermination emphatique. Deux douzaines de décorations scintillaient sur son torse. Le cordon de Saint-André coulait en moires d'azur en travers de son uniforme blanc. A son approche, quelques badauds gueulèrent des injures. Le général donna l'ordre à son cocher de contourner l'église. Dix minutes plus tard, il revenait à cheval, dressant la tête sous son tricorne emplumé. Une expression de dédain crispait son visage fané, pommadé, aux yeux huileux et aux favoris teints, couleur d'acajou. Arrivé devant les insurgés, il s'arrêta, parut grandir, et cria d'une voix de tonnerre :

— Soldats !

A cet appel d'un chef au renom légendaire, les hommes tressaillirent et, instinctivement, rectifièrent leur position. Content de son effet, Miloradovitch poursuivit, un poing sur la hanche :

— Soldats, qui d'entre vous a été avec moi à Kulm, à Lützen, à Bautzen ?...

Un silence de mort lui répondit.

— C'est donc qu'il n'y a pas un soldat russe parmi vous ! reprit Miloradovitch avec colère. Et pas un officier russe, non plus ! Merci, mon Dieu !

Tout en parlant, il tirait son épée du fourreau. Allait-il en frapper quelqu'un ? Nicolas le craignit pour la suite des événements. Mais Miloradovitch se contenta de lire l'inscription gravée sur la lame :

— « A mon ami Miloradovitch ! » Entendez-vous, soldats ? Cette épée m'a été offerte par le grand-duc Constantin pendant la campagne d'Italie. Nous étions alors, l'un et l'autre, sous les ordres de l'illustre Souvoroff. Durant un quart de siècle, je ne me suis pas séparé de cette arme. Elle a été avec moi à Borodino, à Kulm, à Brienne, à Fère-Champenoise...

Nicolas observa que la figure des plus vieux soldats s'éclairait à l'énumération de ces noms prestigieux.

— Croyez-vous qu'après avoir reçu cette marque d'estime du grand-duc Constantin je pourrais aujourd'hui trahir sa cause ? continua Miloradovitch. Croyez-vous que je pourrais vous trahir vous-mêmes, après avoir été votre compagnon d'armes en Russie, en Allemagne, en France ? Le grand-duc Constantin a vraiment refusé la couronne. J'ai vu, de mes propres yeux, son acte d'abdication ! On vous a trompés, mes amis ! Obéissez-moi, comme autrefois sur les champs de bataille. En avant, marche ! Droit au palais ! Pour le serment !

Le premier rang des insurgés fléchit sous cet ordre. Des visages se tournèrent vers les jeunes officiers, comme pour leur demander conseil. Le prince Obolensky, superbe dans son uniforme de lieutenant du régiment de Finlande, à passe-poil rouge, ceinture d'argent et chapeau à plumes, se faufila entre les soldats, prit le cheval de Miloradovitch par la bride et dit :

— Excellence, veuillez partir et laisser en paix des hommes qui font leur devoir !

— Quel devoir ? rugit Miloradovitch. Gamins, vauriens, vous traînez dans la boue l'honneur russe !...

— Partez ! dit encore Obolensky.

— Jamais !

Obolensky saisit un fusil des mains d'un soldat, voulut repousser le cheval avec la pointe de la baïonnette, mais, emporté par l'élan, blessa Miloradovitch à la cuisse. Le général se raidit sur ses étriers, lâcha un juron et ferma les yeux. Obolensky jeta le fusil par terre et s'éloigna, tête basse, comme découragé. Au même moment, un coup de feu retentit, fort et nul. Nicolas n'y prêta aucune attention. Pourtant, une seconde plus tard, il vit que Miloradovitch vacillait sur sa selle. Une tache rouge s'élargissait sur la soie bleue du grand cordon. Le corps du général mollit, pivota, s'affaissa, tandis que le cheval, effrayé, se ruait sur la foule. Un aide de camp de Miloradovitch, accouru en hâte, reçut le blessé dans ses bras et l'étendit sur la neige. Les badauds s'écartèrent.

— Donnez-moi un coup de main ! cria l'aide de camp. Il faut vite le transporter !...

Mais personne ne bougea. Muets, stupides, hommes et femmes regardaient l'agonie de ce héros national avec la même curiosité que s'il se fût agi des derniers soubresauts d'une pintade égorgée. Nicolas en ressentit de l'écœurement. Ses rêves de liberté, de fraternité, de noblesse butaient contre la première victime de la révolution. Il regrettait le temps des conversations amicales, sous la lampe de Ryléïeff, quand tout était encore propre et beau. Pour se ragaillardir, il se dit que le caractère sacré d'une cause excusait les erreurs commises en son nom. Agenouillé près de Miloradovitch et soutenant la tête du blessé dans le creux de son bras, l'aide de camp, un jeune homme pâle et tremblant, répétait sa prière :

— Un coup de main, les amis !... Un coup de main !... Vous ne pouvez pas refuser !...

Puis, comprenant qu'il s'adressait à des pierres, il hurla :

— Hippolyte!... Hippolyte !... Par ici !...

Nicolas vit surgir Hippolyte Roznikoff, en grand uniforme, jouant des coudes, pestant, sacrant. Leurs regards se croisèrent.

— Misérable ! balbutia Hippolyte en toisant Nicolas. Tu vois !... Je t'avais prévenu !... Qu'avez-vous fait ?... Un tel homme !... Le meilleur des hommes !...

A son tour, il se pencha sur Miloradovitch. Nicolas fit un pas en arrière. Il était furieux de la honte qu'il éprouvait en cette minute, alors qu'il eût voulu être au comble de la fierté. Les deux aides de camp saisirent Miloradovitch sous les aisselles et le traînèrent en direction du manège des gardes à cheval. Les bottes du pantin disloqué raclaient le sol, sa tête, aux cheveux teints et frisottés, pendait sur sa poitrine. Il disparut dans l'épaisseur de la foule, avec toutes ses décorations inutiles. A l'autre extrémité de la place, le grand-duc Nicolas Pavlovitch conférait avec des généraux.

— Qui a tiré ? demanda Nicolas en revenant parmi les insurgés.

— Moi ! dit Kakhovsky.

Son visage était calme, souriant, sous le bord du large chapeau noir. Il regardait son pistolet avec amitié.

— Etait-ce bien nécessaire ? dit Nicolas.

— Indispensable ! Il était trop populaire. Il risquait de tout nous gâcher...

Et Nicolas, dominant sa rage, sentit que Kakhovsky avait raison. Ce geste marquait vraiment le début de la révolte. A présent, la ligne de sang était franchie. Liés par le meurtre, les conjurés ne pouvaient plus que continuer la lutte, inexorablement, pour la victoire ou pour la mort. Il y avait, du reste, quelque chose d'apaisant dans la notion de cette fatalité. Comme soulagés d'une crainte, les soldats, longtemps silencieux, reprirent leurs vociférations monotones :

— Vive Constantin ! Vive Constantin !

Les officiers, eux, criaient :

— Vive la constitution !

Un sergent, au visage poupin, demanda à Nicolas :

— Qu'est-ce que c'est que la constitution, Votre Noblesse ?

— Ce serait trop long à t'expliquer.

— Les camarades disent que c'est la femme à Constantin.

Après une courte hésitation, Nicolas murmura :

— Oui... Oui... en quelque sorte...

— Vive la constitution ! hurla l'homme.

Nicolas pensa : « L'essentiel, c'est de gagner, par n'importe quel moyen. Après, on se justifiera, on fera la part du mensonge et celle de la vérité... » Il frissonnait de fatigue et de froid. Ryléïeff avait de nouveau disparu. Pour chercher quoi ? Des renforts ? Un appui moral ? Un pâle soleil usa le brouillard. La neige, les vitres, les baïonnettes étincelèrent.

★

Vers deux heures de l'après-midi, le régiment des gardes à cheval, fidèle dans son ensemble au grand-duc Nicolas Pavlovitch, déboucha sur la place et se rangea en colonne par escadron. Les cavaliers, portant la tunique blanche, la cuirasse et le casque, se tenaient très droits, sabre au clair, sur leurs chevaux noirs. Des cris hostiles montèrent de la foule :

— Allez-vous-en, têtes de cuivre !

Peu après, les six cents hommes du régiment de Moscou qui ne s'étaient pas mutinés se massèrent sous la conduite du grand-duc Michel, à l'angle du chantier de la cathédrale Saint-Isaac. Les Sémionovtsy suivirent. Puis ce fut le tour des chevaliers-gardes, qui arrivèrent au trot de leurs fines montures baies et se postèrent à la gauche des Préobrajensky. Les Finlandais bloquèrent le bord de la Néva, les Pavlovtsy la rue des Galères, les Ismaïlovtsy appuyèrent les unités gouvernementales sur le boulevard de l'Amirauté. Cependant un détachement de grenadiers, fort de mille deux cents fusils, passait aux conjurés, ainsi qu'un millier de marins de la garde.

Nicolas escalada un amas de pierres destinées à la construction et promena ses yeux sur le vaste espace rectangulaire qui s'étendait entre le Sénat, la Néva, l'Amirauté et les palissades de la cathédrale. Il était clair que le grand-duc distribuait ses troupes — très supérieures en nombre — de façon à encercler le carré des insurgés. Toutes les issues de la place étaient déjà gardées. Ces régiments, vus de loin, étaient pareils à des dessins d'enfants : la haie sage des baïonnettes et des plumets, le pointillé rose des visages et, audessous, un alignement de petites croix blanches — les baudriers croisés sur les poitrines. Entre les forces de l'ordre et celles de la rébellion, s'étalait une foule immense, murmurante et noire. Des badauds s'étaient juchés dans les arbres du boulevard, sur les échafaudages, sur les toits des maisons. De temps à autre, un coup de feu éclatait, parti on ne savait d'où, et un remous parcourait la multitude. Nicolas pensa au fleuve en crue, qui, l'année précédente, déferlait sur la place. Une même angoisse lui venait devant ces profondes vagues humaines que devant celles de l'inondation. Qu'allait-il résulter de ce brassage incontrôlable des esprits et des corps ? Ni du côté des troupes loyalistes ni du côté des émeutiers, personne n'avait l'air pressé d'agir. Dans le carré, les hommes avaient allumé des feux de planches et sautillaient devant les flammes. Traversant le cordon des tirailleurs, des civils aux mines réjouies apportaient de la vodka dans des cruches. On se jetait dessus. Mêlé aux soldats, Nicolas respirait une odeur caractéristique de kwass, de choux aigres, de drap militaire, de cuir, de transpiration, et se rappelait avec nostalgie le temps où il était des leurs. Il se dit que si la révolution se terminait par une victoire, il reprendrait du service dans l'armée. Sophie en serait peut-être fâchée, au début. Mais il lui expliquerait, il la persuaderait. Certainement, le nouveau gouvernement aurait besoin d'officiers dévoués pour remplacer ceux de l'ancien régime.

Il en était là de ses réflexions, quand un visage familier l'attira. Au milieu de la foule, un grand garçon blond, hâlé, en chemise rouge et touloupe de peau de mouton, se frayait un chemin vers les rebelles : Nikita, le jeune serf que Sophie avait envoyé en apprentissage à Saint-Pétersbourg ! Malgré ses habits de paysan, il avait de l'aisance, et même de la noblesse, dans son port de tête, le balancement puissant et doux de ses épaules et l'expression tranquille de son regard. Derrière lui, marchait le vieux Platon, un panier au bras. Il leur arrivait souvent de sortir ensemble. Leurs yeux couraient de part et d'autre, comme s'ils eussent cherché quelqu'un. Enfin, ils aperçurent Nicolas et s'illuminèrent.

— Ah ! barine, dit Nikita en l'abordant, quand j'ai su qu'une révolte se préparait, j'ai tout de suite pensé que vous seriez sur la place ! Je suis allé chercher Platon, et nous voici !

— Je vous apporte des provisions, dit Platon en tapotant le couvercle de son panier. Du saucisson, du fromage, du vin, des concombres salés !

— C'est très gentil de ta part, dit Nicolas, mais je n'ai besoin de rien.

— Comment ! s'écria Platon. Il faut manger pour avoir des forces ! Avec ça, vous avez un manteau mince comme une pelure ! Vous allez attraper froid ! Nous avons pris une bonne pelisse pour vous ! Elle est un peu vieille, mais elle vous tiendra chaud !

Nikita jeta sur les épaules de Nicolas une pelisse molle et lourde, à la fourrure mitée.

— Là-dedans, vous pourrez même passer la nuit s'il le faut ! reprit Platon avec transport.

Nicolas était à la fois ému et gêné de cette prévenance. Ses camarades, lui semblait-il, l'observaient ironiquement : un révolutionnaire servi par ses domestiques jusque sur les lieux du combat ; tout le confort possible dans la lutte pour la liberté !

— Je vous remercie, mes amis, dit-il. Et maintenant, partez !

— Vous ne voulez pas que nous restions avec vous ? demanda Nikita déçu.

— Non, non ! Votre place n'est pas ici !

— Rien qu'une petite heure, barine, pour voir comment vous gagnez la bataille !

— Inutile d'insister, Nikita ! C'est une affaire militaire ! Strictement militaire !

Platon, ahuri, multipliait les courbettes :

— C'est compris, barine, notre soleil ! Tout à fait compris ! Seulement, il faut nous dire ce qui vous manque encore...

— Rien.

— Voulez-vous un peu de rhum ?

— Non.

— Du tabac ?

— Non plus.

Enfin, Nikita et Platon s'éloignèrent. Nicolas réunit ses compagnons et ouvrit le panier. En un clin d'œil, les provisions furent distribuées.

— Tu aurais dû en faire apporter davantage ! dit Youri Almazoff. Ce saucisson est un chef-d'œuvre !

Pendant qu'ils mangeaient, deux escadrons de gardes à cheval se rangèrent en ligne, face au carré, comme pour une attaque.

— Messieurs, dit Odoïevsky, j'ai l'impression que nous entrons dans la phase décisive. Qu'allons-nous faire ?

— Nous ne pouvons rester sans chef ! décréta Golitzine. Puisque Troubetzkoï ne vient pas, élisons un autre dictateur pour la journée.

— Facile à dire ! Personne, parmi nous, n'a un nom et des épaulettes à la mesure de cet emploi ! marmonna Kuhelbecker.

— Obolensky, vous avez le plus haut grade ! dit Odoïevsky. Prenez le commandement !

— Jamais de la vie ! protesta Obolensky.

Nicolas accrocha sa pelisse à la grille du monument et se porta sur le front des troupes. Les soldats, perclus, les joues bleues, la goutte au nez, regardaient stupidement dans le vide.

— Eh ! les gaillards, cria Nicolas, je suis habillé en civil, mais j'ai servi comme lieutenant dans les gardes de Lithuanie, pendant la guerre nationale. Etes-vous prêts à m'obéir ?

— Heureux de servir, Votre Noblesse, répondirent quelques voix enrouées.

Alors, avec un bonheur qui le surprit lui-même, il commanda :

— Garde à vous !... L'arme au pied !... En carré contre la cavalerie !... La première fois, vous tirerez en l'air !... La seconde fois, dans les jambes des chevaux !...

Déjà, les gardes à cheval s'ébranlaient pour une charge à courte distance. Mais le passage étroit et le sol verglacé empêchaient les montures de prendre de la vitesse. Elles hésitaient, dansaient, glissaient, pendant que les badauds, sur les palissades, éclataient de rire. Une salve déchira l'air. Personne ne fut touché. Pourtant quelques chevaux, effrayés, se cabrèrent. Trois cavaliers vidèrent les étriers avec un bruit de ferraille. L'un d'eux, un sous-officier corpulent et rougeaud, se redressa en grondant :

— Fils de chiennes ! Que votre mère soit...

Des soldats du carré le reconnurent :

— De quoi te plains-tu, Lissenko ? On a tiré par-dessus vos têtes ! Viens avec nous !...

— Je ne peux pas ! bougonna Lissenko en remettant le pied à l'étrier.

— Pourquoi ?

— On nous surveille ! Attends qu'il fasse nuit, alors nous passerons de votre côté !

— C'est sûr ?

— C'est juré !... A bientôt les gars !...

— A bientôt, Lissenko ! Salue tes frères pour nous !...

Houspillés par leurs officiers, les gardes à cheval revinrent en arrière, se reformèrent et retournèrent à la charge, aux cris de : « Vive Nicolas ! » Cette fois, du haut des toits, les badauds leur jetèrent des pierres, des bûches, des boules de neige. Un tir plus précis partit du carré. Des cavaliers tombèrent lourdement. Certains ne purent se relever. Leurs camarades les emportèrent. La foule applaudissait comme au spectacle. Nicolas était content de lui. Il félicita ses hommes sur le ton d'un général victorieux :

— Merci les gars ! Vous avez fait de la bonne besogne !

Il y eut encore trois attaques manquées, puis l'adversaire changea de tactique. Le colonel Sturler, dont les grenadiers étaient passés à l'insurrection, accourut pour leur intimer l'ordre de regagner la caserne.

— Allez-vous-en ! lui dit Odoïevsky. Vous risquez la mort !

Deux hommes prirent le colonel par les bras et l'emmenèrent de force, comme s'ils eussent traîné un ivrogne hors d'un cabaret. Il leur échappa et revint, gonflé de colère, piétiner devant les mutins.

— Traîtres ! Traîtres ! répétait-il avec un accent allemand.

— Silence ! dit Kakhovsky.

Et il déchargea son pistolet sur le colonel, à bout portant. Celui-ci jeta les mains au ciel, tourna sur lui-même avec lenteur, comme pour esquisser un pas de danse, cria : « Ach ! Gott ! » et s'écroula. Des grenadiers le soulevèrent et le portèrent, en boitillant, vers la maison de l'état-major. Ils l'abandonnèrent à mi-chemin. Kakhovsky renfonça son pistolet dans sa ceinture. Son habit violet, usé aux coudes, déteint autour des aisselles, accusait encore la maigreur et la pâleur maladives de son visage.

— Miloradovitch ne t'a pas suffi ? dit Nicolas, dont la mâchoire tremblait.

— Il faut savoir ce qu'on veut dans la vie, répondit Kakhovsky. Faire la révolution ou faire des politesses !

Excités par le sang et la vodka, les soldats demandaient :

— Et maintenant, pourquoi ne nous mène-t-on pas à l'attaque ?

— Vous n'avez pas entendu Lissenko ? dit Nicolas. Attendez qu'il fasse plus sombre. Alors, ceux qui n'osent pas se montrer en plein jour viendront grossir nos rangs. Tous les régiments de la ville finiront par être des nôtres !

Il n'était pas loin de le croire lui-même.

— C'est long ! grognaient les hommes. On gèle !

Soudain, les plus impatients parurent se calmer. L'un après l'autre, ils retiraient leurs shakos, baissaient la tête et se signaient avec une lenteur paysanne. Surpris par cet accès de piété, Nicolas se dressa sur la pointe des pieds et vit qu'un carrosse s'arrêtait au milieu de la place. Deux prêtres descendirent de voiture, le métropolite Séraphin, dont les vêtements sacerdotaux étaient de velours vert, et un autre, habillé de velours ponceau.

Immédiatement, Nicolas comprit la manœuvre. La force n'ayant servi à rien, le grand-duc faisait donner la religion. Cernés par une foule respectueuse mais pressante, les deux prélats se concertaient à voix basse. Visiblement, ils n'étaient pas venus de leur plein gré. Ils étaient très vieux et ne tenaient debout, semblait-il, que grâce à leurs chasubles aux plis raides qui les étayaient de partout. La crainte allongeait leurs figures sous les hautes mitres aux pierreries scintillantes. Le métropolite Séraphin s'avança seul vers les insurgés. A chaque pas, les os de son corps menaçaient ruine. Sa barbiche blanche vibrait à petits coups. Ses yeux s'emplissaient de larmes séniles. Il éleva la croix dans sa main tressée de veines bleues, et dit d'une voix que l'émotion étouffait :

— Guerriers orthodoxes, calmez-vous ! En ce moment vous vous dressez contre Dieu, contre l'Eglise et contre la patrie !

— Et vous, Monseigneur, cria Odoïevsky, vous prêtez serment en l'espace de deux semaines à deux empereurs différents ! Un homme d'Eglise ne devrait pas se conduire ainsi !

— Le grand-duc Constantin Pavlovitch a renoncé à la couronne ! répliqua le métropolite. Dieu m'est témoin que c'est la vérité !

— Dieu n'a rien à voir là-dedans ! dit Kakhovsky. C'est une affaire politique ! Allez-vous-en !

Les petites joues fripées du métropolite se gonflèrent. L'indignation libéra son esprit de la peur. Il grandit de trois pouces.

— Qui es-tu pour parler ainsi ? bredouilla-t-il. Un renégat, un hérétique ! Ose dire que tu crois en notre Seigneur Tout-Puissant !

— Je crois en notre Seigneur Tout-Puissant, dit Kakhovsky.

Et il ajouta, la main posée sur la crosse de son pistolet :

— En voulez-vous la preuve ? Donnez-moi la croix à baiser !

— Non ! souffla le vieillard.

— Je vous en prie, j'en ai besoin...

Un regard suffit à Nicolas pour constater que Kakhovsky ne plaisantait pas. Après avoir assassiné coup sur coup Miloradovitch et Sturler, il demandait le secours de la religion à un prêtre pour lequel, d'ailleurs, il n'avait pas le moindre respect.

Le métropolite réfléchit, puis tendit la croix d'un geste mal assuré, comme s'il avait peur de se faire mordre. Les lèvres de Kakhovsky effleurèrent l'image sacrée.

— Et moi ! dit Golitzine.

— Et moi ! dit Odoïevsky.

— Et moi ! dit Nicolas.

Les insurgés s'approchaient, un à un, du métropolite et se signaient. Quand vint le tour de Nicolas, toutes ses pensées se figèrent. Il ne fut plus attentif qu'à la caresse glacée du métal sur sa bouche.

— Maintenant, le Christ est avec nous ! cria Youri Almazoff.

— Le Christ est avec nous ! reprirent quelques soldats. Hourra ! Vive Constantin !

Furieux de l'aide morale qu'il avait, sans le vouloir, apportée à la rébellion, le métropolite Séraphin pressa la croix contre sa poitrine et dit :

— La bouche des impies tombera en pourriture ! On ne vole pas le Christ comme une pomme à un étalage ! Guerriers orthodoxes, je vous adjure, une dernière fois...

Ceux-là même qui venaient de baiser la croix coupèrent la parole au métropolite.

— Assez ! clama Golitzine. Retournez à l'église, si vous ne voulez pas qu'il vous arrive malheur ! Vite ! Vite ! On vous a assez vu !...

Il brandit son épée. Quelques officiers l'imitèrent dans un froissement de métal. Les lames se croisèrent au-dessus de la tête du prélat. Il se ratatina dans sa chasuble, comme une tortue rentrant la tête dans sa carapace. Deux diacres, dépêchés en renfort, l'emmenèrent cérémonieusement.

A peine le métropolite eut-il disparu, qu'un autre émissaire arriva : le grand-duc Michel Pavlovitch en personne, frère cadet du grand-duc Nicolas Pavlovitch. Il avait un long nez très charnu, de petites lèvres pincées et un regard insolent. Du haut de son cheval, il cria, d'une voix joyeuse, comme à la parade :

— Salut, les enfants !

— Bonne santé à Votre Altesse Impériale ! répondirent les soldats, par habitude.

— Je viens de Varsovie, poursuivit le grand-duc Michel Pavlovitch. J'ai vu mon frère Constantin...

— Mais nous, nous ne l'avons pas vu ! hurla Odoïevsky.

C'était ce qu'il fallait dire pour enflammer les soldats. Leurs répliques partirent comme un feu de broussailles :

— Oui, pourquoi qu'on ne nous le montre pas ?

— Peut-être qu'on le retient prisonnier à Varsovie ?

— Qu'il vienne et qu'il nous dise lui-même : « Je ne veux pas être tsar ! » Alors, nous le croirons !...

Un général, qui accompagnait le grand-duc Michel Pavlovitch, voulut se mêler à la discussion :

— Comment pouvez-vous refuser de prêter serment, alors que vos propres généraux vous ont donné l'exemple ?

Un grenadier, caché derrière l'un de ses camarades comme derrière un arbre, gueula :

— Pour messieurs les généraux ce n'est peut-être rien de jurer fidélité chaque jour à quelqu'un d'autre ! Mais, pour nous, c'est sérieux ! Nous ne pouvons pas !...

— Qui a parlé ? tonna le général. Qui a osé parler ?

Sur un ordre d'Alexandre Bestoujeff, un formidable roulement de tambour couvrit la voix du général. Le grand-duc Michel Pavlovitch fit tourner son cheval et partit au galop, suivi de sa petite escorte chamarrée.

Vers quatre heures de l'après-midi, le ciel s'obscurcit, un vent glacé, venant du golfe de Finlande, balaya la place. La nuit tombait vite, plombant le ventre des nuages, estompant les lignes des maisons. Les policiers tentaient en vain de repousser la foule vers les rues adjacentes. Nicolas se disait que le régiment de Moscou aurait dû soulever d'autres régiments avant de s'assembler en carré, que les marins de la garde avaient commis une grave erreur en négligeant d'amener avec eux de l'artillerie, que les grenadiers, avec un peu d'audace, auraient pu occuper le palais, se saisir des sénateurs, et que rien de tout cela n'avait été fait par manque de direction. Il en résultait une situation paradoxale, que personne, la veille, n'avait prévue. On avait envisagé le succès ou la retraite. Or, ce qui se passait ici ne ressemblait ni à une retraite ni à un succès. Frappés d'une sorte d'inhibition, incapables de réfléchir et d'agir, doutant de tout et d'abord d'eux-mêmes, les adversaires s'observaient de loin, grelottaient de froid et regrettaient peut-être, les uns comme les autres, d'être venus. Pourtant, avec toutes ses faiblesses, avec toute son incohérence, l'entreprise des insurgés demeurait, pour Nicolas, un événement admirable. Jusqu'à cette date du 14 décembre 1825, il y avait eu en Russie de nombreux coups d'Etat, effectués sauvagement, dans l'ombre, par des cohortes prétoriennes à la solde de tel ou tel prétendant au trône. Aujourd'hui, pour la première fois de mémoire d'homme, le différend se réglait sur la place publique, au vu de tout le monde. La rue et la caserne participaient à la politique. Un peuple, hier encore indifférent, hébété, craintif, se mutinait au nom de la Loi et de la Liberté. Rien n'était encore perdu. Bien des soldats, parmi les troupes loyalistes, n'attendaient qu'une occasion pour changer de camp ! Sans doute se rallieraient-ils avec leurs camarades rebelles à la faveur de la nuit ! C'était l'opinion d'Obolensky, qui, finalement, avait accepté le rôle de dictateur militaire.

— Durer, il n'y a pas d'autre tactique pour nous en ce moment, disait-il à ses amis réunis autour de lui en conseil de guerre.

Entre-temps, des ordonnances avaient apporté une table et l'avaient placée au centre du carré. Encrier, plumes, papiers, cire à cacheter, bougies, tout était prêt pour le travail de l'état-major. Mais il n'y avait rien à écrire.

— Une révolution immobile ! grommela Kakhovsky.

— Plus pour longtemps ! dit Michel Bestoujeff. Regardez ! Regardez !

Un mouvement vermiculaire agitait les troupes gouvernementales. Des masses d'hommes ondulaient, pivotaient sur elles-mêmes, se rétractaient, se détendaient dans le crépuscule. Soudain, l'infanterie, qui obstruait l'entrée du boulevard de l'Amirauté, ouvrit ses rangs et laissa passer quatre canons qui furent mis en batterie, à moins de cent pas, face au carré. Nicolas sauta sur la table pour mieux voir.

— Alors ? Que faisons-nous ? balbutia-t-il.

— Rien, dit Obolensky.

— Et s'ils tirent ?

— Ils n'oseront pas !

— Et moi je te dis qu'ils oseront ! affirma Golitzine. Attaquons-les avant qu'il ne soit trop tard !

— Oui, renchérit Nicolas. Quand les artilleurs

nous verront arriver, ils nous ouvriront les bras !

— Pourquoi m'avez-vous choisi comme dictateur, dit Obolensky nerveusement, si, dès le début, vous critiquez mes ordres ? Laissez la responsabilité du premier mouvement à l'adversaire. Tous les torts seront de son côté.

— Quels torts ? Tu es fou ? s'exclama Golitzine. Faisons-nous une révolution ou un procès ?

— Toute révolution est un procès ! dit Obolensky d'un ton exalté. Et Dieu en est le juge !

Tandis qu'ils discutaient, le général Soukhozanet, commandant l'artillerie de la garde, s'avança au galop vers le carré, pénétra dans les rangs des tirailleurs et vociféra :

— Vous voyez ces canons ! Le tsar veut vous donner une dernière chance...

— Notre dernière chance, c'est la constitution, répliqua Ivan Pouschine. Nous apportez-vous la constitution, Excellence ?

— Je ne suis pas venu pour parlementer avec vous, mais pour offrir le pardon du tsar à quelques hommes égarés !

— Alors, va-t'en au diable ! cria un soldat.

— Et envoie-nous quelqu'un de plus propre que toi ! dit un autre.

Nicolas savait que Soukhozanet était détesté de la garde, mais il n'aurait jamais cru que des soldats russes, même passés à la rébellion, oseraient insulter un général. Tout en approuvant leur indignation, il était gêné par la grossièreté de leurs invectives. Il ne pouvait oublier qu'il avait été lui-même un officier. Des grenadiers épaulèrent leurs fusils.

— Feu ! beugla un sous-officier moustachu comme un phoque.

Les balles sifflèrent au-dessus de la tête de

Soukhozanet. L'une d'elles arracha des plumes blanches à son chapeau. Eperonnant son cheval, il s'enfonça dans la foule, poursuivi par des coups de feu et des quolibets.

— Ne gâchez pas vos balles pour une pareille canaille ! dit Ivan Pouschine.

Le tir s'arrêta. Le grand-duc Nicolas Pavlovitch accueillit Soukhozanet devant la batterie. Sans doute le général lui faisait-il son rapport. Un silence tomba sur la multitude, comme si chacun eût voulu entendre leur conversation. Et, tout à coup, un ordre résonna distinctement, malgré la distance :

— Canonniers à vos pièces !

Des mèches s'allumèrent, en étoiles rouges, près des canons. Après un instant de stupeur, les insurgés crièrent :

— Antéchrist ! Vous n'allez pas tirer sur vos frères !

Très vite, Nicolas pensa à Sophie : « Je t'aime ! Je t'aime ! Pardon ! C'est stupide ! » Puis il ouvrit les yeux, tout grands, sur la mort. Impossible de fuir. Le seul espoir était en Dieu. Les premiers chrétiens avaient dû éprouver la même angoisse, rassemblés dans l'arène, en attendant la ruée des fauves. Cette idée réconforta Nicolas. « Pour notre honneur à tous, il faut que le massacre s'accomplisse. Il nous sauvera du ridicule devant les générations futures. Si nous restons en vie, nous passerons pour des songes-creux, si nous mourons, l'Histoire nous pardonnera et nous grandira ! » Autour de lui, les visages étaient empreints d'une détermination funèbre.

— Hourra ! hurla-t-il. Vive Constantin !

Au même instant, un coup de canon ébranla le sol. La mitraille frappa la façade du Sénat. Des vitres volèrent en pluie sonore. Deux badauds, assis sur une corniche, basculèrent dans le vide avec une lenteur sous-marine.

— Suivez-moi, les gars ! rugit Obolenski en tirant son épée.

Enfin, il se décidait à l'attaque. Mais une lueur jaillit au coin du boulevard. Le second coup de canon, mieux dirigé, éventra la terre devant le carré des rebelles. L'effet de la mitraille, à cent pas, était si meurtrier, que les soldats touchés s'effondraient sans pousser une plainte. Ils tombaient l'un sur l'autre, avec maladresse, encombrés de leurs fusils, de leurs sacs et de leurs shakos. Cet écroulement muet rappelait à Nicolas certaines images de ses cauchemars d'enfant, quand les pires catastrophes se déroulent dans le silence et que le dormeur lui-même n'a plus de voix pour crier. Des éclats de pierre et de glace l'avaient atteint au visage. Pourtant, il ne saignait pas. Il haletait d'une grande peur et d'une grande colère. Si la révolution avait besoin d'être justifiée, elle l'était maintenant par la brutalité de la répression. La foule épouvantée fuyait la place, laissant des cadavres noirs recroquevillés sur la neige. Mais les issues étaient bloquées. Des bouchons se formaient devant les chicanes. Les civils agitaient chapeaux et mouchoirs, à bout de bras, pour demander grâce. Un troisième coup de canon couvrit tout de sa fumée. A côté de Nicolas, un petit fifre du régiment des grenadiers sursauta, ouvrit une bouche de poisson et s'affaissa en se tenant le ventre à deux mains. Entre ses doigts, le sang jaillit comme le vin d'une outre pressée. Les soldats restés debout tiraient sur les troupes gouvernementales. Mais leur riposte manquait d'entrain. Déjà, quelques-uns, le regard oblique, le geste mou, ne songeaient plus qu'à déguerpir. Obolensky posa une main sur l'épaule de Nicolas et murmura :

— C'est la fin !... Tout est perdu...

— Tout est perdu, mais nous aurons donné une leçon à notre patrie ! dit Kuhelbecker.

— Oui, dit Nicolas avec force. Il le fallait ! Je ne regrette rien !...

Les conjurés se serraient la main, s'embrassaient avec des visages héroïques et tendres. Cette scène était tellement irréelle, que Nicolas eut l'impression d'être déjà mort et de se retrouver, avec ses amis, dans l'au-delà. Un quatrième coup de canon jeta le désordre dans les rangs des insurgés.

— Sauve qui peut !

Le carré se disloqua, essaimant des fuyards dans toutes les directions. Bousculé, emporté, Nicolas se mit à courir avec les autres, sous la mitraille. Il vit Obolensky essayant de retenir un grenadier par la manche et l'autre qui se dégageait, la face hurlante. Renversant et piétinant des civils, les soldats du régiment de Moscou s'engouffraient dans la rue des Galères. Nicolas les suivit. Aussitôt, les canons tournèrent leurs gueules et prirent cette voie étroite en enfilade. Les éclats de fer ricochaient sur les façades et blessaient les passants réfugiés dans les encoignures. Des femmes, folles de peur, tapaient du poing aux portes pour demander asile, mais les portes demeuraient closes. Terrés chez eux, les habitants refusaient d'ouvrir à la mort. Le garçon livreur d'une pâtisserie s'était effondré dans la neige, avec, autour de lui, tout un paradis de tartelettes répandues. Un fonctionnaire chauve, la croix de Sainte-Anne au cou, tendait les bras vers la place en gémissant : « Assassins ! » A côté de lui une grosse dame, assise, le dos au mur, sous un chapeau à plumes, paraissait dormir profondément. Une morve rouge descendait de ses narines à sa bouche. Un soldat qui détalait, sans fusil, sans chapeau, boula sous les pieds de Nicolas et continua de remuer les jambes doucement, comme s'il repoussait une couverture. Son sang chaud fondait la neige, puis se gelait en croûte fine, d'un rouge argenté.

Profitant d'une accalmie, Nicolas se précipita dans une rue transversale et arriva sur le quai de l'Amirauté, où les corps gisaient par paquets, tels des vêtements à l'entrée d'une étuve. Il pensa, un moment qu'il était le seul survivant de tous les conjurés. Puis, se penchant sur le parapet, il aperçut en contrebas des soldats qui se pressaient sur la glace du fleuve. Michel Bestoujeff essayait de les ranger par sections pour leur faire traverser la Néva. Un troupeau gris s'étira dans le désert blanc.

— Attendez-moi ! cria Nicolas en enjambant le garde-fou.

Soudain, le crépuscule s'enflamma. Une batterie, postée au milieu du pont, tirait à vue sur les fugitifs. Nicolas n'eut que le temps de se rejeter en arrière. Boulets et mitraille tapaient dans le tas avec fureur. Au plus épais d'un nuage de fumée et de poudre de neige, se démenaient des fantômes en uniformes. Entre deux salves, Michel Bestoujeff clama :

— En avant, les gars !... Sur la forteresse !...

Tous, en désordre, se lancèrent sur ses talons. Mais la canonnade reprit. Demeuré sur la berge Nicolas se crut le jouet d'une illusion d'optique. Certaines lignes horizontales s'inclinaient imperceptiblement. Quelque chose basculait avec lenteur dans le décor. Il comprit avec horreur que la glace, rompue par les boulets, cédait sous le poids de la foule. Des îlots blancs pivotaient, dressaient une étrave aiguë vers le ciel et versaient dans l'eau leur charge de fourmis agglutinées. Dans les crevasses, des soldats barbotaient, hurlaient, s'agrippaient les uns aux autres, coulaient à pic. Ceux qui continuaient leur chemin sur la glace étaient rattrapés par les balles. Pourtant, quelques-uns parvinrent à rejoindre l'autre rive et disparurent, avalés par le brouillard. Quand Nicolas ne les vit plus, une grande fatigue s'empara de lui. Il était accablé, la tête lourde, avec une sensation de crasse par tout le corps.

Des coups de feu claquaient encore, du côté du pont et de la place du Sénat. Un bruit de galopade traversait les rues mortes. Nicolas s'éloigna du lieu des combats, sans savoir où il allait. La maison de Kostia, dans le quartier de Saint-Isaac, était probablement surveillée. Celle de Ryléïeff ne devait pas, non plus, être un refuge sûr. Tôt ou tard, la police dénicherait tous les membres de l'association. Pensant à ses compagnons, dont un grand nombre, sans doute, étaient tués ou blessés, Nicolas avait honte de se préoccuper encore de sa sécurité personnelle. La faillite de la révolution le laissait sans espoir, comme si sa plus noble raison de vivre eût disparu. L'idée lui vint de passer chez Stépan Pokrovsky, qu'une foulure à la cheville avait empêché de se rendre sur la place du Sénat. Il habitait en bordure du canal Krioukoff, dans une chambre que lui louait la veuve d'un fonctionnaire.

Quand Nicolas arriva chez son camarade, celui-ci était déjà au courant de tout. Il prétendit savoir, d'une façon certaine, que Ryléïeff et les principaux conjurés étaient rentrés chez eux sains et saufs. Lui-même enrageait d'avoir dû rester à la maison, des pantoufles aux pieds, pendant que ses amis affrontaient la mitraille. Sa seule consolation était de se dire que, si le gouvernement ordonnait des recherches, il serait arrêté, lui aussi, pour avoir participé au complot.

— Tu comprends, Nicolas, dans une affaire comme la nôtre, il n'y a pas d'échec ! dit-il avec élan. Ou alors, il faut aussi parler d'un échec pour le Christ, quand il a été saisi, battu, insulté, crucifié ! Peut-être avons-nous fait plus de bien à la Russie en devenant des martyrs de la liberté que si nous étions sortis victorieux de l'épreuve !...

Renversé dans un fauteuil, la jambe droite allongée sur un tabouret, il délirait avec un doux air de philosophe. Son regard bleu brillait derrière ses lunettes à monture d'or. Ses mains potelées passaient et repassaient comme des oiseaux dans la lumière de la lampe. Aux murs, il y avait des portraits au pastel représentant des dames entre deux âges. Stépan Pokrovsky agita une sonnette. Une servante apporta un en-cas sur un plateau. Nicolas croyait être trop durement frappé pour s'intéresser à la nourriture. Mais, à la vue du poulet froid et du vin, une faim honteuse, dévorante, le tenailla. Le corps prenait sa revanche. Il mangea et but avec avidité. Ensuite, on discuta des raisons de la défaite. Fallait-il vraiment abandonner tout espoir ? « L'Union du Sud », sous le commandement de Pestel, n'était-elle pas passée à l'action dans les provinces méridionales? N'y avait-il pas une petite chance de ce côté-là ?

La conversation fut interrompue par l'arrivée de Kuhelbecker. Il venait de chez Ryléïeff et avait vu là-bas, outre le maître de maison, qui brûlait des papiers et rangeait les dossiers de la Compagnie Russo-Américaine, Ivan Pouschine, Youri Almazoff, Steinheil, Obolensky, Batenkoff, Kakkovsky, d'autres encore... Tous, aux dires de Kuhelbecker, étaient abattus, parlaient peu, buvaient du thé et fumaient des cigares en attendant le moment de leur arrestation.

— On jurerait, dit Kuhelbecker, qu'on leur a tranché les nerfs, qu'on les a vidés de leur volonté !

— Que comptes-tu faire, toi ? demanda Nicolas.

— Fuir !

— Tu seras vite rattrapé !

— J'ai mon plan ! D'abord, j'essaierai d'atteindre la propriété de ma sœur, près de Smolensk. Là, je trouverai bien un serviteur dévoué pour me prêter ses vêtements et son passeport. Une fois costumé, je franchirai la frontière. J'irai en Allemagne !

— En Allemagne ? s'écria Nicolas. Mais... c'est impossible !... Quitter la Russie ?... Abandonner tout ?...

— Qu'est-ce que j'abandonnerai ? Des policiers, des gardes-chiourme, un despote sanguinaire !...

— Tu abandonneras ta patrie, ton ciel, ton horizon, tes souvenirs...

— Ce sont des mots ! dit Kuhelbecker. Tu devrais suivre mon exemple. Ta femme est française, n'est-ce pas ? Va donc la retrouver et filez tous les deux en France, avec de faux papiers.

— De quoi aurais-je l'air devant les camarades ?

— D'un homme qui a le sens de la réalité. Si nous nous laissons tous arrêter, notre cause est à jamais perdue. Libre en France, tu nous serais plus utile que prisonnier en Russie !...

Cette remarque toucha Nicolas. Il se vit arrivant de nuit à Kachtanovka, expliquant tout à

Sophie, préparant une fuite romantique... Puis soudain, il comprit qu'il n'en ferait rien. Il ne concevait pas qu'un homme de cœur pût s'expatrier pour échapper à un châtiment. Puisqu'il avait engagé le meilleur de lui-même dans cette entreprise et qu'elle avait tourné au désastre, il ne lui restait qu'à payer sa dette jusqu'au bout. C'était une question d'honneur.

— Non, dit-il, je ne bougerai pas. D'ailleurs, il n'est pas du tout certain qu'on nous arrête...

— Nicolas a raison, dit Stépan Pokrovsky. Je ne serais pas étonné que, pour fêter son avènement l'empereur promulguât une loi d'amnistie.

— Vous vous croyez au paradis ! s'exclama Kuhelbecker. Tant pis pour vous! Moi, je vous dis adieu !

Il ouvrit les bras. Son ombre, sur le mur, était celle de Don Quichotte. Après son départ, Stéphan Pokrovsky murmura :

— On voit bien qu'il est d'origine allemande : pour lui, émigrer, ce n'est rien !

Nicolas resta longtemps à bavarder avec son ami. Il se sentait propre et dispos, après sa résolution, comme après un bain dans une rivière. A deux heures du matin, enfin, il se décida à rentrer chez lui. Stépan Pokrovsky le bénit du fond de son fauteuil.

Une nuit sombre et glaciale tenait la ville. Les abords du canal Krioukoff étaient déserts. Mais Nicolas ne se fiait pas à ce calme. Il fit un grand détour pour regagner la maison de Kostia Ladomiroff. A mesure qu'il approchait du centre, Saint-Pétersbourg prenait davantage l'aspect d'une cité conquise sur l'ennemi et incomplètement pacifiée. Aux carrefours brûlaient des feux de bivouac ; le bois humide sifflait et fumait devant des rassemblements de soldats ; les faisceaux de fusils et de lances alternaient avec les tas de fourrage de la cavalerie ; des sentinelles gelées se répondaient en criant d'un poste à l'autre ; une patrouille cheminait d'un pas lourd, conduite par un officier, qui regardait les maisons, sur la droite, sur la gauche, avec méfiance. Un courrier du cabinet impérial passait au galop, la sacoche ballante.

Nicolas se retrouva sur le quai des Anglais, où, malgré l'heure tardive, quelques curieux se pressaient sous les porches. Des traîneaux, tendus de bâches, glissaient au bord du fleuve. A leur approche, les gens se signaient. C'était un chargement de cadavres.

— Où les emmène-t-on ? demanda Nicolas.

— Les policiers ont fait des trous dans la glace, dit un portier. Ils fourrent dedans tous les corps qu'ils ramassent. Et pas seulement les morts — que Dieu leur pardonne ! — mais aussi les blessés !...

— C'est abominable !

— Eh ! oui, Votre Altesse, dit un autre. Que voulez-vous ? Le temps leur manque pour trier ce qui respire et ce qui ne respire plus. Il faut qu'au matin la ville soit nette. C'est notre petit père le tsar qui l'exige !

La toile recouvrant les chariots dessinait en relief des amas de membres raidis. Une main de cire pendait dans le vide. A chaque cahot, elle ballottait. Un policier, qui marchait à côté du convoi, la saisit rudement et la repoussa sous le prélart. On eût dit qu'il rappelait à l'ordre un voyageur mal élevé.

— Et il n'y a même pas de prêtre avec eux ! soupira une vieille en fichu.

Nicolas, déchiré, courba la tête. Combien d'innocents avaient payé de leur vie l'échec de ce coup d'Etat insuffisamment préparé ? Soldats rassemblés là comme des moutons, pour obéir à leurs officiers, passants inoffensifs, ouvriers des chantiers voisins, femmes, enfants... Il y avait certainement plus de victimes parmi ceux qui n'étaient pour rien dans l'émeute, que parmi ceux qui l'avaient déchaînée. Un sentiment de culpabilité étouffait Nicolas. Le sang des autres retombait sur lui. Il n'avait pas voulu cela. Personne n'avait voulu cela ! Il continua son chemin vers la place. Là, les feux de bivouac étaient plus importants, les troupes plus nombreuses que partout ailleurs. Des canons braquaient leurs gueules luisantes vers le débouché des rues. Surveillées par quelques fonctionnaires, des équipes d'ouvriers, armés de pelles et de râteaux, raclaient la neige tachée de sang et recouvraient le sol, aux endroits dénudés, par de la neige propre. D'autres encore remplaçaient les vitres brisées de la façade et passaient au badigeon blanc les colonnes écorchées par les balles. Demain, toute trace de violence aurait disparu. Les sujets du tsar pourraient l'adorer sans arrière-pensée.

— Halte-là !

Nicolas tressaillit. Perdu dans ses réflexions, il n'avait pas remarqué qu'une patrouille lui barrait la route.

— Où allez-vous ? demanda le sous-officier en levant sa lanterne à hauteur de visage.

— Je rentre chez moi, dit Nicolas.

— Votre nom ? Votre adresse ?

— Qu'est-ce que cela peut vous faire ?

— J'ai ordre d'interroger toute personne qui voudrait traverser la place.

— Ah ! c'est ainsi ! murmura Nicolas.

Et il pensa : « Je l'ai déjà vu quelque part, celui-là ! » Soudain, il se rappela l'attaque manquée des gardes à cheval, le sous-officier désarçonné injuriant les soldats du régiment de Moscou, puis leur promettant de les rejoindre à la nuit tombante.

— Vous ne savez peut-être pas mon nom, dit-il, mais moi je sais le vôtre. Comment ça va, Lissenko ?

Le sous-officier redressa la taille. Son fanal se balançait à son poing. L'étonnement arrondit ses prunelles.

— Tu ne te souviens pas ?... reprit Nicolas.

Il regardait Lissenko dans les yeux, avec une force pénétrante.

— Passez, marmonna Lissenko.

Avait-il reconnu Nicolas, ou craignait-il de s'être heurté à un trop haut personnage, ou avait-il quelque chose à se reprocher ? Les soldats s'écartèrent. Nicolas dut se retenir pour ne pas les remercier. Personne ne l'arrêta plus jusqu'à la maison.

Il croyait trouver la domesticité endormie, mais Platon et Nikita l'attendaient dans le vestibule. Avant qu'il n'eût prononcé un mot, ils se précipitèrent sur lui et lui baisèrent les mains.

— Enfin, vous voilà, barine ! dit Nikita. Vous n'êtes pas blessé ?

— Non.

— Nous avons eu si peur pour vous !.. Nous sommes restés dans la foule, près de la rue des Galères !... Nous avons tout vu !... C'est horrible !... Ces coups de feu !... Ce sang !... Jamais je n'oublierai !... Merci, barine !...

Il avait un visage bouleversé de gratitude.

— De quoi me remercies-tu ? demanda Nicolas.

— Vous avez voulu donner le bonheur au peuple et vous allez payer cette audace de votre propre bonheur ! dit Nikita.

La gorge serrée d'émotion, Nicolas murmura :

— Ainsi, tu as compris...

— Tous les pauvres gens ont compris !

Nicolas se regarda dans la glace de l'entrée et se reconnut à peine dans cet individu mal rasé, aux paupières rouges.

— Vous avez faim, barine ? demanda Platon.

— Non. Allez dormir tous les deux.

— Et vous, qu'est-ce que vous ferez ?

— Je vais ranger des papiers, brûler quelques lettres...

Platon se frappa le front du plat de la main :

— A propos de lettre, il y en a une qui est arrivée pour vous, ce matin, barine. Je l'ai mise sur votre table...

L'allégresse souleva Nicolas comme une plume : Sophie lui avait écrit ! Il se rua dans sa chambre, alluma une lampe, trouva la lettre et tomba de haut. C'était l'écriture de son père. D'un coup d'ongle, il fit sauter le cachet :

« Mon fils,

« Je suis sûr que ta femme n'a pas encore osé t'adresser la lettre que tu mérites. Aussi, n'obéissant qu'à mon devoir de père, vais-je te communiquer quelques nouvelles de la plus haute importance. Primo : ta sœur, après nous avoir couverts de honte par un mariage stupide, a mis le comble à sa folie et à son péché en se suicidant. Que Dieu lui pardonne comme je lui pardonne moi-même. Secundo : ton épouse, avec une grandeur d'âme à laquelle je rends hommage, a recueilli chez nous le petit orphelin. J'espère que ce bébé, qui a bonne mine, ne ressemblera ni à son père ni à sa mère. Tertio : Sophie a appris que tu l'as trompée avec Daria Philippovna... »

Les jambes de Nicolas faiblirent. Il s'assit dans un fauteuil :

« Bien entendu, elle ne veut plus te revoir et je l'approuve. Ne t'avise donc pas de remettre les pieds à Kachtanovka. Ta femme ne sortirait pas de sa chambre. Et moi, je te ferais jeter dehors par mes domestiques. La seule façon que tu aies de racheter quelque peu ta faute, c'est de ne plus nous donner signe de vie. Je te dis cela d'accord avec Sophie, qui, sans doute, repartira pour la France après avoir surmonté le chagrin et l'indignation que tu lui a causés. Je devrais te maudire, mais tu es incapable de comprendre ce que signifie le courroux d'un père. Aussi me bornerai-je à te dire : adieu !

« MICHEL BORISSOVITCH OZAREFF. »

Sous la violence du choc, Nicolas perdit la notion de sa personnalité. Un autre que lui replia le papier, baissa la tête et se mit à réfléchir. Après les terribles péripéties de la journée, sa petite existence lui apparut comme un tissu de lâchetés, de mensonges et de mesquineries. Que n'avait-il été tué sur la place du Sénat plutôt que de recevoir cette lettre ! Le deuil et le dégoût l'écrasaient. Sa sœur morte, sa femme apprenant qu'il l'avait trompée et refusant de le revoir ! N'y avait-il pas une relation tragique entre ces deux événements ? Comment était-ce arrivé ? Par la faute de qui ? Dans quelles circonstances ? Il savait Marie désemparée, humiliée, abattue, mais pas au point de se suicider ! Ne s'était-il trouvé personne pour la consoler, pour la conseiller, au moment où elle perdait pied, où elle criait à l'aide ? S'il avait été à Kachtanovka, peut-être l'aurait-il sauvée ? C'était comme si, d'un seul coup, on l'eût amputé de tous ses souvenirs d'enfance. Il souffrait, il aurait voulu ne penser qu'à cette fin atroce, mais le chagrin qui lui venait de Sophie était encore plus fort et plus imprévu. Etait-il possible qu'elle envisageât la rupture de leur mariage à cause d'une liaison depuis longtemps dépassée et à laquelle il n'avait jamais attaché la moindre importance ? Dix ans de bonheur jetés bas pour quelques minutes d'égarement ! Leur entente, à tous deux, était une chose trop vraie, trop noble, trop vivante, pour qu'une sottise de ce genre suffît à la gâcher ! Sans doute Sophie, qui était d'une nature orgueilleuse, avait-elle pris sa décision sous l'empire de la fureur. Et, au lieu de la calmer, de la raisonner, Michel Borissovitch s'était ingénié à l'exciter dans son ressentiment. Il détestait tellement son fils, il avait tellement envie de rester seul avec sa bru, que toutes les ruses lui étaient bonnes pour arriver à ses fins ! Nicolas imagina son père et sa femme jouant aux échecs, dans le salon de Kachtanovka, pendant que lui se désespérait. Sa colère monta. Marchant de long en large dans la chambre, il lançait des regards violents. Allait-il se laisser faire ? L'amour de Sophie était un élément indispensable à son existence. Privé d'elle, il n'était plus lui-même, il n'était plus rien. Avoir possédé ce visage léger, ce corps aux fières attitudes, cette âme ardente, toute cette fragile beauté, et se réveiller, soudain, devant le vide, il y avait de quoi perdre la raison ! Une solution s'imposait. Il irait à Kachtanovka, coûte que coûte. Il reverrait Sophie, il l'obligerait à l'entendre. Même si elle le recevait comme un étranger, comme un ennemi, il trouverait les mots capables de la fléchir. Il était trop malheureux pour qu'elle pût résister indéfiniment à son repentir et à sa tendresse. Il éclatait de sincérité.

Le conseil de Kuhelbecker lui revint en mémoire. Il ouvrit la porte et cria :

— Platon ! Nikita ! Venez ici !

Les deux hommes accoururent.

— Il me faudrait des vêtements de paysan, dit Nicolas.

La mâchoire de Platon se déboîta d'étonnement :

— Pour qui, barine ?

— Pour moi.

Nikita devina aussitôt de quoi il retournait et chuchota, l'air heureux :

— Vous voulez vous enfuir ?

— Oui.

— Pour aller à Kachtanovka ?

— Oui.

— Laissez-moi vous accompagner !

— Tu es fou ?

— Seul, barine, vous vous ferez prendre ! Vous ne saurez pas parler comme un moujik ! Avec moi, ce sera mieux ! Nous voyagerons en pèlerins, nous éviterons les grandes routes...

Au moment d'accepter, Nicolas se rappela que Nikita était employé dans un magasin.

— Et ton patron ? dit-il.

— Quand il s'apercevra de ma disparition, il sera trop tard.

— Mais il a ton passeport...

Platon, qui, depuis une minute, paraissait gagné de vitesse par la conversation, se ranima, fit un large sourire et dit :

— Pour les passeports, ne vous inquiétez pas !

je sais où notre barine range ceux des domestiques. J'en trouverai bien un pour vous et un pour Nikita, avec des signalements qui vous conviendront à peu près.

Tant de dévouement fit monter les larmes aux yeux de Nicolas.

— Mes amis, mes vrais amis ! balbutia-t-il.

3

Après deux jours et deux nuits de marche par des chemins profondément enneigés, Nicolas et Nikita atteignirent tout juste Gatchina, à quarante-cinq verstes de Saint-Pétersbourg. Le soleil levant éclairait la petite cité de plaisance, avec son château à colonnade, son parc blanc, ses lacs gelés et ses villas aux murs de couleur tendre. Dans le centre de la ville, les cabarets et les auberges ouvraient leurs portes. Nicolas choisit le traktir qui paraissait le plus modeste et y entra avec son compagnon. Ils se signèrent devant l'icône et s'assirent dans le fond de la salle. Sans même leur demander ce qu'ils voulaient, le patron, brun et gras, avec un regard de Turc, leur apporta du saucisson chaud, du pain noir et du kwass. On ne devait pas servir autre chose dans son établissement. Nicolas se pencha sur la nourriture. Il avait mal dormi dans une grange, la nuit dernière. Ses membres étaient moulus. La faim lui donnait le vertige. Nikita le regarda avec une tristesse déférente et dit :

— Nous devrions peut-être nous reposer, aujourd'hui...

— Non, dit Nicolas. Nous n'avons pas le temps. Dans une heure, nous reprendrons la route.

Sa hâte de rejoindre Sophie était telle, qu'il ne se lassait pas d'imaginer la prochaine entrevue. Chaque fois, dans ce rêve, elle lui défendait sa porte, mais, vers le milieu de la nuit, consentait à lui ouvrir pour entendre ses explications. L'idée de ces retrouvailles l'enflammait. Il avait des battements de cœur d'adolescent. Un sourire parut sur ses lèvres. Il déboutonna sa touloupe de peau de mouton sur une chemise de toile bise. Avec ses bottes de feutre, son bonnet de fourrure, sa besace et son bâton, il avait vraiment l'aspect d'un moujik en voyage. Soudain, il lui sembla que l'aubergiste l'observait du coin de l'œil. Une crainte le traversa. Il s'aperçut que, par habitude, il mangeait les coudes au corps, la tête légèrement inclinée, pas du tout à la manière d'un paysan. Vite, pour se rattraper, il étala ses avant-bras sur la table, grimaça, clappa de la langue à chaque bouchée.

— Vous en faites trop, barine ! chuchota Nikita en riant.

— Et toi, cesse de m'appeler barine et de me vouvoyer ! Un jour ou l'autre, tu le diras devant des espions et nous serons pris. Ne crois-tu pas qu'on pourrait s'entendre avec un roulier pour qu'il nous amène à Louga, en chariot ?

— J'y pensais justement !

— Allons voir du côté du marché.

— Si vous le permettez, barine... pardon... si tu le permets, j'irai seul, dit Nikita. De moi, personne ne se méfiera. Je traiterai l'affaire et je viendrai te chercher.

Dans son visage à la peau basanée, les yeux, d'un bleu violet, avaient l'éclat de l'émail. Même quand il ne souriait pas, un air de jeunesse, de naïveté et de bienveillance universelle rayonnait de lui comme une lumière. Il finit sa portion de saucisson, sa cruche de kwass et se leva. Nicolas le regarda partir avec inquiétude. Seul, il était moins à l'aise dans son déguisement. Pour se donner du naturel, il tira de sa poche une poignée de graines de tournesol et les croqua. Du fond de la salle, une ombre titubante vint à lui

— Passe-m'en un peu, frère !

Devant Nicolas, se tenait un homme à la barbe blonde et au regard ivre, qui, à en juger par sa longue veste et la courroie qui ceignait son front, était un artisan charpentier. Nicolas versa des graines dans la main, laquée de crasse, qui se tendait vers lui.

— Grand merci, dit le charpentier. Le ciel te le rendra !

Et il marcha, d'un pas flottant, vers la sortie. Le patron lui barra la route :

— Eh ! tu ne vas pas partir sans payer ?

— Payer quoi ? Je n'ai rien bu !

Ce mensonge révolta le patron. La face convulsée, il hurla :

— Ah ! tu n'as rien bu ? Eponge ! Seau percé ! Trou puant !

A chaque injure, il projetait ses deux poings dans la poitrine de l'ivrogne. Celui-ci, reculant pied à pied, finit par perdre l'équilibre et retomba assis sur son banc.

— Je n'ai pas d'argent, frère ! bafouilla-t-il.

— Dans ce cas, j'envoie chercher la police !

— Ce n'est pas elle qui t'en donnera !

— Elle me donnera au moins le plaisir de te voir rosser ! Allons ! retourne tes poches !

— Non ! Je vais plutôt te chanter une chanson !...

Déjà, sur un signe de l'aubergiste, un gamin en

tablier blanc se dirigeait vers la porte, sans doute pour prévenir les agents. L'ivrogne se mit à chanter en battant la mesure du plat de la main sur la table. Nicolas suivait la scène avec angoisse. Si la police intervenait, il risquait d'être emmené au commissariat comme témoin. Interrogatoire, vérification de papiers... A tout prix, il fallait éviter cela. Il fouilla dans ses poches, ne trouva pas de petites pièces et tendit à l'aubergiste un assignat de dix roubles en disant :

— Je paye pour lui !

L'aubergiste s'étonna, se dérida, se plia en deux dans un salut, comme s'il eût remercié un seigneur. Cette marque de déférence augmenta la confusion de Nicolas. Il feignit de compter la monnaie qu'on lui rendait avec la lenteur soupçonneuse d'un homme du peuple.

— Tu as fait de bonnes affaires à la foire, sans doute ? demanda l'aubergiste.

— Oui, dit Nicolas.

— Et maintenant, tu vas rentrer chez toi ?

— Oui.

— D'où es-tu ?

— De Louga.

— C'est loin !

— Encore assez !

— Qu'est-ce que tu vends ?

— De la tille.

— Ça ne rapporte guère, dans nos régions !...

Leur conversation fut interrompue par l'ivrogne, qui tomba sur Nicolas, l'étreignit, le pétrit et lui baisa les deux joues en l'éventant d'une odeur d'alcool mal digéré :

— Tu es mon soleil ! Tu es mon père nourricier ! Ordonne-moi de me couper un doigt, une oreille, et je le ferai avec plaisir !

Nicolas l'écarta du bras et gagna rapidement

la porte. L'aubergiste et le serveur l'accompagnèrent jusqu'au seuil avec des courbettes. Craignant un nouvel incident, il résolut d'attendre Nikita en faisant les cent pas sur le trottoir. Comme il arrivait au bout de la rue, il entendit une voix qui criait derrière son dos :

— Hep ! Toi, là-bas ! Où vas-tu ?

Il se retourna. Deux agents de police, la hallebarde au poing, lui faisaient signe d'approcher. Derrière eux se tenait l'aubergiste, la tête rentrée dans les épaules, l'air triomphant et fautif.

★

Les fenêtres du traîneau étaient brouillées de givre. Nicolas gratta de l'ongle la pellicule blanche qui recouvrait la vitre et se pencha pour tâcher d'apercevoir la rue. Le gendarme qui l'accompagnait le rappela à l'ordre :

— Veuillez, je vous prie, ne pas vous montrer à la portière.

Sa cuisse chaude appuyait contre la cuisse de Nicolas. Ils étaient à l'étroit dans la caisse.

— De quoi avez-vous peur ? demanda Nicolas. Que je voie la ville ou que la ville me voie ?

Le gendarme se renfrogna sous la plaisanterie et croisa ses deux mains gantées sur la poignée de son sabre. Il avait pris Nicolas en charge à Gatchina, sitôt après son arrestation, l'avait ramené à son domicile, chez Kostia Ladomiroff, pour qu'il pût se changer, et le conduisait maintenant vers une destination inconnue. Les vêtements de moujik, ficelés en paquet, gisaient sous la banquette. Heureusement, Nikita avait échappé aux recherches. Devant l'inspecteur qui l'avait questionné, Nicolas avait juré qu'il voyageait seul.

On l'avait cru, malgré les protestations de l'aubergiste, parce qu'il avait rappelé l'origine ancienne de sa famille et ses états de service pendant la guerre nationale. Ceux qui l'interrogeraient aujourd'hui seraient, sans doute, moins faciles à convaincre. Si seulement il avait pu revoir Sophie avant d'être arrêté ! Pardonné par elle, il eût accepté n'importe quelle épreuve avec le sourire. A présent, tout ce qu'il aurait voulu lui dire pour se justifier restait comme un poids sur sa conscience.

Le traîneau s'arrêta, des ombres s'agitèrent derrière la vitre, le gendarme descendit le premier et, devant les yeux de Nicolas, s'étira l'interminable façade du Palais d'Hiver. Que d'honneur ! Pourquoi l'amenait-on ici et non dans un poste de police ? Il ne chercha pas de réponse à cette question. Tout lui était égal. Des sentinelles, régulièrement espacées, gardaient les abords de l'édifice. Sur la place, il y avait des groupes en armes, des braseros, des chevaux à l'attache, des canons comme à l'intérieur d'un camp retranché. Le gendarme claqua des talons devant une paire d'épaulettes. Deux doigts levés au ras du chapeau. Le passage des consignes... Avant d'avoir pu comprendre ce qui lui arrivait, Nicolas se trouva flanqué de soldats, sabre au clair. Un aide de camp lui dit d'un ton sec :

— Marchons !

Du crépuscule brumeux, ils passèrent à un mirage de marbres, de glaces et de lustres. Dans l'escalier monumental, des officiers, toutes décorations dehors, se croisaient en courant, l'air indispensable et affairé. Une foule de courtisans remplissaient un salon blanc et or et parlaient en français, à voix basse. Au-dessus de leurs têtes bien peignées, flottait un parfum de pommade.

Leurs regards tombaient sur Nicolas, avec la raideur de gaffes d'abordage. Il entendit :

— Encore un de ces traîtres qu'on amène !

— L'empereur est trop bon de vouloir les interroger lui-même !

— Quand je pense que le prince Troubetzkoï !...

Nicolas demanda à l'aide de camp :

— Le prince Troubetzkoï a été arrêté ?

— Oui.

— Qui encore ?

— Je n'ai pas le droit de vous le dire. Restez ici. Attendez.

L'aide de camp s'éclipsa, laissant Nicolas parmi ces gens, dont la haine lui était perceptible comme un manque d'air. Pourtant, lui qui n'eût pas supporté jadis d'être le point de mire d'une assistance, puisait aujourd'hui un regain de force dans le mépris que lui inspiraient tous ces intrigants. Au bout d'un assez long temps, un autre officier vint le chercher et l'introduisit dans un salon plus petit, plus sombre, aux murs couverts de tableaux. Sous une Sainte-Famille d'inspiration italienne, siégeait un homme jeune encore, en uniforme rouge et or de hussard de la garde. Nicolas reconnut le général Lévachoff. Devant lui, sur une table de jeu, s'alignaient des papiers, des plumes, un encrier en malachite et une coupe pleine de dragées roses. Après un bref interrogatoire d'identité, il demanda d'un ton aimable :

— Depuis quand faites-vous partie de la société secrète ?

— Depuis deux ou trois ans, dit Nicolas.

— Qui vous a introduit dans ce milieu ?

— Personne.

— Vous voulez me faire croire que vous avez frappé, un beau jour, de vous-même, à la porte de Ryléïeff ?

« Il sait que Ryléïeff était notre chef », constata Nicolas avec un serrement de cœur.

— Je ne me rappelle plus comment cela s'est passé, dit-il.

L'œil de Lévachoff se plissa, comme s'il eût visé un adversaire. Dans son visage banal, le seul trait remarquable était une moustache fine, bien troussée, dont il enroulait la pointe, de temps à autre, sur son petit doigt. « Un officier de salon ! » pensa Nicolas.

— Vous vous rappelez tout de même que votre ami Ladomiroff vous a logé chez lui ? dit Lévachoff.

— Oui.

— Il ne pouvait ignorer vos relations avec les conjurés.

— Si, répliqua Nicolas. Il ignorait tout.

Et il se dit que Kostia, qui avait lâché ses camarades à la dernière minute, ne méritait pas d'être mis hors de cause. Une fois de plus, les braves payeraient pour les capons.

— Et Stépan Pokrovsky ? dit Lévachoff. Et Youri Almazoff ? Et Kuhelbecker ?...

Les noms pleuvaient sur Nicolas, sans qu'il changeât de visage.

— Vous ne voulez rien me dire sur eux ? demanda Lévachoff.

— Non.

— Pourquoi ?

— C'est une question de principe.

— Comment pouvez-vous parler de principe, alors que vous avez trahi votre tsar ?

— Je ne l'ai pas trahi, puisque je ne lui ai jamais prêté serment !

— Il est encore temps de vous repentir et de le faire !

Nicolas baissa la tête et serra les dents. Il n'aurait jamais cru qu'il fût si facile d'être noble dans une situation désespérée. Lévachoff se pencha sur son papier et nota les réponses de Nicolas d'une plume frétillante. Puis, ayant relu son texte et placé quelques virgules, il reprit :

— Sans doute nierez-vous que vous vous trouviez sur la place du Sénat, parmi les insurgés, le 14 décembre ?

— Je ne le nierai pas. J'y étais.

— Vous avez donc vu comment on a massacré le général Miloradovitch, le colonel Sturler...

— Oui.

— Qui a tiré sur eux ?

— Je ne sais pas.

— Vous défendez une bande d'assassins !

— Ils ne sont pas des assassins, puisqu'ils ont agi par conviction politique.

Le sang afflua aux joues de Lévachoff :

— Auriez-vous plus de respect pour les folles théories de quelques philosophes français que pour les lois sacrées qui, depuis des siècles, régissent le pays de vos ancêtres ? Placeriez-vous plus haut un Ryléïeff, un Troubetzkoï, un Pestel que l'empereur, qui tient son pouvoir de Dieu ?

— L'empereur ne tient pas son pouvoir de Dieu, dit Nicolas.

Et il se tut, le souffle coupé. La porte du fond venait de s'ouvrir à deux battants sur la silhouette d'un homme grand et fort, sanglé dans l'uniforme du régiment Ismaïlovsky : le tsar ! Son visage blafard, au nez régulier, au front dégarni, aux gros yeux pâles et globuleux avait l'immobilité et la pesanteur du marbre.

— Je te connais, dit le tsar. N'étais-tu pas à Paris, il y a dix ans, avec nos armées victorieuses ?

— Si, Majesté ! répondit Nicolas, impressionné,

malgré lui, par la stature de l'empereur et son air de sérénité hautaine.

— Tu avais une belle carrière devant toi. Tu t'es perdu par sottise !

Tout en parlant, le tsar avait pris sur la table le procès-verbal rédigé par Lévachoff et le parcourait distraitement du regard.

— C'est l'interrogatoire d'un muet par un sourd, grommela-t-il avec une moue ironique. Je vais te surprendre : il ne me déplaît pas que tu essayes de sauver tes camarades...

— Vous ne me surprenez pas, Majesté, balbutia Nicolas.

— Mais, à moi, tu peux tout avouer. Je suis au-dessus de la rancune. Parle-moi comme un fils à son père.

Nicolas fit mine de n'avoir pas entendu. Il se demandait quel démon poussait le tsar à questionner personnellement les insurgés, au fur et à mesure de leur arrivée au Palais d'Hiver. Un souverain ne pouvait que déchoir en devenant le juge de sa propre cause. D'autant que celui-ci changeait de masque avec l'aisance d'un bateleur. A la sévérité olympienne succédait déjà, sur ses traits, une expression d'infinie générosité.

— J'aime la grandeur d'âme, reprit-il. Même quand elle s'applique à une mauvaise cause. Tout le monde peut se tromper. D'après mes renseignements, ta participation au complot n'a pas été très importante. Il me serait donc possible d'oublier ton erreur, au cas où tu voudrais rentrer dans l'armée...

A ces mots, le général Lévachoff cessa d'écrire et leva sur l'empereur un regard dubitatif.

— Oui, poursuivit le tsar, tu pourrais monter haut si tu étais ambitieux et docile. Je suis d'ailleurs prêt à offrir le même pardon aux membres du complot que tu vas me nommer.

Nicolas éprouva la sensation d'un piège qui se referme en claquant sur le vide :

— J'ai déjà dit au général Lévachoff que je ne pouvais nommer personne.

— Maintenant, ce n'est plus un général, c'est ton tsar qui te le demande !

Il y eut un long silence. Irrité par le mutisme de l'inculpé, le tsar fronça les sourcils.

— Ton épouse est française, n'est-ce pas ? dit-il.

Nicolas tressaillit, touché au seul point vulnérable, et marmonna :

— Oui, Majesté.

— C'est d'elle que tu as pris les idées libérales qui t'ont mené à la conspiration ?

— Non, Majesté.

— Pourquoi me mens-tu ?

Nicolas souffrait de voir Sophie associée à sa faute. N'allait-elle pas être impliquée, elle aussi, dans le complot ? Maintenant que leur ménage était brisé, cette idée lui était doublement pénible.

— Qui dira l'importance des femmes dans les grands conflits politiques ? soupira l'empereur. J'aimerais connaître la tienne.

— Elle n'est au courant de rien, Majesté, murmura Nicolas. Je vous le jure !

— Tant mieux ! Tant mieux ! Je suppose que tu tiens à la revoir !

Nicolas articula difficilement :

— Bien sûr...

— Ce sera facile, si tu te montres un peu moins buté avec moi. Je vais te fournir une preuve de ma bienveillance. Exceptionnellement, je te permets d'écrire à ta femme. Tout de suite ! Devant moi ! Quinze lignes ! Pas une de plus ! Donnez-lui du papier et une plume, Lévachoff.

Frappé d'étonnement, Nicolas demeurait immobile. Pour la première fois depuis son arrivée au palais, il avait mal, il avait honte. Pouvait-il avouer à l'empereur que tout était fini entre sa femme et lui ? Lévachoff lui tendit une plume.

— Non, dit Nicolas.

— Vous refusez ? dit Lévachoff avec un haut-le-corps. Est-ce que vous vous rendez compte de votre insolence ? Qui êtes-vous pour oser dédaigner la faveur impériale ?

— Je ne suis rien, dit Nicolas. Je ne demande rien. Faites de moi ce que vous voulez, je n'écrirai pas.

— Mauvais sujet, mauvais époux, dit l'empereur sèchement. Au manque de principes dans la vie publique correspond le manque de principes dans la vie privée.

— J'ai oublié de vous signaler, Majesté, qu'il s'était déguisé en paysan pour échapper à nos recherches, dit Lévachoff.

Les yeux du tsar lancèrent une brève lueur. Des veines se gonflèrent sur son front. Il cria :

— Vous auriez dû lui laisser sa défroque de moujik ! Emmenez-le à côté ! Je le reverrai tout à l'heure !

Deux soldats conduisirent Nicolas dans la pièce voisine et lui dirent de s'asseoir sur une banquette, près de la croisée. Un froid glacial tombait du plafond, peint à l'italienne, sur le parquet ciré. L'un des soldats offrit du tabac à l'autre. Ils prisèrent, grimacèrent et éternuèrent en chœur :

— C'est de la poudre à canon, ton tabac !

— Oui, il est féroce ! J'y mêle un peu de verre

pilé très fin. Ça dégage tout, jusqu'aux yeux. T'en veux encore ?

— Attends que je me remette !

Nicolas tenta d'entrer en conversation avec eux. Pas de réponse. Hier, ils seraient volontiers passés dans le camp des rebelles. Aujourd'hui, ils considéraient leur prisonnier avec une crainte superstitieuse, comme un ennemi de Dieu. Il repensa aux morts du 14 décembre : le petit fifre éventré, le pâtisser affalé parmi ses tartelettes, la dame saignant du nez sous son chapeau à plumes, les blocs de glace pivotant avec leurs naufragés qui hurlaient d'épouvante... Ces images le hantaient. Son châtiment serait, peut-être, de les garder en lui toute sa vie. Il fit un effort pour revenir à la minute présente. Le bruit d'une discussion traversait le bois de la porte. L'empereur avait dû reprendre ses interrogatoires. Sans se soucier des factionnaires, Nicolas se leva et s'adossa au chambranle, pour mieux entendre. Des phrases décousues frappèrent son oreille. Les insurgés se succédaient, à quelques pas de lui, sans qu'il pût identifier leurs voix. Pour chacun, le tsar adoptait une manière différente, tel un acteur qui s'essaye dans tous les genres, afin de prouver l'étendue de son talent.

— Porteur d'un si grand nom, comment avez-vous pu vous acoquiner avec cette racaille ? disait-il à l'un avec tristesse.

— A genoux ! criait-il à un autre. Vous n'avez pas honte ? Ecrivez-moi tout ce que vous savez ! Peut-être vous accorderai-je ensuite la permission de revoir votre femme, vos enfants bien-aimés !...

Un autre encore s'entendait dire :

— Je souffre d'avoir à te punir, mais il le faut ! Incarnation de la Loi, mon sort n'est guère plus enviable que le tien ! Prions l'un pour l'autre, toi en prison, moi sur le trône !

Si les paroles du tsar étaient souvent distinctes, les réponses des insurgés l'étaient moins. Tous murmuraient, comme s'ils se fussent confessés à un prêtre. Il sembla à Nicolas que certains dénonçaient des camarades. A deux reprises, il entendit son propre nom dans la conversation.

Une heure plus tard, un aide de camp revint le chercher. Convoyé par les deux soldats, il rentra dans le salon, où l'empereur marchait de long en large, devant Lévachoff qui écrivait à sa petite table.

— Eh bien ! dit l'empereur en toisant Nicolas, as-tu réfléchi ?

— A quoi, Majesté ?

— Au risque que tu prendrais en t'obstinant dans ton silence. La plupart de tes camarades ont essayé de racheter leur félonie par des aveux spontanés. Si tu ne suis pas leur exemple, ton sort sera terrible !

— Je ne crains pas la mort, Majesté ! dit Nicolas.

— Qui te parle de mort ? hurla l'empereur. Je te ferai pourrir dans une forteresse !

Nicolas ne broncha pas. Les menaces du tsar sonnaient aussi faux, pour lui, que ses promesses. Plus que jamais, il regrettait l'échec de la révolution.

— Veuillez signer votre déposition, dit Lévachoff en tendant à Nicolas une feuille de papier.

Nicolas jeta les yeux sur le document, n'eut pas la patience de le lire jusqu'au bout et signa.

★

A la porte du Palais d'Hiver, il retrouva le même traîneau et le même gendarme. Enfermé dans la caisse aux vitres dépolies, il ne tarda pas à deviner le chemin que suivait la voiture. Les sabots des chevaux sonnèrent creux en traversant un pont de bois sur le fleuve. Puis l'attelage s'engouffra sous une voûte de pierre aux échos lugubres. Pas de doute possible, c'était la forteresse Saint-Pierre et Saint-Paul. En mettant pied à terre, Nicolas vit une maison basse, dans une grande cour enneigée, qu'entouraient de hautes murailles. Le gendarme l'introduisit dans un vestibule aux murs nus. Par la porte d'en face, entra un général, claudicant sur une jambe de bois. Ses cheveux gris étaient coupés en brosse. Son ventre replet tendait le tissu vert de son uniforme. Un filet sur deux manquait à la frange de ses épaulettes, dont la cannetille dorée avait noirci avec le temps. L'œil morne, il se présenta :

— Général d'infanterie Soukine, commandant de la forteresse. Et voici mon bras droit, le commandant Podouchkine.

De derrière son dos, surgit un personnage au nez écrasé en galette dans une face ronde et imberbe de vieille femme. Son menton dodu formait trois plis sur le col orange de son uniforme.

— Si vous voulez me suivre dans votre cellule... susurra Podouchkine.

Ce disant, il élevait dans ses mains un sac de grosse toile.

— Qu'est-ce que c'est ? demanda Nicolas.

— Une simple formalité.

Le sac tomba sur la tête de Nicolas. Il ne voyait plus rien. Podouchkine lui prit la main et dit, du ton aimable d'un aubergiste conduisant un client vers sa chambre :

— Par ici... Il y a une marche... Nous tournons à droite... Attention, c'est très glissant...

Ils sortirent à l'air libre, passèrent sur un ponton verglacé et Nicolas sentit une odeur de souterrain.

Deux hommes, des gardiens sans doute, lui emboîtèrent le pas, il buta contre une dalle descellée. Podouchkine le saisit par la taille et dit gaiement.

— Tous trébuchent à cet endroit !... Encore un peu de patience !... Là, nous y sommes !...

Il retira le sac. Nicolas cligna des paupières dans la lumière fumeuse d'une torche. Un couloir s'allongeait devant lui, percé de portes aux verrous massifs. C'était tout à fait ainsi qu'il imaginait une prison, dans son enfance. Le geôlier, comme dans les légendes qu'on raconte le soir, avait un trousseau de clefs à la ceinture. Il en choisit une, l'enfonça dans une serrure et poussa l'épais vantail de bois clouté, qui pivota en grinçant sur ses gonds.

La cellule où pénétra Nicolas était basse, voûtée, et pouvait mesurer cinq pas sur trois. Une lueur crépusculaire tombait d'une fenêtre grillagée, dont les vitres étaient blanchies à la craie. Sur un lit de planches, peint en vert, gisait une paillasse sale. D'un seau en fer, posé dans un coin, fluait un vieux relent d'urine. Un tabouret bancal était enchaîné au pied d'une table, elle-même scellée au mur. Le geôlier alluma une veilleuse. La petite flamme, flottant sur son bain d'huile, projeta au plafond une clarté de sanctuaire. Un froid humide collait aux épaules de Nicolas. Il voulut relever le col de son manteau, mais Podouchkine arrêta son geste :

— Inutile ! Nous allons être obligés de vous prendre vos vêtements. On vous en donnera d'autres, plus appropriés à votre état...

Tout en parlant, il s'était approché de Nicolas et, plaqué contre lui, fouillait ses poches avec des mains rapides d'escamoteur. En moins de rien, les objets personnels du prisonnier — montre, canif, menue monnaie, calepin — furent inventoriés et noués dans un mouchoir.

— Vous retrouverez cela en temps voulu ! assura Podouchkine.

Quand Nicolas se fut déshabillé, un gardien lui apporta une longue capote grise, raidie de crasse, qu'il enfila avec répugnance sur son linge, et des savates éculées pour remplacer ses chaussures. Podouchkine considéra son détenu avec attendrissement et dit :

— Vous êtes très bien, là-dedans ! C'est tout à fait votre taille !

« Est-ce un imbécile ou une brute ? », se demanda Nicolas. Il avait hâte de les voir tous partir. Mais, lorsque le commandant et les gardiens se furent retirés, que la clef eut tourné deux fois dans la serrure et que les verrous eurent claqué dans leurs crampons, il éprouva sa solitude à la façon d'une rupture d'équilibre. Le silence montait dans sa tête. Il examina de plus près sa cellule. Sur le mur, une ligne horizontale, d'un noir tirant sur le vert, marquait, sans doute, le niveau de la dernière inondation. Chaque coin avait sa toile d'araignée. Des cafards grouillaient entre les dalles du sol. Soudain, ils disparurent. A la lumière de la veilleuse, Nicolas déchiffra des noms inconnus, des dates gravées avec un clou dans la pierre. Tout ce qui restait de quelques destinées misérables ! Pourtant, chacun de ces hommes, criminel ou innocent, avait dû se sentir aussi nécessaire à la marche du monde que lui, Nicolas.

— Eh bien ! voilà, c'est fini ! murmura-t-il.
Une secousse l'ébranla du ventre aux mâchoires. Avant d'avoir pu comprendre ce qui lui arrivait, il fut labouré par un sanglot. La face dans son matelas, il pleurait et respirait une âcre odeur de moisissure et de déjections. Les brins de paille, passant à travers la toile, lui piquaient les joues. Ce qui le poignait par-dessus tout, c'était d'être enfermé ici, alors qu'il eût voulu être à Kachtanovka, pour confondre son père et reconquérir Sophie. Impuissant à faire entendre sa voix, il devait subir le supplice d'être diffamé devant sa femme, au moment où il aurait eu le plus besoin de l'avoir pour alliée. Si le gouvernement ne communiquait pas le nom des inculpés aux familles, elle ne saurait même pas qu'il avait été arrêté. Sans nouvelles de lui, elle se figurerait qu'il acceptait d'un cœur léger la rupture de leur ménage. Elle repartirait pour la France, peut-être avec cette affreuse conviction. Nicolas se remémora la lettre de Michel Borissovitch. Il l'avait apprise par cœur avant de la brûler. Chaque mot en était calculé pour l'obliger à souffrir. « Comme il me hait ! Que lui ai-je fait ? N'ai-je pas de pire ennemi que l'homme dont je porte le nom ? » La méchanceté de son père, la mort de sa sœur, la désaffection de Sophie, la fin sanglante de la révolution, l'arrestation, la prison, tout se brouillait, tout tombait à la fois sur sa tête. Il n'avait même pas la possibilité de vivre ces événements chacun selon son importance. Emporté par eux comme par une avalanche, il sentait seulement qu'il roulait toujours plus bas, qu'il avait mal, qu'il entrait dans la nuit et que ses forces diminuaient à mesure que s'accélérait cet horrible glissement de terrain. Un hébétement succéda à la crise de larmes. Il se mit à marcher en rond. La vue des

murs nus lui procurait une sorte d'ivresse. A peine se fut-il recouché sur sa paillasse, que le sommeil le tua.

★

A l'aube, il fut éveillé par un vieil invalide maigrichon et médaillé, qui tenait une grosse théière d'une main et, de l'autre, un bout de sucre en équilibre sur une tranche de pain noir. L'homme toussait, la poitrine creuse. Il lui manquait un morceau de mâchoire, du côté gauche. La chair morte pendait, en dentelle, sous sa moustache. Pendant qu'il versait un thé pâle dans une tasse en fer, Nicolas demanda :

— Quelle heure est-il ?

L'invalide parut effrayé par cette curiosité intempestive et bafouilla :

— Je n'ai pas l'honneur de le savoir. Attendez que ça sonne à l'horloge de la cathédrale.

— Comment t'appelles-tu ?

— Il m'est défendu de le dire.

— Tu peux tout de même me dire où tu as reçu ta blessure !

— Devant Paris, annonça l'invalide en redressant la taille.

— J'y étais, dit Nicolas. Lieutenant Ozareff, des gardes de Lithuanie.

— Moi, j'étais dans les grenadiers de la garde.

— Et tu t'appelles Popoff ?

— Non, Strépoukhoff ! rectifia l'invalide.

Il s'aperçut qu'il était joué, hocha la tête et dit tristement :

— Ce n'est pas bien, Votre Noblesse.

— Personne n'en saura rien, dit Nicolas. Est-ce que j'ai des voisins ?

Strépoukhoff le regarda avec méfiance et fit un pas vers la porte.

— Où vas-tu ? dit Nicolas.

— Vous me feriez faire des bêtises ! grommela Strépoukhoff.

Ses yeux débordaient d'une humble gentillesse. Soudain, il perdit tout à fait contenance.

— Oui, vous avez des voisins ! murmura-t-il. Dans mon secteur, toutes les cellules sont occupées ! Rien que des gars jeunes et pleins de santé comme vous ! Ça crève l'âme de les voir en prison ! Que Dieu pardonne à ceux qui pèchent et à ceux qui condamnent !

Quand il fut parti, Nicolas resta perclus de tendresse. Il avait l'impression qu'un brave chien au poil soyeux et au regard fidèle, était entré dans sa vie. Puis commença le supplice de l'inaction. Le temps se dévidait avec une monotonie épuisante. Lorsqu'on alluma le poêle, dans le couloir, le tuyau qui traversait la cellule rougit par endroits et se mit à craquer. Nicolas eut chaud à la tête et froid aux jambes. A tout hasard, il tapa du poing contre le mur. Personne ne lui répondit. A croire qu'il était seul dans la forteresse. Pourtant, Strépoukhoff lui avait bien dit qu'ils étaient nombreux dans son cas : « Rien que des gars jeunes et pleins de santé comme vous. » Il imagina, reproduit par un jeu de glaces, des centaines de Nicolas, assis, tête basse, chacun dans sa cellule. Que n'était-il un ouvrier, un moujik ? Il se fût mieux accommodé de son sort. Habitué à porter du linge propre, à coucher dans un bon lit, à manger des plats fins, à entretenir des rapports aimables avec son entourage, il était perdu dans ce lieu où tout n'était que dureté, laideur et privation. Pas un objet qu'on pût regarder sans horreur ! Qu'il touchât le bois de son lit ou l'anse de sa cruche, il se sentait pénétré de saleté jusqu'aux os. Le seau de fer, sans couvercle, dégageait une odeur pestilentielle. Le gardien ne l'avait pas encore vidé. Cette infection confirmait Nicolas dans l'idée de sa déchéance. Pouvait-on élever son âme vers de nobles problèmes, quand il suffisait d'ouvrir les narines pour se rappeler sa pourriture ? Il se mit à marcher, vite, comme s'il avait eu un but à atteindre avant le soir. Cinq pas de la fenêtre à la porte ; un quart de tour à gauche ; trois pas du lit au seau en fer ; encore un quart de tour à gauche ; cinq pas le long de l'autre mur ; et, cette fois, un demi-tour à droite pour reprendre la promenade en sens inverse. Brusquement, il s'arrêta. A ses pieds, dans l'interstice de deux dalles, quelque chose brillait. Il le ramassa : un bouton en argent, détaché de son gilet. Il avait dû tomber hier, pendant que Nicolas changeait de vêtements. Cette découverte l'émut, l'enchanta. Autrefois, il aurait été incapable de dire ce qui était gravé sur la petite pastille de métal. Maintenant, il en contemplait le guillochis avec une attention amoureuse. Tout ce qui lui restait du monde libre tenait dans le creux de sa main. Des larmes voilèrent ses yeux. Sa sensibilité était celle d'un malade. Il enfouit le bouton dans sa poche, voulut l'oublier ; dix minutes ne s'étaient pas écoulées, qu'il le regardait à nouveau.

A midi, une odeur de graillon filtra sous la porte de Nicolas. Strépoukhoff lui apporta une platée de gruau et de choux. Il refusa d'y toucher.

— Remporte ça ! dit-il en se tournant la face contre le mur.

Quatre heures plus tard, la faim l'attaqua si fortement, qu'il en eut mal à la tête. Il se leva et cogna au vantail pour attirer l'attention du gardien. Srépoukhoff consentit, en maugréant, à lui servir un restant de bouillie de sarrasin. Mais elle était froide. Pas question de la faire réchauffer aux cuisines.

— Ça ira ! dit Nicolas.

La cuiller s'enfonçait dans la bouillie, comme dans de la colle à papier. Nicolas s'empiffra jusqu'à ressentir, au creux de l'estomac, une boule pesante, indigeste. Ensuite, il se remit à marcher. Cinq enjambées d'un côté, trois de l'autre... Demain, il ferait la même chose, et après-demain, et tous les jours... Est-ce que cela pouvait suffire à remplir une vie ? L'épouvante se leva en lui, avec le grondement sourd de la mer. Vite, il tira de sa poche le bouton d'argent et le fit sauter d'une paume dans l'autre. Il jonglait avec une étoile. C'était le tailleur de Kostia Ladomiroff qui lui avait cousu son gilet lie-de-vin. Il se rappela comment il l'avait essayé devant la glace, attentif au moindre faux pli. Satisfait, il en avait commandé un autre. Couleur bleu-nuit, à sept boutons. On devait le lui livrer à la fin de la semaine...

Au crépuscule, les cafards sortirent de leurs trous en nombre tel, que tout le coin, près du seau de toilette, fut envahi de carapaces noires. De leur grouillement montait un bruit de papier froissé. Nicolas écrasa quelques insectes en marchant dessus avec ses savates. Ils rendaient, en craquant sous la semelle, un double son, à la fois sec et juteux. Ce massacre dans la pénombre était si répugnant, que Nicolas s'arrêta bientôt, le cœur soulevé. Quand Strépoukhoff revint avec la veilleuse, les cafards survivants filèrent dans leurs fentes, chassés par la lumière. Le gardien balaya les cadavres dans le corridor.

— Ils ne sont pas méchants, dit-il. C'est plus dégoûtant de les tuer que de les laisser faire.

4

Un matin, comme Nicolas marchait dans sa cellule pour se dégourdir les jambes, il eut l'impression qu'au lieu de revenir toujours sur ses pas, il progressait sur une longue route, aux détours imprévus. En fait, ce qui changeait, ce n'était pas le paysage, mais lui-même. L'homme heureux, libre, léger, qu'il avait été, s'enfonçait dans un passé incroyable. Pour survivre, il fallait résister à l'attraction désespérante des souvenirs. Accepter d'être un autre. Un nouveau venu, né en prison, à l'âge de trente et un ans. Alors, tout semblait plus facile. On adaptait ses désirs, ses craintes, ses appétits, à l'ordre pénitentiaire. On cessait de rêver aux séductions de l'extérieur pour tirer de soi-même toutes les distractions qu'un esprit humain peut donner. On s'organisait, avec ses réserves, comme une ville assiégée. On devenait son propre ami, son propre ennemi, son propre juge, son propre public. Peut-être même finissait-on par être heureux d'une certaine façon ? Cela, Nicolas en doutait, malgré son envie de reprendre courage. Il sortit de sa poche le bouton en argent et le considéra avec un affectueux reproche. Cet objet symbolisait toutes ses faiblesses. Il brillait, insolite, dans un monde où il n'avait que faire. Il était l'obstacle, la négation. A lui seul, il empêchait son possesseur de vivre en vrai prisonnier. Subitement, Nicolas décida de se débarrasser du bouton de gilet. Il essaya de le glisser sous la porte. Mais le bouton était légèrement bombé et ne passait pas. Pour l'aplatir, Nicolas tapa dessus avec son pied. A chaque coup, il ressentait une douleur au talon, à travers la semelle mince de la savate. Evidemment, il eût été plus simple d'appeler le gardien et de lui remettre le bouton, mais Nicolas répugnait à cette solution de paresse. Une rage d'action le poussait. Piétinant au milieu de la cellule, il avait l'illusion d'accomplir une œuvre importante. Après une heure de travail, le bouton, déformé, put passer sous le battant. Nicolas se redressa, épuisé, mouillé de sueur.

— Très bien ! Très bien ! répétait-il.

Puis il alla se soulager dans le seau de fer. C'était un événement dans sa journée. Il y pensait à l'avance, il retardait le moment... De nouveau, l'odeur le surprit, l'écœura. Ce seau en fer était un monument élevé à la honte des hommes.

Nicolas se coucha sur son lit, les mains sous la nuque. L'envie folle le prit de lire un livre. N'importe quel livre ! Tourner des pages, respirer le parfum du papier imprimé, plonger dans une histoire vraie ou fausse, changer de pays, suivre le développement sinueux d'une philosophie... Il tenta de se rappeler les romans qui l'avaient séduit dans sa jeunesse. Il se récita des bribes de poèmes. Il fit, de tête, quelques additions... De temps à autre, un gardien l'observait par le judas. Des cafards s'assemblaient autour du pot à eau. « Ça y est ! songeait Nicolas. J'ai conclu un accord avec moi-même. J'ai répudié mes idées délicates, mes habitudes raffinées. Je me suis converti à la vie de prison... » Cinq minutes plus tard, il repensait à Sophie, sa vaillance l'abandonnait, ses nerfs se relâchaient, tout était à reprendre !

★

Deux semaines s'écoulèrent encore, sans apporter le moindre changement dans la vie de Nicolas. Les cafards ne l'inquiétaient plus. Il aurait voulu se raser, mais c'était interdit par le règlement. Comme il n'avait pas de miroir, il essayait d'imaginer son visage en passant la main dessus. Sa peau collait de plus près à ses os. Le poil poussait dru sur son menton et sur ses joues. Quand il baissait la tête, il ressentait un picotement de brosse dans le pli de son cou. Le peu d'eau qu'il recevait pour se laver avait une odeur saumâtre. Cependant, il s'habituait sans trop de mal à sa saleté, à ses démangeaisons et à sa faim. Par certains côtés, cette misère était réconfortante. Dans le malheur, il retrouvait l'estime de lui-même. Etait-il de ces êtres qui ont besoin de souffrir pour exister ? Le temps officiel lui était donné par l'horloge de la cathédrale Saint-Pierre et Saint-Paul. Elle sonnait les heures d'une voix de bronze fêlé. Après quoi, le carillon entrait en branle. Pour ne pas perdre le compte des jours, Nicolas plaquait, chaque soir, une boulette de pain noir sur le mur, à la tête de son lit. Les rats, dont il n'avait fait qu'entendre les grattements et les cris au début de son séjour dans la cellule, s'enhardirent à lui rendre visite. C'étaient des rats d'eau, très velus, d'un gris tirant sur le roux. D'abord, il s'effraya de leur grosseur et de leur nombre. Puis, ne pouvant les exterminer, il adopta une attitude conciliante : il leur laissait manger les miettes de son repas, et, quand il ne restait plus rien de comestible, il les chassait à coups de savates. Ils ne furent pas longs à comprendre les avantages de ce *modus vivendi* : dès qu'il se déchaussait, toute la famille rentrait dans ses galeries. Il y avait là des vieux, des jeunes, des mâles, des femelles... Nicolas s'amusait à les reconnaître et à leur donner des noms. La nuit, il lui arrivait de s'éveiller et de voir deux petits yeux brillants dans les ténèbres. Cela le dérangeait moins que d'être épié à travers le judas par les gardiens. Ils étaient trois, avec Strépoukhoff, qui s'occupaient de lui, à tour de rôle. Il ne pouvait ni bouger ni tousser, sans attirer leur attention. A tout moment, une main soulevait le chiffon vert qui masquait l'ouverture. Un œil de cyclope inspectait la cellule. On chuchotait dans le monde des hommes libres. Un matin, Nicolas crut même entendre la voix du tsar. Aussitôt, il se dit qu'il se trompait, que l'empereur de toutes les Russies avait autre chose à faire que de surveiller les détenus. Il questionna Strépoukhoff. Celui-ci se troubla, renifla, refusa de répondre. Sa confusion était un aveu.

Assis sur son lit, Nicolas repassa dans sa mémoire pour la centième fois les détails de son interrogatoire au Palais d'Hiver. Il voulait ainsi raviver sa haine contre la monarchie et durcir son caractère en prévision des luttes à venir. Au lieu de quoi, il s'abandonna à son penchant familier, qui était de se mettre à la place de l'adversaire pour prendre une autre notion des événements. Le fait que le souverain s'occupât en personne des insurgés prouvait à quel point il était désemparé, dans sa victoire, par l'ampleur du complot qu'il avait découvert. Un mélange de colère, de mépris, de pitié et de curiosité maladive le penchait sur ces hommes qui avaient osé se soulever contre dix siècles d'Histoire russe. C'était d'eux-mêmes, tout chauds encore de leur crime, qu'il voulait avoir l'explication d'un phénomène aussi incompréhensible pour lui que la révolte du 14 décembre. Le plus étonnant, sans doute, était que la majorité de ces jacobins lui étaient bien connus : officiers de sa garnison, nobles de son entourage. Il se voyait environné de suspects. Tous les moyens lui semblaient bons pour sonder les consciences.

Nicola songea que, peut-être, dans la situation du tsar, il n'eût pas agi autrement. Cette supposition l'irrita. « Voilà ce qui arrive quand on laisse courir son imagination, se dit-il. Un révolutionnaire ne devrait jamais tenter de comprendre le point de vue des gens d'en face. S'identifier à autrui, même pour quelques secondes, c'est lui pardonner pour la vie. L'homme fort n'est pas celui qui vibre à tous les échos, mais celui qui refuse de croire qu'il existe une vérité en dehors de la sienne. » L'idée qu'il portait le même prénom que l'empereur le fit sourire. Leur fête patronale à tous deux tombait le 6 décembre. Il se rappela leur première rencontre, dix ans plus tôt, en France, au camp de Vertus. Près d'Alexandre Ier, qui complimentait Nicolas sur son prochain mariage avec Sophie, se tenait le grand-duc, jeune, élégant, arrogant. Une image recouvrit l'autre : à la place du grand-duc — un tsar ; à la place du brillant officier des gardes de Lithuanie — un prisonnier sordide. Tout ce qu'il avait perdu ! Cette nuit-là, il rêva à sa femme avec tant de précision, qu'en rouvrant les yeux il fut surpris de ne pas la voir assise à son chevet.

Après le déjeuner, Strépoukhoff introduisit dans sa cellule un jeune officier, tiré à quatre épingles, qui tenait à la main un pli cacheté de cire noire.

— Pour vous, dit-il. De la part de la commission d'enquête.

Il fronçait le nez, à cause de l'odeur qui montait du seau. Mais Nicolas n'avait plus honte.

— Qu'est-ce que c'est ? demanda-t- il. Un ordre de route ?

— Un questionnaire, dit l'officier. Vous voudrez bien le remplir. Je le reprendrai demain, à la même heure. On vous apportera une plume et de l'encre. Pour le papier, vous n'en aurez pas d'autre que celui-ci. Il est interdit de faire un brouillon.

— Pourquoi ?

— Parce que les réponses des accusés ne sauraient être préparées. Elles doivent partir du cœur !

Il claqua des talons et disparut. Nicolas ouvrit le pli. Une liste de trente questions se déroula devant ses yeux. Les mêmes, à peu de choses près, que Lévachoff et le tsar lui avaient posées lors de son premier interrogatoire : « Quand et par qui avez-vous été reçu dans la société secrète ?... Quels sont les membres de la conjuration que vous avez rencontrés ?... Avez-vous eu connaissance d'un quelconque projet de constitution ? » D'abord, il voulut refuser de répondre. Mais Strépoukhoff le raisonna :

— Si vous ne le faites pas, ils vous mettront dans le sac.

— Quel sac ?

— C'est un cachot sous terre, fermé par une plaque, avec juste une petite ouverture pour l'aération. Là-bas, il ne fait pas bon vivre comme ici. On n'y voit rien, on étouffe !...

Nicolas partit d'un rire amer. La perspective du « sac » l'attirait. Brusquement, il avait envie de narguer le pouvoir, d'aller jusqu'au bout de l'épreuve, de toucher à l'extrême de l'injustice. La vérité était, peut-être, au fond de ce puits dont on le menaçait. Ensuite, reprenant le papier, il se dit qu'il servirait mieux la cause de ses camarades et embarrasserait davantage les juges en répondant avec astuce à certaines de leurs questions qu'en les rejetant toutes en bloc. Il se mit au travail. Quand il décelait un piège, il lui opposait une formule évasive : « Je l'ignore... Je n'étais au courant de rien... » En revanche, chaque fois qu'on lui demandait des détails sur les buts de l'association, il prenait avec fougue la défense de son idéal politique. En face de la phrase : « Comment les révolutionnaires agissaient-ils pour gagner de nouveaux adeptes à leur cause ? » il écrivit : « Au retour des campagnes de France, il n'y avait pas un officier digne de ce nom qui ne ressentît comme une honte l'état d'oppression où se trouvait son pays. Tous ceux qui, sous les ordres du glorieux Alexandre Ier, avaient combattu Napoléon pour rendre, au prix de leur sang, la liberté à l'Europe, ne devaient pas tarder à comprendre que cette liberté leur serait, à eux, refusée. Instruits des conditions de vie au-delà des frontières, il était normal qu'ils fussent tentés de se réunir pour étudier la possibilité de donner une constitution à la Russie. »

Il relut son texte avec satisfaction. Un beau camouflet à ces messieurs de la commission d'enquête. Dommage qu'il ne pût voir leur tête quand ils prendraient connaissance du document ! D'un geste qui lui était devenu familier, il se caressa la barbe. Ça poussait, ça piquait. Velu, fatigué et crasseux, il était aussi fort qu'une assemblée de généraux.

Le lendemain, vers midi, le jeune officier élégant revint dans la cellule, cacheta la déposition de Nicolas et se retira en disant à Strépoukhoff :

— Vous lui donnerez du pain blanc avec son thé.

Nicolas, qui ne détestait pas le pain noir, se demanda ce que signifiait cette marque de faveur.

— C'est le commencement, lui chuchota Strépoukhoff. Si vous vous conduisez bien, si vous dites tout ce que vous savez, ils vous soigneront mieux encore, ils vous permettront même, peut-être, de correspondre avec votre famille...

De nouveau, Nicolas pensa à Sophie. S'il avait refusé de lui écrire sous le regard de l'empereur et de Lévachoff, il brûlait d'envie de se confier à elle, maintenant qu'il était seul dans sa cellule. Jusqu'au soir, il aligna dans sa tête les phrases d'une lettre de justification et d'amour.

En pleine nuit, un bruit de clefs entrechoquées frappa ses oreilles. Des torches entrèrent violemment dans son rêve. Toute la cellule s'éclaira. Les cafards s'enfuirent. Nicolas bondit sur ses jambes. Devant lui se tenaient le général Soukine perché sur son pilon et le commandant Podouchkine, à la ronde figure de lune. Un gardien portait, dans un panier, les vêtements et les chaussures qui avaient été confisqués à Nicolas le jour de son incarcération.

— Vous allez vous changer et nous suivre, dit Soukine.

« Où vont-ils m'emmener ? », songea Nicolas. Il eut envie de le leur demander et se retint, par orgueil. Dans son esprit encore mal éveillé, tournoyaient des suppositions tragiques : le peloton d'exécution, le trou, le convoi pour la Sibérie, la torture... L'horloge de la cathédrale sonna deux heures du matin. Il clignait des paupières, la bouche pâteuse, l'estomac vide, et enfilait maladroitement des vêtements dont il avait oublié la finesse. En revoyant son gilet lie-de-vin, auquel manquait un bouton d'argent, il sourit de tristesse. Un gardien inconnu lui banda les yeux et le coiffa d'un sac. Comme lors de son arrivée en prison, Podouchkine lui prit la main pour le conduire. Après un long trajet dans le couloir, il perçut le froid de l'air libre à travers l'étoffe qui lui couvrait la figure et en eut la respiration coupée. Que ne pouvait-il arracher ce capuchon, se rouler dans la neige, capter la fraîcheur de la nuit dans ses poumons !

— Marche ! Marche !

Poussé dans le dos, il gravit un escalier et tomba dans la chaleur et le murmure d'une pièce habitée.

— Asseyez-vous, dit Podouchkine en le débarrassant de son bandeau et de son sac.

Et il l'installa derrière un paravent de tissu vert, sous la garde de deux soldats. Par une déchirure de l'étoffe, Nicolas vit trois autres prisonniers qui arrivaient sous escorte. Mais, comme eux aussi portaient un sac sur la tête, il ne les reconnut pas. Ils disparurent à leur tour derrière des paravents. Dans la galerie, allaient et venaient des officiers aux éperons sonores Ils parlaient haut et riaient, sans égard pour les captifs, dont certains étaient, sans doute, leurs anciens compagnons d'armes.

Au bout d'une dizaine de minutes, Podouchkine tira Nicolas de sa retraite. Tapant du talon et cliquetant du fourreau, les deux soldats suivirent le prévenu à un pas de distance. En traversant un salon, Nicolas se trouva nez à nez avec Hippolyte Roznikoff, qui pérorait au milieu d'un groupe d'uniformes. Leurs regards se heurtèrent au vol. Pas un muscle ne bougea sur le visage pomponné du bel Hippolyte. Il considérait son ami froidement, comme un étranger. Nicolas ravala sa rage et passa. Devant une porte, il fallut s'arrêter encore. Puis une voix cria :

— Faites entrer Ozareff.

Une dizaine de juges l'attendaient dans un petit salon, derrière une table couverte d'un drap rouge. « Le Conseil des Dix, comme à Venise », pensa Nicolas. A la lueur des bougies, fichées dans de lourds candélabres de vermeil, les épaulettes, les aiguillettes, les décorations scintillaient, telles des écailles de poisson. Nicolas reconnut le grand-duc Michel Pavlovitch, frère cadet du tsar, le général Diebitch, chef de l'état-major général, Tatischeff, ministre de la Guerre, le général Lévachoff, le général Tchernycheff, le général Benkendorff, le général Golénischeff-Koutouzoff... Quelle somptueuse commission d'enquête, pour lui tout seul !

On lui posa de vive voix les mêmes questions que par écrit. Il s'efforça de ne pas varier dans ses réponses. Le plus rusé de tous semblait être le général Tchernycheff, qui avait un visage fardé, blanc et rose, des sourcils épilés et une perruque châtain aux bouclettes serrées comme une toison de brebis.

— Les principaux membres du complot nous étant connus, si nous vous invitons à les nommer c'est uniquement pour alléger votre faute, dit Tchernycheff.

— Pourquoi devrais-je vous croire ? demanda Nicolas.

— Ne serait-ce qu'à cause de ceci, répondit Tchernycheff en lui tendant une liste de noms.

Nicolas jeta un regard sur la feuille : Ryléïeff, Pestel, Kuhelbecker, les frères Bestoujeff, Kakhovsky, Golitzine, Pouschine, Iakoubovitch, Troubetzkoï, Mouravieff-Apostol... ceux de l'Union du Nord comme ceux de l'Union du Sud, tous y étaient ! Sans doute n'y avait-il même pas eu de révolte dans les provinces méridionales. Il paraissait impossible que la police eût découvert tant de conjurés par ses propres moyens. Des traîtres avaient parlé, c'était sûr !

— Etes-vous convaincu ? demanda Tchernycheff.

Nicolas ne dit mot, la langue sèche.

— D'après les déclarations de tous vos camarades, vous étiez présent à la dernière séance de la société secrète, dans la nuit du 13 au 14 décembre, reprit Tchernycheff.

— C'est exact, dit Nicolas avec un accent de défi.

— Quelle a été, en l'occurrence, l'attitude du prince Troubetzkoï ? Etait-il pour ou contre l'émeute ?

— Mes souvenirs, à ce sujet, sont des plus vagues !

— Ils se préciseront, sans doute, lorsque vous saurez que votre « dictateur désigné », au lieu de vous rejoindre sur la place du Sénat, comme il l'avait promis, a rôdé tout le jour dans les rues avoisinantes, surveillant l'arrivée des troupes, se cachant et tremblant. Après la déroute, il s'est traîné d'une maison aristocratique à l'autre, dans l'espoir d'échapper aux recherches, et a fini par échouer à l'ambassade d'Autriche, chez son beau-frère, le comte Lebzeltern. C'est là qu'on l'a arrêté, au milieu de la nuit. Allez-vous encore le défendre ?

Nicolas n'était pas autrement surpris par cette nouvelle. Sans doute était-ce pour le démoraliser que Tchernycheff lui révélait d'entrée la honteuse conduite d'un personnage qu'il aurait pu considérer comme son chef ? La feinte était classique.

— Dans toute conspiration, il se trouve des hommes faibles, dit Nicolas.

— Et votre admiration, à vous, va, évidemment, aux hommes forts ? dit Tchernycheff.

— Oui.

— Y en avait-il beaucoup dans votre groupe ?

— Pas assez.

— En tout cas, ce sont ces hommes forts qui, lors de la dernière réunion chez Ryléïeff, ont parlé d'attenter à la vie du tsar !

— Je n'ai rien entendu dire de pareil.

— Selon les uns, continua Tchernycheff imperturbable, ce serait Ryléïeff qui aurait demandé à Kakhovsky de tuer le tsar, selon les autres, Kakhovsky aurait pris cette décision sans y être invité par personne. En nous racontant la vérité, vous pourrez alléger les charges qui pèsent sur l'un au moins de ces hommes. En vous taisant, vous ne ferez que les lier plus étroitement sous l'inculpation de régicide. Ne vaut-il pas mieux en sauver un par votre déposition que les perdre tous deux par votre silence ?

Cette mise en demeure embarrassa Nicolas. Pour la première fois, il était placé dans une situation telle, que son sens de l'équité lui interdisait de se taire. Cependant, aider les juges sur ce point particulier n'était-ce pas entrer dans leur jeu pour la suite de l'enquête, accepter une collaboration entre accusateurs et accusés, et reconnaître, en quelque sorte, la nécessité d'un châtiment ? D'après ses souvenirs, l'idée de l'assassinat revenait à Kahkovsky, mais Ryléïeff, à l'issue de la réunion, l'avait supplié d'agir. Leur responsabilité à tous deux était donc à peu près égale. Toutefois, Kakhovsky, ayant tué Miloradovitch et Sturler, ne devait compter sur aucune indulgence, alors que Ryléïeff, n'ayant pas de sang sur les mains, pouvait espérer une amélioration de son sort si la plupart des témoignages lui étaient favorables. Mû par son amitié pour lui, Nicolas allait parler, mais, tout à coup, il y renonça : Dieu seul pouvait décider qui était innocent et qui était coupable. Tchernycheff demanda nerveusement :

— Alors ? Vous vous obstinez ? Vous aimez mieux couler à pic avec vos deux camarades que d'en aider un à regagner le bord ?

— Qu'entendez-vous par couler à pic, Excellence ? dit Nicolas.

— Votre crime est si nouveau en Russie qu'aucune loi ne prévoit encore le châtiment réservé aux coupables !

— Notre seul crime est d'avoir voulu le bien de notre pays.

— On ne peut vouloir à la fois le bien de son pays et la mort du tsar !

Au même instant, le regard de Nicolas se fixa sur Tatischeff, qui jouait avec un bâton de cire, et sur son voisin, Golénischeff-Koutouzoff, qui somnolait dans son fauteuil. Ces deux-là avaient participé, vingt-quatre ans plus tôt, à l'assassinat de l'empereur Paul Ier, ce qui avait permis à son fils Alexandre de monter sur le trône. Tout le monde, à Saint-Pétersbourg, connaissait leur histoire. Par quelle aberration jugeaient-ils à présent ceux dont le crime était, en somme, d'avoir échoué là où eux avaient réussi jadis ? Une flamme de joie brilla dans la tête de Nicolas. La tentation était trop forte. Il allongea son estocade, comme à l'escrime, avec une excitation contrôlée :

— Il est des cas, Excellence, où la révolte contre le gouvernement est un devoir sacré. Certains d'entre vous pourraient me comprendre, s'ils rappelaient leurs souvenirs.

Tatischeff frémit de colère et sa lourde main tomba comme un jambon sur la table. Golénischeff-Koutouzoff sursauta et ouvrit des yeux de nocturne.

— Qu'est-ce que cela signifie ? dit Benkendorff. Veuillez vous expliquer !

— C'est bien simple, Excellence ! dit Nicolas. Les conjurés du 14 décembre 1825 n'ont voulu qu'écarter un grand-duc du trône, et vous les traitez en assassins ; ceux du 11 mars 1801 ont tué un tsar, la nuit, sauvagement, et ils jouissent de votre estime. Où est la justice ?

— Quelle insolence ! hurla Tatischeff.

— Hors d'ici ! vociféra Golénischeff-Koutouzoff. Qu'on l'emmène ! Qu'on lui rive les fers aux pieds !

Les autres paraissaient plutôt amusés de la confusion où le prisonnier avait mis leurs deux collègues. Il devait y avoir entre les membres de cet aréopage des rivalités, des rancunes, datant des débuts du règne d'Alexandre. Tchernycheff fronça son petit visage fardé avec une expression de fouine et dit :

— Nous ne sommes pas réunis ici pour entendre votre opinion sur le passé et l'avenir politiques de la Russie, mais pour vous demander des précisions sur le plan d'action de Ryléïeff et de Kakhovsky. Voulez-vous nous dire...

— Je n'ai rien à dire, trancha Nicolas.

— Soit, dit Lévachoff. Nous vous livrons à vos scrupules. Dès que vous aurez changé d'avis, faites-le nous savoir. Et, à l'avenir, n'oubliez pas que, dans votre situation, la docilité est plus profitable que la morgue.

A la suite de cet interrogatoire, on remit à Nicolas ses vêtements de détenu. Il fut privé de thé et n'eut droit, le soir, qu'à une demi-portion de gruau. Son gardien habituel, le vieux Strépoukhoff, fut remplacé par une brute à face de Mongol, qui puait le kwass. Un matin, il introduisit un prêtre dans la cellule. Immédiatement, Nicolas pensa : « C'est un espion ! » Le prêtre était grand, large d'épaules, avec un rude visage de paysan, des yeux bleus et une barbe rousse tissée de poils d'argent, qui descendait jusqu'à sa croix pectorale. Il se présenta comme étant le père Pierre Myslovsky.

— Je vous remercie de m'apporter votre appui moral, mon père, lui dit Nicolas, mais, du seul fait que vous êtes envoyé par le gouvernement, il me sera impossible de vous ouvrir mon âme.

— D'où avez-vous appris que je suis envoyé par le gouvernement ? dit le prêtre en s'asseyant sur le tabouret. Evidemment, je n'aurais pu venir ici contre la volonté de la commission d'enquête. Mais je ne suis pas chargé de vous interroger et, quoi que vous me disiez, je ne le répéterai à personne.

Malgré cette affirmation, Nicolas se tint sur ses gardes, répondit évasivement aux questions affectueuses du visiteur et le laissa partir sans un mot de gratitude. Resté seul, il respira dans l'air la légère odeur d'encens dont la soutane du prêtre était imprégnée. Ce parfum, à peine perceptible, le bouleversa comme un rappel de son enfance. Un besoin physique le saisit de retrouver la paix dans la prière. Qu'il fût ou non aux ordres de la commission d'enquête, le père Myslovsky était d'abord un représentant du Seigneur. Avec lui, Dieu était entré dans la cellule. Et Nicolas, par foucade, n'avait pas su le comprendre. Heureusement, au bout de deux jours, le père Myslovsky reparut comme si de rien n'était. De nouveau, la fine odeur de l'encens enveloppa Nicolas. Il ouvrait les narines. Sa tête flottait sur un nuage. Après un échange de propos anodins, il demanda brusquement :

— Savez-vous de quelle façon mes amis ont été arrêtés, mon père ?

— La plupart ont attendu chez eux qu'on vienne les prendre.

— C'est étrange !

— Sans doute ont-ils eu conscience qu'il n'existait pas d'autre refuge pour eux que la justice du tsar. Une telle attitude est tout en leur honneur !

— Et quel est l'état de la Russie, en ce moment ?

— Que voulez-vous dire ?

— Est-ce que le calme est revenu partout ?

— Bien sûr !

— N'y a-t-il pas eu de révolte dans les provinces du Midi ?

— Si, mais elle a été vite réprimée.

— Comment cela ?

— Oh ! le plus simplement du monde ! Le chef du complot, un dénommé Pestel, a été découvert et appréhendé, par un heureux hasard, la veille du 14 décembre. Le 30 décembre, deux autres officiers, Serge Mouravieff-Apostol et Bestoujeff-Rioumine, ayant soulevé leurs troupes, ont occupé la petite ville de Vassilkoff et y ont proclamé Jésus-Christ roi de l'univers. Un prêtre a dit quelques prières sous la menace des pistolets. Sur l'ordre de leurs capitaines, les soldats ont juré fidélité à Dieu et à la cause de l'indépendance. Puis tout le monde est sorti dans la steppe pour marcher à la conquête du pays. Trois jours plus tard, dès la première rencontre avec les détachements gouvernementaux, l'armée soi-disant chrétienne des insurgés a été dispersée et ses chefs capturés et amenés à Saint-Pétersbourg.

— Quelle folie ! Quelle navrante folie ! balbutia Nicolas.

— Un voile est passé devant les yeux des meilleurs fils de la Russie, dit le prêtre.

— Que vont-ils faire de nous, mon père ?

— Une fois l'enquête terminée — ce qui exigera des mois encore — ils vous jugeront, dit le père Myslovsky.

— Et puis ?

— Comment, et puis ?

— Oui, que décideront-ils ? La peine de mort ?

Le père Myslovsky éleva ses deux grandes mains dans un geste de protestation :

— Dieu vous pardonne ! Vous savez bien que la peine de mort n'existe plus en Russie depuis le règne d'Elisabeth !

— Qu'est-ce qui empêcherait le tsar de la rétablir pour la circonstance ?

— Le respect qu'il a des commandements de Dieu.

— Mais la torture, elle, est permise ! Cent coups de knout vous tuent un homme très légalement dans d'atroces souffrances. Comment expliquez-vous cela ?

— Je ne l'explique pas, je le déplore, comme vous ! Néanmoins, dans votre cas, vous n'avez rien de pareil à craindre. Vous n'êtes pas des assassins... Et enfin... vous êtes tous plus ou moins nobles... Cela compte...

En disant cela, il baissa les yeux.

— Alors, quoi ? demanda Nicolas. La prison pendant des années ? La Sibérie ?

— Pour les grands coupables, peut-être ! soupira le père Myslovsky. Mais la plupart, j'en ai la conviction, seront pardonnés. L'empereur, dont les sentiments chrétiens sont connus de tous, voudra marquer le début de son règne par une mesure de clémence. Il ne faut plus vous insurger contre lui individuellement, après avoir essayé de vous insurger contre lui en groupe. Tâchez plutôt de l'éclairer sur vos desseins, de l'aider à réorganiser notre cher pays qui a tant souffert ! Il existe, sans doute, des gens très estimables parmi vos camarades. D'autres, en revanche, le sont moins. Il importe, pour la santé de la nation tout entière, que le bon grain soit séparé de l'ivraie...

Nicolas comprit la feinte : le père Myslovsky était sûrement au courant de l'accusation portée contre Ryléïeff et Kakhovsky.

— Si je puis vous assister... contribuer à vaincre vos hésitations... reprit le père Myslovsky.

— Non, mon père, dit Nicolas d'un ton abrupt.

Le prêtre devina sa pensée et murmura avec un sourire grave :

— Etes-vous croyant ?

— Oui.

— Pratiquant ?

— Je l'ai été, je le suis moins.

— Nous reparlerons de cela. Puisque vous ne voulez pas de mes avis, je vous demande simplement de prier, cette nuit, de toutes vos forces.

Nicolas n'attendit pas la nuit pour prier. Il avait remarqué, sur le mur, une traînée d'humidité, dont les contours rappelaient ceux de la Vierge Marie tenant l'enfant Jésus dans ses bras. Cette tache devint son icône. Il s'agenouilla devant elle et récita l'acathiste à l'intercession de la Sainte Vierge : « Salut consolatrice infatigable de ceux qui gémissent dans les fers et les cachots... » Tandis que les paroles de l'adoration coulaient de ses lèvres, une merveilleuse clarté se fit en lui. Quand il se releva, sa décision était prise : il devait essayer de sauver Ryléïeff, l'idéaliste, le penseur de la révolution, au détriment de Kakhovsky, dont la folie sanguinaire déshonorait ses camarades. En agissant ainsi, il apporterait une ultime contribution à la cause de la liberté. Il fit appeler Podouchkine et lui annonça qu'il voulait être entendu, de nouveau, par la commission d'enquête.

Son désir fut exaucé, le lendemain soir, selon un rite immuable : le sac sur la tête, la station derrière un paravent, le débouché, à la lumière des flambeaux, devant une table rouge, surmontée de dix bustes aux épaulettes d'or. Les juges ne manifestèrent aucune surprise lorsque Nicolas leur eut dit qu'à sa connaissance c'était Kakhovsky et non Ryléïeff qui avait eu l'idée d'attenter à la vie du tsar. Sans doute avaient-ils entendu la même version de tous les conjurés. Cette remarque confirma Nicolas dans l'opinion qu'il avait bien fait de venir. Il croyait l'interrogatoire terminé quand Tchernycheff fit une bouche en cul de poule et susurra :

— Puisque vous avez entendu Kakhovsky se proposer comme tueur, vous ne devez pas ignorer que Iakoubovitch, lui aussi, avait en vue l'extermination de la famille impériale.

Déconcerté par cette sortie, Nicolas comprit qu'il s'était réjoui trop tôt. Tout se tenait dans cette affaire. Impossible de dire la vérité sur un point sans être entraîné à la dire sur d'autres. Il voulut marquer un coup d'arrêt.

— Je ne sais rien au sujet de Iakoubovitch, dit-il.

Et il pensa que Iakoubovitch, le fanfaron au bandeau noir sur l'œil, ne lui était guère plus aimable que Kakhovsky. Pourquoi charger l'un et épargner l'autre ? Il avait allumé un incendie et n'en était plus le maître.

— Vraiment ? dit Tchernycheff. Ne seriez-vous pas au courant de l'étrange proposition qu'il a faite dans la nuit du 13 au 14 décembre ? Il s'agissait de tirer au sort pour désigner celui des conjurés qui devrait tuer le tsar !

Un étau se resserrait dans la poitrine de Nicolas. Il respira profondément et dit :

— Non, je ne suis pas au courant...

Les petits yeux de Tchernycheff brillèrent d'une joie de chasseur :

— Comment se fait-il, dans ces conditions, que vous ayez protesté contre le projet de Iakoubovitch ?

— Moi ? Je n'ai jamais protesté...

— Allons donc ! Tous vos camarades nous ont confirmé que, ce soir-là, vous vous êtes élevé avec indignation contre l'idée d'un régicide. Certains même nous ont rapporté vos paroles.

Tchernycheff cueillit un feuillet sur la table, approcha un face-à-main de son nez et lut :

— « A ce moment, interpellé par Iakoubovitch, Ozareff lui dit : « Je serais incapable de tuer le tsar, si j'étais choisi par tirage au sort. Il faudrait n'être pas russe pour penser autrement ! »

Cette dernière phrase, Nicolas se rappelait parfaitement l'avoir prononcée, mais, en passant par la bouche de Tchernycheff, elle changeait de signification. Elle n'était plus d'un insurgé aux prises avec sa conscience, mais d'un plat valet de l'autocratie. Comme il se taisait, Tchernycheff émit un petit rire :

— Allez-vous prétendre que vos amis ont inventé votre réponse à Iakoubovitch ?

— Elle est, du reste, tout en votre honneur ! renchérit Benkendorff. Sa Majesté en sera avisée.

Le sang monta au visage de Nicolas. Il ne pouvait supporter ce bon point décerné par l'adversaire. Eût-il touché une récompense pour une trahison, qu'il n'eût pas souffert davantage !

— D'autres que vous ont protesté, n'est-ce pas ? demanda Lévachoff.

Nicolas hésita une fraction de seconde. Devait-il, pour une question d'orgueil, exclure certains de ses camarades du bénéfice des circonstances atténuantes ?

— Oui, dit-il.

— Qui ?

— Golitzine, Batenkoff, Odoïevsky, Youri Almazoff...

— Est-ce tout ?

— Non... J'essaye de me rappeler... Kuhelbecker, Rosen, Obolensky, Pouschine...

Dans son envie de les sauver tous, il nommait pêle-mêle ceux qui avaient réellement désapprouvé le plan de Iakoubovitch et ceux qui n'avaient dit ni oui ni non. Les juges opinaient de la tête. Un scribe notait tout dans un registre. Quand Nicolas eut fini son énumération, Benkendorff grommela :

— Décidément, tous ces révolutionnaires étaient des monarchistes !

— Il n'en demeure pas moins que certains, parmi ceux que nous connaissons, n'ont pas été cités par l'inculpé ! s'écria Tchernycheff avec vivacité. Les charges qui pèsent sur eux se trouvent aggravées par le fait qu'un grand nombre de leurs camarades ont essayé en vain de les ramener à la raison. On ne peut plus parler de folie collective, de contagion idéologique...

Nicolas perdit la tête. Ses intentions les plus généreuses se retournaient contre lui. Il avait l'impression que, quoi qu'il dît maintenant, il ne ferait que nuire à ses compagnons. Qui avait-il oublié de nommer ?

— Cette liste n'est pas limitative ! précisa-t-il. J'ai certainement omis quelques personnes...

— Soyez sans crainte, dit Benkendorff avec un mince sourire, vos déclarations seront complétées par les déclarations des autres inculpés.

Tchernycheff claqua des doigts. Les deux soldats d'escorte se précipitèrent.

— Je vous remercie, Monsieur, dit encore Tchernycheff.

Nicolas partit, bouillant de colère, comme s'il eût quitté un repaire de tricheurs.

Le lendemain matin, pour le déjeuner, le geôlier lui apporta du pain blanc, du thé et une double ration de sucre. D'un revers du bras, Nicolas repoussa le pain, renversa le thé par terre. L'homme se retira en feignant de n'avoir rien vu. Dans la journée, il fut remplacé par le vieux Strépoukhoff, qui gronda son pensionnaire parce qu'il n'avait pas mangé.

— Il ne faut pas faire ça, Votre Noblesse ! Ou alors, ils vous nourriront avec un entonnoir ! Ce n'est pas beau, je vous assure ! Tenez ! j'ai une surprise pour vous !

Il tira un rasoir de sa poche et cligna de l'œil :

— On m'a permis de vous raser !

— Va-t'en au diable ! hurla Nicolas. Je ne veux rien leur devoir ! Je préfère rester comme ça !...

Strépoukhoff s'esquiva rapidement. Dans sa rage, Nicolas se mit à taper des pieds et des mains contre le mur pour se faire mal. La peau de sa paume éclata. Il regarda le sang filtrer sous la crasse et se calma un peu. L'important était de garder assez de fureur en réserve pour la vider sur le père Myslovsky. Sans ce pope trop éloquent, peut-être n'aurait-il pas eu l'idée de retourner devant la commission d'enquête ?

— Un mouchard en soutane ! répétait-il entre ses dents.

Mais quand il vit la porte de la cellule s'ouvrir et le prêtre franchir le seuil en voûtant sa haute taille, il se sentit, une fois de plus, désarmé. Le parfum de l'encens, la barbe rousse, le regard bleu, la croix d'argent sur la robe noire — comment croire que tout cela fût mensonge ? Taire son angoisse était au-dessus de ses forces. Il s'abandonna, il se confessa. Lorsqu'il eut fini, le père Myslovsky dit gaiement :

— De quoi vous plaignez-vous ? Par votre franchise, vous avez rendu service à la fois au gouvernement et à vos amis. Ryléïeff, grâce à vous, obtiendra peut-être une réduction de peine. Quant à Kakhovsky, ses crimes sont si nombreux et si évidents, que vous n'avez pu le compromettre davantage. Au terme de cette épreuve, je vous félicite, je vous bénis et je vous adjure de dormir en paix.

Malgré ces bonnes paroles, Nicolas resta perplexe.

Le lendemain, dès la sonnerie du réveil, Strépoukhoff ouvrit la porte de la cellule, avec un air de complicité craintive, glissa un papier dans la main de Nicolas et chuchota :

— Lisez-le vite et rendez-le moi que je le détruise !

Nicolas reconnut l'écriture de Stépan Pokrovsky :

« Tout se sait. Pourquoi as-tu disculpé Ryléïeff, alors que c'est lui qui a encouragé Kakhovsky ? Ryléïeff est complètement tombé au pouvoir du tsar. Il dénonce à tour de bras. Il se repent, le misérable ! D'ailleurs, la plupart de nos amis en font autant. C'est la perversion de la prison. Tâche de revenir sur tes déclarations. »

La première réaction de Nicolas fut un branle-bas de colère. Il était furieux que Stépan Pokrovsky vînt troubler sa quiétude en lui reprochant une démarche qu'au fond il se reprochait lui-même, furieux que Ryléïeff eût déçu son espoir en passant aux aveux, furieux d'être impuissant à démêler la vérité du mensonge, la justice de l'iniquité. Puis il s'attendrit en pensant que Stépan Pokrovsky, dont il ne savait rien, se trouvait, lui aussi, dans la forteresse et qu'ils allaient pouvoir correspondre.

— Donne-moi un crayon, dit-il à Strépoukhoff. Je vais lui écrire au dos du papier.

— Ce n'est pas possible, Votre Noblesse ! s'écria Strépoukhoff. Déjà, je n'aurais pas dû vous apporter cette lettre ! Si je me fais prendre, ce sera, pour moi, la Sibérie !

— Tu ne te feras pas prendre. Ou alors, il n'y a pas de Dieu !

— Ah ! messieurs les révolutionnaires, dit Strépoukhoff, vous n'êtes pas raisonnables !

Il soupira, se signa et sortit un crayon du revers de sa manche.

« Cher Stépan, écrivit Nicolas, tes reproches m'affligent beaucoup. Tiendrais-tu Kakhovsky pour plus intéressant que Ryléïeff ? Quelle que soit l'attitude de ce dernier devant la commission d'enquête, je le préfère à l'autre, qui est un illuminé, certes, mais aussi un assassin. C'est tout de même lui qui a tué Miloradovitch ! »

— Rapporte-moi vite une réponse ! dit Nicolas en tendant le billet à Strépoukhoff.

— Je vous la rapporterai de vive voix, Votre Noblesse, dit l'invalide. Ce sera moins dangereux.

Toute la journée, Nicolas attendit le retour de Strépoukhoff. A l'heure du dîner, ce fut un autre gardien qui lui servit sa nourriture. L'inquiétude gagna Nicolas. Il était en train de manger, quand la porte s'ouvrit de nouveau. Podouchkine entra chez lui, gras et rose, s'excusa de l'interrompre dans son repas et l'invita à se coiffer d'un sac et à le suivre.

La commission d'enquête, réunie au complet, accueillit le prisonnier dans le halo des bougies. Tchernycheff tenait un papier à la main. Nicolas reconnut le billet qu'il avait adressé à Stépan Pokrovsky. Une crainte le saisit, qui alla grandissant : Strépoukhoff s'était fait pincer. De quel supplice payerait-il son dévouement à la cause de « messieurs les révolutionnaires » ?

— Je m'excuse d'avoir violé le secret de votre correspondance, dit Tchernycheff avec une grimace sarcastique, mais, dans la nuit où nous sommes, tous les moyens sont bons pour nous éclairer. Ainsi, vous maintenez et vous renforcez même vos accusations contre Kakhovsky ?

Nicolas l'entendit à peine, tant il souffrait d'avoir, par légèreté, par égoïsme, causé la perte du vieil invalide.

— Nous sommes tous, ici, prêts à vous suivre dans cette opinion, reprit Tchernycheff. D'autant que, d'après votre lettre, c'est Kakhovsky seul qui aurait tué le général Miloradovitch.

Nicolas sursauta :

— Je n'ai jamais écrit que c'était lui seul !

— La chose est sous-entendue, puisque vous ne citez pas d'autres noms.

— Pensez ce que vous voulez, cela m'est égal !

— Certains de vos amis prétendent que le général Miloradovitch a essuyé en même temps un coup de feu de Kakhovsky et un coup de baïonnette d'Obolensky.

C'était exact. Une fois de plus, Nicolas se sentit entraîné dans ce jeu cruel, qui consistait à faire juger les accusés les uns par les autres.

— D'aucuns certifient même, poursuivit Tchernycheff, que le coup de baïonnette d'Obolensky a précédé le coup de feu de Kakhovsky. S'il en était ainsi, la responsabilité de Kakhovsky serait atténuée et celle d'Obolensky accrue dans les mêmes proportions.

— Je n'ai rien vu, dit Nicolas.

Cette solution le dispensait de choisir.

— Dommage ! grommela le grand-duc Michel Pavlovitch.

— En tout cas, déclara Tchernycheff, à l'avenir, si vous voulez dire quelque chose à vos camarades, ne leur écrivez pas, demandez-nous l'autorisation de les voir. Nous ne vous la refuserons jamais.

Nicolas considéra Tchernycheff avec attention et pensa : « Quel coup me prépare-t-il encore ? » A peine se fut-il posé la question qu'un aide de camp souleva une tapisserie, ouvrit une petite porte et fit entrer un personnage hirsute, maigre, au regard fou.

— La preuve ? dit Tchernycheff. Voici quelqu'un qui désirait vous rencontrer : nous avons immédiatement accédé à sa requête !

Nicolas reconnut Kakhovsky et son cœur flancha. « Ai-je autant changé que lui ? », se demanda-t-il.

— J'ai tout entendu ! cria Kakhovsky. Comment oses-tu dire, chien, que tu n'as pas vu ce qui s'est passé quand j'ai tiré sur Miloradovitch ? Tu étais à deux pas de moi ! Tu sais comme moi qu'Obolensky a porté le premier coup avec sa baïonnette !

— Non, je ne le sais pas, dit Nicolas d'une voix mate.

Un silence suivit. Les juges regardaient les deux hommes avec la curiosité d'amateurs de combats de coqs.

— Qu'est-ce que je t'ai fait ? demanda Kakhovsky plus doucement. Ne crois pas qu'en m'accusant tu blanchiras les autres. Nous sommes tous perdus ! Tous, tous !...

Il se mit à trembler, révulsa les prunelles et dit encore en joignant les mains :

— Un seul peut nous absoudre ! Le tsar ! Le tsar, notre père ! Le tsar contre qui nous nous étions dressés dans notre démence impie !...

Cette palinodie était tellement lamentable, que Nicolas se demanda si Kakhovsky ne jouait pas un rôle pour sauver sa peau. Mais non, il était aussi sincère dans son repentir qu'il l'avait été dans sa haine. Son besoin d'adorer s'était reporté de la révolution sur l'empereur, voilà tout.

— Maintenez-vous votre déposition ? demanda Tchernycheff à Nicolas.

— Oui.

— Obolensky n'est pour rien, d'après vous, dans l'assassinat du général Miloradovitch ?

— Pour rien.

— Vous le jurez ?

— Je le jure, murmura Nicolas.

Et il lui sembla qu'il venait de condamner Kakhovsky à mort.

— Que Dieu te pardonne ! dit Kakhovsky.

Deux soldats l'emmenèrent. Ensuite, Nicolas fut confronté avec Odoïevsky, avec Golitzine, avec Obolensky, avec Ryléïeff. Chaque fois que la porte s'ouvrait, un nouveau fantôme entrait dans le salon. L'état-major de l'insurrection remontait des enfers, dans une pénombre de diorama. La déroute se lisait sur les visages, marqués par la fatigue et la solitude. Nicolas reconnaissait à peine ses fiers compagnons d'autrefois dans ces captifs ahuris, qui répondaient aux questions avec un empressement de domestiques. Tous paraissaient convaincus de l'erreur qu'ils avaient commise en se révoltant. Ce fut Ryléïeff qui produisit sur Nicolas l'impression la plus affligeante. Hâve, les joues piquées de barbe, le regard traqué, il tenait difficilement sur ses jambes.

— Pourquoi avez-vous déclaré que l'idée de tuer le tsar était de Kakhovsky et non de moi ? dit-il à Nicolas. Vous savez bien que c'est faux ! Je revendique la paternité de ce projet monstrueux !

— Qu'est-ce que vous cherchez ? cria Nicolas exaspéré. La couronne du martyre ?

— Je voudrais payer pour tous, parce que tous sont fautifs à cause de moi !

Nicolas haussa les épaules :

— Prenez garde, Ryléïeff, vous croyez agir par humilité chrétienne, et c'est l'orgueil qui vous égare ! Si vous ne vous défendez pas pour vous, défendez-vous, au moins, pour votre femme, pour votre fille !

— Le tsar, dans sa mansuétude infinie, m'a fait savoir qu'il prendrait soin d'elles.

Nicolas jeta un regard oblique sur les juges et constata que tous écoutaient ces propos insanes avec un air de recueillement. Alors, une brusque lassitude tomba sur ses épaules. Il renonça à discuter, à lutter. Ryléïeff, avec sa figure de visionnaire, lui était aussi étranger que les généraux pompeux réunis autour de la table.

En retrouvant son cachot, il eut l'impression de rentrer dans un endroit propre.

★

Accroupi sur sa paillasse, Nicolas essayait de comprendre comment certains de ses camarades, qui, naguère, étaient prêts à sacrifier leur vie, leur richesse, leur carrière, pour le bien de la nation, pouvaient se montrer maintenant dépourvus de toute dignité ? On eût dit qu'un ressort s'était cassé en eux. Condamnés, ils prenaient le parti de leurs juges, ils reniaient leur idéal. Ou plutôt, ils revenaient, malgré eux, à l'idéal de leur enfance. Oui — c'était bien cela — tous ces hommes, dans leur âge tendre, avaient appris à vénérer le tsar en même temps qu'à prier Dieu. Certes, plus tard, il y avait eu pour eux la guerre, la découverte de la France. Mais la guerre, ils l'avaient faite en officiers de l'armée impériale ; la France, ils l'avaient découverte à l'ombre des drapeaux victorieux. Même quand ils s'étaient passionnés pour la politique française, ils n'avaient pas cessé d'être des Russes. La révélation des doctrines républicaines était survenue trop tard dans leur vie, à une époque où ils étaient déjà des hommes formés. Dans ce terrain compact, les idées libérales n'avaient pu pousser des racines profondes. Les théories de Benjamin Constant s'étaient superposées à la tradition monarchique sans la détruire. Et, le 14 décembre, lorsque l'élan des révolutionnaires s'était brisé dans le sang, ils avaient retrouvé intacte la foi de leurs jeunes années. Comme un homme à l'agonie se retourne d'instinct vers le souvenir de sa mère, de même, ayant perdu tout espoir, ils avaient éprouvé le besoin de renouer avec la croyance de leurs ancêtres. Nicolas se rappela une phrase qu'il avait lue dans Karamzine : « Les principes politiques de notre pays ne s'inspirent pas de l'Encyclopédie éditée à Paris, mais d'une autre Encyclopédie, infiniment plus ancienne : la Bible. Nos tsars ne sont pas les représentants du peuple, ils sont les représentants de Celui qui règne sur toutes les nations... L'empereur est notre Loi vivante... » Quand Ryléïeff, Kakhovsky, Obolensky, Iakoubovitch, Troubetzkoï et tant d'autres s'étaient aperçus qu'ils avaient levé une main sacrilège sur cette Loi vivante, leur force d'âme les avait abandonnés. Les coups de canon sur la place du Sénat avaient été pour eux les coups de tonnerre pour les profanateurs d'un temple. Ils s'étaient jetés à plat ventre dans la terreur et le repentir. « Et s'ils avaient réussi, se dit Nicolas, auraient-ils eu un remords quelconque ? Certainement pas. Leur scrupule n'est venu que de leur échec. C'est cela que je leur reproche ! » Il se mit à marcher en rond. Effrayés par ce grand mouvement, les rats ne sortaient plus de leurs trous. Dans un angle, près de la porte, un cafard luttait avec une araignée. Au regard de Dieu, leur combat était, peut-être, plus important que celui de Nicolas contre ses juges. Il se demanda si, dans des circonstances analogues, des prisonniers français, anglais, allemands, italiens eussent réagi de la même façon que des prisonniers russes. « Non, partout ailleurs, l'homme fourré en prison se révolte. Chez nous, il accepte l'épreuve comme un signe de la colère de Dieu. Plus le coup est inattendu et douloureux, plus il lui semble venir de haut. L'autocratie finit par trouver sa justification dans l'iniquité même de ses actes. Des siècles de soumission forcée nous ont préparés à cela. Ne sommes-nous pas fils d'une nation qui a connu la domination des Varègues, des Tartares, le joug d'Ivan le Terrible, la poigne de Pierre le Grand ? Que nous le voulions ou non, nous avons tous un respect atavique du pouvoir. »

Il s'arrêta de penser pour boire un gobelet d'eau. Sa tête flambait. Avait-il la fièvre ? Subitement, une idée lui vint, si violente qu'elle retourna toutes les autres : ce qu'il avait pris pour de la couardise chez des hommes comme Ryléieff, Kakhovsky, Obolensky, n'était-ce pas, finalement, une extraordinaire manifestation de courage ? Pourquoi ne pas supposer que, dégrisés par le choc avec la réalité, ils s'étaient rendu compte du risque d'anarchie et de dislocation qu'ils avaient fait courir au pays par leur coup d'Etat ? Troupes mutinées, moujiks pillant les propriétés de leurs maîtres, populations autochtones proclamant, l'une après l'autre, leur indépendance... Ayant failli provoquer ce désastre, ils voulaient empêcher que d'autres n'en reprissent le projet. Ils acceptaient de servir d'épouvantail aux révolutionnaires de l'avenir. Ils se dénigraient, ils s'humiliaient, pour le bien de la patrie. « Peut-être celui qui aime vraiment son pays doit-il savoir désavouer ses idées politiques quand il constate qu'elles n'ont aucune chance d'aboutir ? songea Nicolas. Peut-être doit-il se déclarer fautif, publiquement, pour que la paix revienne dans les esprits ? Peut-être doit-il mettre son honneur à se déshonorer ? »

Tiens ! le cancrelat s'était échappé de la toile d'araignée, mais une mouche s'y était prise. Déjà, il lui manquait la tête et les pattes. Accroupie sur sa proie, l'araignée la dévorait avec méthode. De petits frémissements agitaient la résille impalpable, tendue dans l'angle du mur. Un rat traversa la pièce, grignota le pied du tabouret et détala. L'horloge de la cathédrale Saint-Pierre et Saint-Paul sonna quatre heures de l'après-midi. La saison avançait. Derrière la fenêtre à carreaux barbouillés de craie, la lumière du jour ne mourait pas encore.

« Non, je leur fais la part trop belle ! se dit Nicolas. Ils n'ont pas pensé cela. Ce sont des lâches. Un point c'est tout. Ou plutôt, des illuminés de l'autocratie, après avoir été des illuminés de la révolution ! »

Un œil le regarda par le judas. Il se caressa la barbe. Elle était si longue, qu'elle ne piquait plus. « Si Sophie me voyait !... » Vite, il chassa ce souvenir qui, chaque fois, le désespérait. Il se voulait fort et lucide. L'épreuve de la prison, qui avait démoralisé les plus ardents de ses camarades, lui donnait, au contraire, une ferveur qu'il ignorait la veille de l'émeute. Seul, sans échos, sans appuis d'aucune sorte, il découvrait les hauteurs et les abîmes d'une destinée d'homme, il n'existait plus que pour l'essentiel, il connaissait la sensation exaltante d'avoir une âme. « Et maintenant que je sais pourquoi je vis, ils vont me tuer, ou m'envoyer en Sibérie, ou me laisser croupir dans une forteresse. Est-ce bête ? »

★

Le lendemain, 13 mars, vers onze heures du matin, il entendit un remue-ménage dans le corridor. Des tambours funèbres roulaient au loin. Les cloches de la cathédrale Saint-Pierre et Saint-Paul sonnaient le glas. Nicolas appela le gardien :

— Que se passe-t-il ?

— On enterre le tsar, Votre Noblesse.

L'espoir frappa Nicolas comme la foudre. Il observa l'homme à la face plate, au front bas, qui se tenait devant lui, un trousseau de clefs à la main, et demanda faiblement :

— Quoi ? Nicolas Ier est mort ?

Le gardien fit un regard indigné et se signa rapidement :

— Qui vous parle de Nicolas Ier ? Dieu l'ait en

sa sainte garde ! C'est Alexandre Ier qu'on a ramené de Taganrog et qu'on descend au tombeau ! Le convoi mortuaire a mis plus de deux mois à traverser la Russie !

Nicolas, déçu, baissa la tête. Là-bas, les tambours avaient cessé de battre. Après Pierre le Grand, Elisabeth, Catherine II et Paul Ier — Alexandre Ier entrait dans la crypte des Romanoff. Par quelle ironie du sort, les tsars et les tsarines, une fois leur règne terminé, allaient-ils reposer derrière les murs de la forteresse Saint-Pierre et Saint-Paul, à deux pas des prisonniers politiques ? Nul n'était plus proche de ces souverains, dans la mort, que ceux qu'ils avaient condamnés durant leur vie.

Le gardien se gratta la nuque et reprit d'un ton confidentiel :

— Tout n'est pas clair dans cette histoire ! Il y en a, chez nous, qui disent qu'Alexandre Ier n'est pas décédé, qu'on a mis le cadavre de n'importe qui à sa place, dans le cercueil, et que lui, déguisé en paysan, il s'est réfugié dans un monastère pour racheter nos péchés par ses prières. Vous y croyez, vous ?

— Non, dit Nicolas.

— Alors, pourquoi qu'on ne l'a pas exposé dans son cercueil ouvert, devant le peuple, comme c'est la coutume ?

— Parce que, sans doute, il était mal embaumé.

— Les tsars n'ont pas besoin qu'on les embaume pour avoir un beau visage !

— Tu devrais en parler au père Myslovsky.

— Je lui en ai parlé. Il m'a dit que j'étais un âne. Mais un âne aussi a le droit de se poser des questions !

Il allait partir, quand Nicolas demanda :

— Sais-tu ce qu'est devenu Strépoukhoff ?

— Non, marmonna le gardien. Un jour, on ne l'a plus vu, et c'est tout.

— Comment t'appelles-tu ?

— Zmeïkine.

— Quel âge as-tu ?

— Vingt-cinq ans.

— Pourquoi es-tu ici au lieu de servir dans l'armée ?

L'inquiétude arrondit les yeux de Zmeïkine et crispa sa lèvre inférieure.

— Pour des fautes ! balbutia-t-il. Pour de grandes fautes !

Il franchit le seuil, rabattit la porte et tira violemment les verrous.

Six jours plus tard, Nicolas méditait, couché sur son lit, quand les vagues accents d'une marche militaire se mêlèrent à ses pensées. La musique venait d'un autre âge. Des régiments défilaient dans le ciel. Zmeïkine entra et dit gaiement :

— Vous entendez ? C'est la grande parade ! Toute la garde est réunie devant le Palais d'Hiver !

— En quel honneur ?

— Nous sommes le 19 mars !

— Qu'y a-t-il eu le 19 mars ?

— La prise de Paris par nos troupes, en 1814.

— Je devrais le savoir ! dit Nicolas avec un rire désabusé.

— Tous ceux qui ont participé à cette grande victoire vont recevoir une médaille commémorative d'argent !

— Tous ? Tu m'étonnes, dit Nicolas. J'y étais et je ne recevrai rien.

— Vous, c'est différent, dit Zmeïkine. Vous êtes un décembriste !

— Un quoi ?

— Un décembriste, un insurgé de décembre.

C'est comme ça qu'on vous appelle, maintenant. Pour ce qui est des médailles, j'en ai vu quelques-unes. Elles sont belles. D'un côté, il y a Alexandre Ier sous l'œil de Dieu ; de l'autre, l'inscription : « Pour la prise de Paris, le 19 mars 1814. »

Nicolas se revit, franchissant, à cheval, la porte Saint-Martin, au son des fifres et des tambours. Un air de jeunesse animait son visage. Des Parisiennes l'acclamaient, lui jetaient des fleurs. Il était fier d'être Russe.

— Si tu rencontres le père Myslovsky, prie-le de venir, dit-il.

Mais le père Myslovsky ne vint pas. Sans doute avait-on oublié de lui faire la commission. Longtemps, l'écho des musiques militaires berça Nicolas dans son rêve. Quand il ne les entendit plus, il les imagina. Ainsi, tout était rentré dans l'ordre. Il y avait de nouveau des revues, des réceptions, des bals. Ceux qui, par chance, n'avaient pris aucune part à l'insurrection, se dépêchaient d'oublier leurs camarades. Amour, amitié, charité, conviction politique, rien ne tenait devant les exigences d'une brillante carrière. Ce désir des honneurs qui fait perdre le sens de l'honneur ! Le soir même, à l'occasion de la fête, les prisonniers reçurent un gobelet de vodka. Nicolas le but d'un trait, mordit dans un oignon cru et ses jambes se dérobèrent. Il n'avait plus l'habitude de l'alcool. Un hoquet de feu lui souleva l'estomac. Il n'eut que le temps de se traîner jusqu'au seau pour vomir.

Le père Myslovsky lui rendit visite le dimanche suivant, à six heures. Nicolas lui demanda, sans illusion, s'il se chargerait de faire parvenir une lettre à sa femme.

— Je n'en ai pas le droit, dit le prêtre.

— Alors, écrivez-lui à ma place.

— Cela aussi m'est interdit. Que voudriez-vous lui faire savoir ?

— Que je suis en prison.

— Elle le sait déjà.

— Comment ?

— Les familles ont été averties en temps voulu.

Nicolas eut un sursaut d'espoir, puis retomba dans l'indifférence. Que sa famille fût avertie ou non, qu'est-ce que cela changeait pour lui ? Le peu de chance qu'il avait de regagner l'amour de Sophie, Michel Borissovitch l'avait, sans doute, réduit à néant. Chapitrée par son beau-père, qui ne la quittait pas d'une semelle, elle devait être de plus en plus hostile à l'idée d'une réconciliation. Lorsque Nicolas réfléchissait à son passé, il le voyait comme une chose terminée, sans rapport avec l'homme qu'il était devenu. Un tas de petites histoires sans importance, enfermées, telles des pelotes de ficelle, dans un sac. Et lui à côté, avec son intelligence et sa crasse, qui lui étaient venues en même temps. Décidément, il était difficile de garder sa dignité quand on était si puant et si faible ! Son regard se tourna vers le seau. Le parfum d'encens du prêtre n'arrivait pas à couvrir les relents de l'urine.

— Va-t-on nous juger bientôt ? demanda Nicolas.

— La commission d'enquête travaille sans relâche. Patience ! Ne doutez pas de la mansuétude impériale !

Nicolas compta les boulettes de pain noir collées au-dessus de son lit. Trois mois et douze jours qu'il était en prison. Il faisait moins froid. Mais la glace du fleuve ne craquait pas encore.

— Ne désirez-vous pas vous confesser et communier avant Pâques ? demanda le prêtre.

— Si, dit Nicolas.

Un sourire éclaira la barbe rousse et les prunelles bleues du père Myslovsky. Il revint, le dimanche des Rameaux, avec les saints sacrements.

Le samedi saint, le gardien Zmeïkine passa de cellule en cellule et recommanda aux prisonniers de se boucher les oreilles, car, à minuit, tous les canons de la forteresse tireraient à blanc pour célébrer la résurrection du Christ. Couché sur son grabat, Nicolas attendit, avec des battements de cœur, l'instant de la bonne nouvelle. Tout était noir et silencieux autour de lui, mais, derrière ces murs, dans les grandes églises des villes comme dans les petites églises de campagne, les fidèles se pressaient en foule, un cierge à la main. Du Nord au Sud, de l'Est à l'Ouest, la terre russe était semée d'étoiles clignotantes. Sans doute, Sophie et Michel Borissovitch s'étaient-ils rendus à Chatkovo pour entendre la messe de minuit. Dans la nef et sur le parvis, les moujiks se prosternaient entre des paniers pleins d'œufs coloriés et de friandises pascales. Tout le monde avait l'air endimanché et joyeux. On chuchotait, on se bousculait, en attendant la permission de laisser éclater son allégresse. Le père Joseph officiait d'une voix plus solennelle que d'habitude. Un chœur de serfs chantait les cantiques de l'espérance. Bientôt, la procession religieuse sortirait de l'église avec ses bannières et ses icônes... La gorge de Nicolas se serra. Que n'eût-il sacrifié pour être là-bas, maintenant, à côté de sa femme, parmi ses paysans ! Si l'homme savait à quel prodigieux concours de circonstances il doit ses rares heures de tranquillité, s'il entrevoyait la faiblesse de ses protections contre le malheur, il tirerait de chaque seconde tout le suc de plaisir qu'elle peut lui donner et chérirait ses proches, chaque jour, comme si, demain, ils allaient disparaître.

— Mon Dieu, murmura-t-il, accorde-moi la force de supporter ce qui m'attend avec une âme haute !

Au même instant, les canons tonnèrent au-dessus de sa tête. Un tremblement ébranla les murs. La vitre de la petite fenêtre vola en éclats. Des lueurs d'incendie bondirent dans la cellule. Un air vif baigna le visage de Nicolas. Il tomba à genoux. La canonnade se poursuivit pendant cinq minutes. Puis toutes les cloches des églises, voisines et lointaines, se mirent à sonner. Le gardien Zmeïkine entra et dit :

— Christ est ressuscité !

— En vérité, il est ressuscité ! dit Nicolas.

Ils s'embrassèrent.

5

Après Pâques, les prisonniers reçurent une nourriture plus abondante et du kwass un jour sur deux. La vitre de la cellule de Nicolas fut remplacée mais, malgré ses prières, on la barbouilla, comme l'autre, d'un mélange de colle et de craie. Ne voyant pas le ciel, il avait de la peine à imaginer le printemps. Un matin du mois de mai, Zmeïkine vint le chercher d'un air si mystérieux, qu'il se prépara, de nouveau, à affronter la commission d'enquête. Pourtant, cette fois-ci, on ne lui banda pas les yeux. Conduit par le gardien, il traversa de longs couloirs, gravit des escaliers en spirale, franchit des passerelles de planches et, tout à coup, déboucha en plein soleil. Ses prunelles s'emplirent d'une lumière aveuglante ; l'air vif transperça ses poumons ; il vacilla et se retint au bras de Zmeïkine, qui riait silencieusement.

— Où m'as-tu amené ? dit Nicolas en retrouvant son souffle.

— Dans le jardin du ravelin Alexis.

— Pourquoi ?

— Depuis hier, les prisonniers sont autorisés à

se promener là, trois fois par semaine, à tour de rôle. J'ai voulu vous faire la surprise.

Nicolas regarda autour de lui. Le jardin était petit, triangulaire, cerné de hautes murailles moussues. Un peu d'herbe, des buissons de lilas, deux maigres bouleaux, un groseillier étique poussaient, par miracle, au fond de ce puits. Une poterne grillagée conduisait à un passage couvert, descendant vers le fleuve. Au bout de ce tunnel, l'eau de la Néva clapotait contre les piliers du débarcadère. Ivre d'espace, Nicolas se laissa tomber sur un banc de bois. A côté de lui, il aperçut un tertre surmonté d'une croix sans incription.

— C'est un cimetière ? demanda-t-il faiblement.

— Oh ! non, dit Zmeïkine. Il n'y a pas d'autre tombe. Les anciens racontent que c'est la princesse Tarakanova qui a été enterrée ici. Catherine la Grande l'avait fait enfermer dans ce ravelin, pour la punir d'avoir voulu monter sur le trône de Russie, et voilà, pendant une crue de la Néva, elle a péri noyée dans son cachot...

Nicolas écoutait distraitement le bavardage de Zmeïkine et contemplait, ému jusqu'aux larmes, le jeune feuillage des bouleaux. Coupé du monde pendant des mois, il avait fini par s'habituer à sa réclusion au point de perdre, peu à peu, le goût de la nature. Ce brusque retour à l'air libre réveillait en lui mille désirs d'évasion. N'était-ce pas un raffinement de torture que d'appâter les prisonniers avec des plaisirs sans lendemain ? Ne cherchait-on pas à les désespérer davantage en ranimant leurs sens engourdis pour les replonger ensuite dans les ténèbres ? Il souffrait, avec délices, du parfum tendre de l'herbe mêlé à l'odeur saumâtre du fleuve, du bruit des rames frappant l'eau, du cri grinçant des mouettes et de cette sourde rumeur, au fond, qui montait de la ville au travail. Zmeïkine le prit par le bras, l'obligea à se lever, à escalader un chéneau et lui montra, au-dessus de leur tête, l'aiguille dorée de la cathédrale Saint-Pierre et Saint-Paul, terminée par un ange portant une croix. Nicolas, les yeux écarquillés, éprouva un vertige et abaissa ses regards vers le sol.

— Je n'en peux plus, murmura-t-il. Rentrons...

Dans sa cellule, il se sentit mieux. Cependant, il ne pouvait s'arrêter de penser à la vie qui continuait derrière les murs de la prison. Et toutes les images de cette vie le ramenaient à sa femme. Le bleu du ciel, la lente navigation d'un nuage, le frémissement d'une feuille de bouleau avaient un rapport secret avec elle. Mais n'était-elle pas déjà repartie pour la France ? Dans ce cas, il n'aurait même plus la consolation de l'évoquer dans un décor familier. Il la perdrait doublement, en réalité et en rêve. Tantôt cette idée lui était intolérable, et tantôt il se disait qu'il valait mieux, pour elle comme pour lui, qu'elle quittât la Russie et oubliât leur mariage.

Le surlendemain, quand Zmeïkine voulut le conduire de nouveau dans le jardin, il refusa. Le gardien, qui, visiblement, débordait de sympathie à son égard, lui reprocha son manque d'entrain et appcla le père Myslovsky.

— Ne me demandez pas d'aller me promener, mon père, lui dit Nicolas. C'est trop ou trop peu. Puisque la liberté m'est refusée, je préfère vivre comme un enterré vivant.

— Peut-être avez-vous raison, dit le prêtre. Il n'y a de force que dans la solitude.

— Sait-on où en est notre affaire ?

— La commission d'enquête aura terminé ses travaux dans une quinzaine de jours.

— Et le tribunal ?

— Il n'est pas encore constitué.

Aussi longtemps que le prêtre resta dans sa cellule, Nicolas fut tenté de lui parler de Sophie ! Certes, il s'était confessé, pour Pâques, de tous ses péchés, mais d'une façon générale, sans préciser dans quelles circonstances il les avait commis. Il éprouvait le besoin, maintenant, de raconter point par point les torts qu'il avait envers sa femme, l'affaire des lettres anonymes, le duel, la mort de sa sœur, la haine dont le poursuivait son père, toute cette affreuse histoire de duperie, de licence et d'oisiveté, qui lui semblait appartenir à la vie d'un autre. Cependant, chaque fois que l'aveu montait à ses lèvres, il le retenait dans une crampe de fierté. A la fin, épuisé, malheureux, il s'allongea sur la paillasse, serra les dents et tourna la face vers le mur. Le père Myslovsky comprit sa souffrance et sortit sur la pointe des pieds. Alors, Nicolas commença à regretter de n'être pas allé dans le jardin. Ce triangle d'herbe pauvre devenait, dans sa tête, un vert paradis. Il regardait sa fenêtre, masquée d'une croûte blanche, et songeait au ciel insondable.

Le jour suivant, quand Zmeïkine se représenta, avec un sourire engageant, Nicolas lui dit :

— Eh bien ! c'est entendu, allons prendre l'air !

— C'est que, Votre Noblesse, balbutia Zméïkine, je ne suis pas venu vous chercher pour cela !

— Et pour quoi ?

— Le colonel Podouchkine m'a ordonné de vous conduire tout de suite au général Soukine.

Nicolas fronça les sourcils. Que lui voulait-on encore ? Un supplément d'enquête ? Une remontrance ? Un changement de cellule ? Après un moment d'inquiétude, il décida que tout lui était indifférent et sortit de son cachot, la tête vide. Zmeïkine et un autre gardien, marchant trop vite pour lui, le convoyèrent jusqu'à la maison du commandant de la forteresse. Là, un sous-officier l'introduisit dans un salon aux tentures fanées et lui dit d'attendre. Une odeur de soupe aux choux imprégnait l'air. Des canaris sifflaient dans une cage. Au mur, pendait une gravure en couleurs figurant Alexandre Ier, à cheval, couronné, par la Renommée. Pendant que Nicolas contemplait cette image, une porte s'ouvrit dans le panneau voisin. Il regarda de ce côté et perdit contact avec le monde réel. Une hallucination, née de sa fatigue, lui représentait sa femme, franchissant le seuil et s'avançant vers lui, pâle, souriante et triste, telle, trait pour trait, qu'il l'imaginait dans ses rêves. A mesure que l'apparition se précisait, il sentait croître en lui un bonheur mêlé d'épouvante. Elle murmura :

— Nicolas !

Alors, il ne douta plus. Le cœur perdu, les yeux voilés, il fit un pas en avant. Les murs tournèrent comme des ailes de moulin. Il fléchit les genoux. Le sous-officier et un gardien le soutinrent par les épaules et l'installèrent sur un canapé. Il revint à lui, parce qu'une main fraîche effleurait son front. Encore à demi-inconscient, il bredouilla :

— Sophie ! Sophie ! Tu es près de moi ! Tu n'es pas partie !...

— Pour où serais-je partie ? demanda-t-elle en s'asseyant à côté de lui.

— Pour la France...

Elle le considéra avec tant de surprise, qu'il songea : « Mon père m'a menti dans sa lettre. Elle n'a jamais pris cette décision. Elle ne sait même pas, peut-être, que je l'ai trompée ! »

— Calme-toi ! dit-elle avec une douceur qui le bouleversa.

— Je ne peux pas me calmer !... C'est trop !... Explique-moi : est-il possible qu'on t'ait permis de me voir ?

— Mais oui. J'ai fait des démarches comme les autres femmes de prisonniers...

Timidement, il lui prit les mains et les porta à ses lèvres. Le parfum de sa femme entra dans sa tête. Il ferma les yeux sous un excès de plaisir : « Puisqu'elle me laisse faire, c'est que rien n'est changé entre nous ! »

— Comment as-tu su que j'étais arrêté ? demanda-t-il en français.

— Par Nikita.

— Tu l'as vu ?

— Oui...

Elle hésita en regardant de coin le sous-officier et le soldat, immobiles près de la porte.

— Rassure-toi, grommela Nicolas, ils ne comprennent pas un mot de ce que nous disons ! Alors ? Nikita ?

— Il n'a pas été inquiété. Il est sain et sauf.

— Dieu soit loué ! J'ai eu si peur pour lui !

— Il est arrivé, une nuit, à Kachtanovka... Il nous a raconté...

— Quelle chose affreuse, Sophie !... Affreuse et stupide !... Tout aurait pu réussir, tout a échoué !... Une si grande cause, et de si pauvres moyens !... Ce sang, ce sang inutile !... Est-ce que tu m'en veux ?...

— De quoi ?

— D'avoir suivi mon idée jusqu'au bout ?

— Comment pourrais-je t'en vouloir ?... Tu sais ce que je pense !... Je suis avec toi de tout cœur, Nicolas !...

— Il le fallait, n'est-ce pas ? Tu es de cet avis ? Il le fallait ?...

— Oui, Nicolas !... Tu as bien fait... Mais maintenant, détourne-toi du passé !... Tu dois te ressaisir, reprendre des forces, lutter pied à pied pour essayer de te sortir de là !... Attention !...

Ils se turent. Le bruit d'un pilon, heurtant le plancher, se rapprochait d'eux. Le général Soukine entra en boitillant, salua Sophie et s'assit dans un fauteuil, près de la fenêtre. Il devait avoir la consigne d'assister aux entrevues des prisonniers avec leurs épouses. D'un geste de la main, il enjoignit au sous-officier et au gardien de se retirer. Lui-même, la figure tournée de trois quarts, feignit de regarder la cour de la forteresse, mais son petit œil vif se logea dans l'angle de ses paupières. Nicolas réprima un mouvement de dépit. Son bonheur lui sembla gâché par la présence de ce témoin en uniforme, qui, de toute évidence, comprenait le français. Sophie allait-elle pouvoir surmonter sa gêne ? Elle sourit avec vaillance.

— Ce n'est rien, dit-elle.

Puis, reprenant sa respiration, elle ajouta :

— Nicolas, j'ai une grave nouvelle à t'annoncer : ta sœur...

— Oui, balbutia-t-il. C'est abominable ! Mais comment est-ce arrivé ?

— Je t'expliquerai plus tard...

— Je ne peux pas me mettre dans la tête que Marie, notre petite Marie...

— Par qui l'as-tu appris ?

— Par mon père.

Elle parut stupéfaite, indignée.

— Quoi ? s'exclama-t-elle. Il t'a écrit ?

— Oui.

— Il m'avait promis de ne pas le faire !

— Eh bien ! il t'a trompée, une fois de plus ! dit-il avec rage. Ça t'étonne ? Quel monstre ! Comme il me hait ! Cette lettre !... Un tissu d'horreurs, de saletés, de contre-vérités !... Il m'a affirmé que tu ne m'aimais plus, que tu ne voulais plus me revoir !... Pourquoi ne m'as-tu pas écrit, toi-même ?

— Je t'ai écrit. Mais trop tard, sans doute. Ma lettre est partie le 14 décembre. Elle a dû arriver quand tu étais déjà en prison.

Il réfléchit. Une angoisse rabattit son exaltation.

— Que disais-tu dans ta lettre ? demanda-t-il d'un ton mal assuré.

— Peu importe !

— La même chose que mon père ?

Elle ne répondit pas. Ce jeu de cache-cache le poussait à bout. Il ne pouvait plus tolérer la pensée d'un mensonge, ni même d'un malentendu, entre eux. Il se laissa glisser aux pieds de Sophie.

— Je suis un misérable ! gémit-il.

Elle lui mit la main sur la bouche, mais il continua de chuchoter entre les doigts qui lui pressaient les lèvres :

— Comment pourrais-tu m'aimer encore ?

— Ne me parle plus jamais de cela, dit-elle d'une voix tremblante.

Soudain, frappé par l'évidence, il s'écarta de Sophie, la regarda avec incrédulité, avec anxiété, et s'écria :

— Ah ! je comprends !... Tu es venue me voir par charité !... Si c'est ça, je t'en conjure, va-t'en !...

Il délirait de tristesse :

— Va-t'en ! Va-t'en !...

Les yeux de Sophie s'emplirent de larmes, sans qu'aucun muscle de son visage bougeât. Nicolas comprit qu'il l'avait froissée et balança la tête avec violence :

— Pardonne-moi ! Je ne sais plus où j'en suis ! Toi ici, près de moi, après tout ce qui s'est passé !...

— Pas si fort, Nicolas ! On nous écoute...

— Ça m'est égal ! Tout m'est égal ! Je t'aime !...

Le général Soukine toussota, se carra dans son fauteuil et commença à se curer les ongles avec la pointe d'un bâtonnet en ivoire. Nicolas l'eût tué pour pouvoir rester seul cinq minutes avec sa femme. Il coucha son front sur les genoux de Sophie et répéta doucement :

— Je t'aime.

— Moi, aussi, Nicolas, je t'aime.

— Qu'allons-nous devenir ? Je suis perdu et je t'entraîne dans ma perte !...

Elle lui caressa les cheveux d'une main si délicate, qu'un frisson le parcourut jusqu'à l'extrémité des nerfs.

— Il faut espérer, dit-elle. On m'affirme, de tous côtés, que la sentence ne sera pas trop dure !

— Je ne peux pas croire qu'on me relâche un jour !

— Mais si !...

— Accepteras-tu, alors, que je revienne auprès de toi ?

Elle souleva la tête de son mari dans ses deux mains, le couvrit d'un regard amoureux, exigeant, désolé, et dit :

— Comme tu es maigre ! Comme tu as dû souffrir !

— Si je reviens auprès de toi, tu verras, je serai un autre homme !... Un homme digne de toi, digne de nous !... J'ai compris tant de choses, en prison !... Tout, en moi, est devenu plus clair et plus grave !... Crois-moi, je t'en prie, crois-moi à partir d'aujourd'hui !...

A ce moment, il remarqua qu'elle était vêtue d'une robe grise, très simple, à col de dentelle, et coiffée d'une toque noire à plume blanche. Il ne se rassasiait pas d'examiner ce visage pur, porté par un long cou flexible, ces yeux sombres, pailletés d'or, ces narines légères, cette ombre de velours sur la lèvre supérieure. Tant de grâce, tant de propreté, le paralysaient. Il marmonna :

— Que tu es belle !

Et, pensant à lui-même, il se vit écroulé, comme un mendiant, aux pieds d'une femme trop élégante.

— Je suis sale ! Je sens mauvais ! dit-il avec accablement.

Les sourcils du général Soukine montèrent au milieu de son front. Sophie le défia du regard, aida son mari à se relever, l'assit près d'elle et se blottit dans ses bras. Il hésitait à la serrer contre ses vêtements pouilleux.

— Pourras-tu revenir ? demanda-t-il.

— On me l'a promis.

— Quand ?

— Je ne sais pas... Bientôt...

— Et d'ici là, que feras-tu ?

— Encore des démarches. Depuis deux mois, je sonne à toutes les portes, je remue toutes nos relations !...

— Il n'y a tout de même pas deux mois que tu es à Saint-Pétersbourg !

— Si, Nicolas ! J'ai loué un petit appartement dans l'île.

— Tu es seule ?

— Non. Nikita est avec moi.

— Comment ? Il a donc quitté sa place ?

— Oui. Il dit qu'il aime mieux être domestique chez moi qu'employé libre chez les autres.

— Quel bon garçon !

— Sais-tu qui m'a le plus aidée dans mes visites aux personnages influents ? Hippolyte Roznikoff !

— Cette brute ! grommela Nicolas.

— Il m'a reçue avec beaucoup de délicatesse. Il

t'a gardé son amitié, tout en condamnant tes idées... nos idées !... Grâce à lui, j'espère pouvoir rencontrer le général Benkendorff et le grand-duc Michel Pavlovitch. Tu vois que nous aurons de hauts protecteurs !...

— Ma chérie, mon aimée, dit-il, tu as fait tout cela pour moi... pour moi qui le mérite si peu !...

Elle l'interrompit :

— Parle-moi de toi, maintenant. Comment te sens-tu ? Que fais-tu toute la journée, dans ta cellu ? Es-tu suffisamment nourri ?

— Madame, dit Soukine en se levant, j'ai le regret de vous faire savoir que l'entrevue est finie.

Nicolas sursauta, comme frappé au visage, serra ses poings faibles, puis se calma sous le regard de sa femme. Debout, elle l'embrassa encore, ignorant le général qui, maintenant les observait de face, tout à son aise. Deux gardiens reparurent, prirent Nicolas par les bras et le tirèrent, sans brutalité, en arrière.

— Je veux vivre pour toi, Sophie ! cria-t-il ! Reviens ! Je t'en supplie, reviens !

— Si vous tenez à ce qu'elle revienne, laissez-vous reconduire sagement, Nicolas Mikhaïlovitch ! dit Soukine.

Sophie, le cœur serré, suivit des yeux son mari qui s'éloignait entre deux soldats en armes. Sur le seuil, il se retourna. Ces longs cheveux blonds, cette barbe hirsute et sale, ces prunelles d'un vert intense dans ce visage émacié — jamais elle n'avait éprouvé pour lui une telle tendresse ! Elle était venue avec, au fond d'elle-même, une rancune que la pitié n'effaçait pas encore. Jusqu'à l'instant de le revoir, elle avait dû lutter pour oublier qu'il l'avait trahie. Mais, au premier regard, elle s'était affranchie des sottes contraintes de l'orgueil. N'était-ce pas sa faute, d'ailleurs, si Nicolas était en prison ? De lui-même, il ne se fût peut-être jamais révolté contre le régime. Elle lui avait inculqué jadis, à Paris, ce goût de la liberté, qu'il payait si cher à présent. Plus elle se jugeait responsable de l'avoir poussé dans la politique, moins elle se reconnaissait le droit de lui mesurer son pardon. Elle sourit vaguement au général qui la reconduisait vers la porte et dit :

— Je vous remercie, Excellence.

★

Nikita attendait Sophie dans le petit appartement qu'elle avait loué à proximité de la forteresse, derrière le marché Sitny. En la revoyant, il eut un air si anxieux qu'elle en fut touchée. Elle lui raconta sa visite à la prison. Ce récit la bouleversait rétrospectivement. Pourtant, à travers ses propos les plus amers, perçait la joie d'avoir retrouvé Nicolas. Ce grand malheur l'avait frustrée d'une présence, mais enrichie d'un amour. Du moins, voulait-elle le croire, pour s'opposer au retour de la jalousie. Au moment où elle ne s'y attendait plus, la blessure se rouvrit en elle. De nouveau, elle craignit que l'infidélité de Nicolas ne l'eût trop profondément marquée pour qu'elle pût lui rendre son estime. N'allait-elle pas se découvrir crispée, hostile, après les premières effusions ? Elle détesta cette part intransigeante d'elle-même, qui l'empêchait d'accepter ce que tant d'autres femmes eussent tenu pour un affront négligeable.

— Est-ce que Nicolas Mikhaïlovitch a toujours les mêmes idées politiques, barynia ? demanda Nikita.

— Plus que jamais ! répliqua-t-elle fièrement.

Et elle pensa : « Mais si, je l'aime ! Je l'aime autant qu'avant ! »

— Comment ferez-vous pour le revoir ?

— Demain, je recommencerai les démarches.

— Vous devriez reparler de l'affaire à M. Roznikoff.

— C'est bien mon intention !

Elle remarqua qu'elle discutait avec Nikita non comme avec un serviteur, mais comme avec un ami. En vérité, il n'y avait plus rien du jeune serf timide et ignare de jadis dans ce robuste garçon aux traits énergiques, au maintien simple et au regard franc. Avec lui, elle avait, comme domestique, une fille de vingt ans, Douniacha. Ils étaient beaux et sains l'un et l'autre. Un jour, elle les marierait.

Elle renvoya Nikita de la chambre, enfila un peignoir, marcha deux minutes en rond, désœuvrée, et s'assit pour écrire à son beau-père. Elle était furieuse de la lettre qu'il avait expédiée, en cachette, à Nicolas. De toute évidence, en agissant ainsi, il avait voulu couper les ponts entre elle et son mari avant qu'elle ne se fût ressaisie, la placer devant la nécessité d'une rupture sans lui laisser le temps d'interroger son cœur. Il haïssait tellement Nicolas que, même en apprenant son arrestation, il n'avait pas eu de réaction charitable. Au lieu de s'inquiéter du sort réservé à son fils, il l'avait maudit pour s'être insurgé contre le tsar. Quand Sophie avait parlé de se rendre à Saint-Pétersbourg, il s'était écrié qu'elle n'avait pas le droit, ayant recueilli un orphelin, de le délaisser pour voler au secours d'un criminel politique. Eût-elle décidé de le fuir pour rejoindre un rival, qu'il ne se fût pas désespéré davantage. Jusqu'à la dernière minute, elle avait dû subir ses menaces, ses ruses, ses supplications de vieillard effrayé par l'idée de la solitude. Depuis qu'elle l'avait quitté, elle recevait, tous les deux jours, une lettre. Il lui parlait un peu de la santé du petit Serge, beaucoup de lui-même et pas du tout de Nicolas. On eût dit qu'il ignorait pour quelle raison elle était ici. La lettre se terminait toujours par de gentilles réprimandes, un aveu de tristesse et la phrase : « Quand reviendrez-vous ? »

Penchée sur la page blanche, Sophie rassembla ses griefs et chercha des mots assez forts pour les exprimer. Mais existait-il un moyen de toucher Michel Borissovitch ? Son égoïsme le protégeait comme une gangue de pierre. Il n'entendait que ce qu'il voulait entendre. Alors, à quoi bon ? Elle soupira. Tandis que sa plume restait suspendue au-dessus du papier, les souvenirs de Kachtanovka la reprirent. Elle souffrait d'être privée de ce vaste domaine, dont chaque coin lui était familier, de ces paysans qui avaient besoin d'elle, de cet enfant surtout, que Marie lui avait confié dans la mort. Que d'êtres elle avait abandonnés par dévouement à un seul ! Certes, le bébé ne manquait ni de soins ni d'affection, entre son grand-père qui l'adorait, après avoir refusé de le prendre sous son toit, la vieille Vassilissa qui le cajolait à la manière russe, M. Lesur qui attendait de l'éduquer à la manière française, et une nuée de servantes qui s'extasiaient à ses sourires et se désolaient à ses froncements de sourcils. Mais tout en convenant qu'il n'était pas moins heureux en son absence, elle n'était pas tranquille de le savoir si loin. Un attendrissement lui venait à évoquer son petit visage rose et renfrogné, la lumière qui brillait dans ses yeux quand il la voyait paraître, ses balbutiements joyeux du matin. Il avait dû grandir, en deux mois. La reconnaîtrait-il seulement, lorsqu'elle reviendrait à Kachtanovka ? Elle eut une envie physique de le serrer, chaud et remuant, contre sa poitrine. Des soucis maternels l'envahirent : mille recommandations à faire à Vassilissa, à la nourrice, au sujet de l'enfant ! Puis une soudaine langueur inclina ses pensées dans une autre direction. Elle rougit de se découvrir si animale dans son attachement à un homme. Machinalement, elle trempa sa plume dans l'encrier. Michel Borissovitch aurait d'elle une lettre banale, dénuée de tout sentiment, une lettre d'information, la seule qu'il fût capable de comprendre. Elle écrivit :

« Cher père, j'ai pu voir Nicolas... »

★

La commission d'enquête termina ses travaux le 30 mai 1826 ; le 1er juin, l'empereur institua un Tribunal Suprême, chargé de statuer sur le sort de cent vingt et un inculpés. Tous les membres du Conseil de l'Empire, du Sénat, du Saint-Synode, tous les ministres et la plupart des hauts dignitaires entrèrent dans cette juridiction. Elle poursuivit ses travaux en secret, sans même inviter les accusés à présenter leur défense. Le bruit courait que Spéransky, le meilleur juriste de Russie, étudiait des grimoires du Moyen Age, afin d'y découvrir un précédent légal aux mesures d'exception exigées par le tsar. Les criminels devaient être répartis en plusieurs catégories selon l'importance de leurs forfaits. Leur châtiment serait officiellement très sévère, mais le souverain avait promis de commuer les peines par la suite et d'étonner le monde par l'ampleur de son pardon. Hippolyte Roznikoff l'avait affirmé à Sophie comme une certitude. Elle le répéta à Nicolas, lors de la visite qu'elle lui fit à la fin du mois de juin. Cette fois, elle lui trouva meilleure mine. Un gardien lui avait rasé la barbe et coupé les cheveux. Il portait une capote de soldat effrangée, mais propre. Son visage était éclairé par l'espoir :

— Tu sais, chuchota-t-il, je ne refuse plus de me promener dans le jardin, je mange tout ce qu'on me donne, pour reprendre des forces, j'aime la vie, de nouveau, grâce à toi !

— Il le faut, Nicolas, dit-elle. Je suis convaincue que la fin de ton calvaire est proche. Plusieurs prisonniers ont déjà été reconnus non coupables...

— Lesquels ?

— Ceux qui ont pu prouver que, le 14 décembre, ils ne se trouvaient pas sur la place du Sénat. C'est ainsi que Kostia Ladomiroff et Stépan Pokrovsky viennent d'être libérés !

— J'en suis bien aise pour eux, dit Nicolas amèrement.

— Ton tour viendra !

— J'en doute ! Moi, le 14 décembre, j'étais avec les insurgés !

— Mais tu ne t'es pas aussi gravement compromis qu'un Ryléïeff ou qu'un Kakhrovsky !

— Non, bien sûr !...

— Alors ?

— Je ne sais plus... Tu as peut-être raison...

Le général Soukine, qui assistait à l'entretien, hochait la tête d'un air d'approbation paterne.

— En tout cas, reprit Sophie, Hippolyte Roznikoff m'a dit que tu devrais écrire au tsar, directement, pour implorer ta grâce.

— Comment peux-tu me demander ça ? grommela-t-il. Ce serait indigne !

— La plupart de tes camarades l'ont déjà fait. Nous ne devons négliger aucune chance !

Il promit d'y réfléchir. L'acharnement de sa femme à le sauver le bouleversait de gratitude.

Revenu dans son cachot, il vécut jusqu'au soir en remâchant le souvenir de leur entrevue.

★

Dès les premiers beaux jours, la fenêtre aux vitres barbouillées de craie avait été ouverte par ordre du commandant de la forteresse. Même ainsi, on respirait à l'intérieur une atmosphère brûlante et moite d'étuve. Le seau maintenait, pardessus tout, son odeur fétide. Mais un carré de ciel, aux couleurs changeantes, accompagnait à présent Nicolas dans ses rêveries. Malgré son désir d'être agréable à Sophie, il ne put se résoudre à rédiger une lettre assez plate pour toucher l'empereur. Après avoir déchiré plusieurs brouillons, il fit part de son embarras au père Myslovsky. Le prêtre lui conseilla d'attendre, pour adresser sa requête, que le Tribunal Suprême se fût prononcé.

— Dans moins d'une semaine, dit-il, vous saurez à quoi vous en tenir.

Il paraissait soucieux. Nicolas lui demanda s'il avait quelque clarté sur la marche de l'affaire.

— Non, non, dit le père Myslovsky précipitamment. Rien de précis...

Son attitude était si étrange, que Nicolas devina le débat de conscience qui le tourmentait. Sans doute, au début, était-il venu voir les prisonniers comme un fidèle serviteur de l'administration impériale. Mais, en parlant avec eux, en apprenant à les connaître, il s'était convaincu que ces hommes ne méritaient pas le châtiment dont on les menaçait. Pour répréhensible que fût à ses yeux leur action révolutionnaire, il ne pouvait nier qu'une idée généreuse les eût inspirés ; il ne les condamnait plus que mollement, paternellement ; il prenait même leur parti, peut-être, au nom de la justice divine contre la justice officielle. S'il ne le disait pas, cela se lisait dans ses yeux. Ainsi, plus il se sentait dans une situation fausse, plus ceux dont il était chargé de soulager les souffrances avaient d'estime et d'affection pour lui.

Le lendemain, 12 juillet, Nicolas fut éveillé par un tumulte dans le corridor : ordres brefs, galopade, cliquetis de ferraille militaire. Le colonel Podouchkine entra en trombe dans la cellule, suivi de deux gardiens et d'un barbier.

— Veuillez vous habiller, vous faire raser...

— Que se passe-t-il ? demanda Nicolas.

Mais Podouchkine était déjà ressorti.

— Comment voulez-vous qu'on sache, nous autres ? dit Zmeïkine. Sans doute que c'est important ! On vous a apporté vos belles affaires !

Nicolas se laissa raser et revêtit, avec plaisir, le costume dans lequel il avait été arrêté. Les gardiens le conduisirent dans la cour de la forteresse. Il y avait là un grand rassemblement de carrosses, comme pour un bal au Palais d'Hiver. Cochers, piqueurs et valets de pied se pavanaient en livrées de couleurs vives, parmi des chevaux aux crinières nattées, aux harnais d'argent. Des pelotons de soldats et de gendarmes cuisaient, impavides, sous le blanc soleil de juillet. Les portes de la maison du commandant étaient ouvertes, avec des sentinelles, bombant le torse, sur chaque marche et jusque dans l'antichambre. Poussé, bousculé, Nicolas pénétra dans une pièce exiguë, aux rideaux tirés, où une vingtaine de prisonniers se trouvaient déjà réunis. Rien que des uniformes défraîchis et des visages malades d'anxiété. La plupart de ces hommes se taisaient. Nicolas s'étonnait de n'en pas reconnaître un seul. Sans doute, faisaient-ils tous partie de l'Union du Sud. Il le regretta. Soudain, quelqu'un lui toucha l'épaule : cette petite figure maigre, aux gros sourcils noirs, Youri Almazoff ! Une rencontre au bout du monde ! Ils s'embrassèrent, les larmes aux yeux.

— Sais-tu quelque chose ? demanda Nicolas.

— Pas plus que toi, dit Youri Almazoff. Ils vont nous juger. Nous tâcherons de nous défendre...

— Comment se fait-il que tous nos amis ne soient pas avec nous ?

— Mystère de la procédure ! Ils doivent dépendre d'une autre catégorie ! Chacun selon son crime, comme dans la *Divine Comédie* de Dante ! Toi et moi, nous habitons le même cercle de l'Enfer ! D'ailleurs, nous ne sommes pas en si mauvaise compagnie ! Regarde !

Nicolas suivit le geste de Youri Almazoff et découvrit, dans la pénombre, cinq autres membres de l'Union du Nord : Odoïevsky, le capitaine Moukhanoff, le général Fonvizine et les deux frères Béliaïeff. Il s'approcha d'eux et leur serra la main. Le plus jeune des frères Béliaïeff avait été décoré, par Alexandre 1er, de la croix de Saint-Vladimir, pour sa conduite héroïque pendant l'inondation de 1824.

— Ne te tracasse donc pas ! lui disait le capitaine Moukhanoff. Ils te tiendront compte de cette distinction ! Tu t'en tireras avec les honneurs !

— Mais oui ! renchérit Nicolas. D'après les renseignements que j'ai pu obtenir par ma femme, il s'agirait d'une simple formalité !

— Il paraît que l'impératrice est bouleversée par les lettres que lui écrivent les familles des inculpés ! chuchota Odoïevsky. Elle nous aidera ! C'est une sainte !...

Les portes se rouvrirent. Des soldats se précipitèrent pour faire sortir le petit troupeau des captifs. Avant d'avoir pu enchaîner deux idées, Nicolas, porté par le courant, se retrouva dans la salle où il avait été interrogé plusieurs fois par la commission d'enquête. La table, couverte d'un tissu rouge, était recourbée en fer à cheval et, derrière elle, siégaient maintenant, non seulement des généraux, mais des archiprêtres et des sénateurs aux uniformes cramoisis. Par manque de place, d'autres juges avaient dû s'installer en retrait, sur des chaises et des bancs disposés en demi-cercle. Vêtus comme pour une représentation de gala, les plus hauts dignitaires de l'Empire avaient des visages volontairement inexpressifs. Cet étalage de dorures, de décorations, de grands cordons faisait paraître plus misérables encore, par contraste, les prisonniers alignés sur un rang, au garde-à-vous, contre le mur. Le vieux Lobanoff-Rostovsky, ministre de la Justice, se tenait debout devant un lutrin, comme pour chanter l'office. Mais le pupitre supportait, en guise de psautier, le volumineux dossier de l'affaire.

— Quelle mise en scène ! dit Nicolas à Odoïevsky.

— Ils veulent nous impressionner pour que la leçon porte mieux, grommela le capitaine Moukhanoff.

Des gendarmes, roulant des yeux furibonds, leur intimèrent l'ordre de se taire. Le ministre de la Justice pointa son index vers un paragraphe du livre ouvert sur le lutrin. A ce signal, un secrétaire chaussa des besicles et lut :

— « Seront privés de tous leurs droits et possessions, de leurs titres, grades et décorations, pour être envoyés au bagne pendant une durée de douze ans, puis relégués pour toujours dans une résidence surveillée, en Sibérie, ceux qui sont rattachés à la quatrième catégorie et dont les noms suivent... »

Il renifla, toussota et commença l'énumération :

— Capitaine en second Moukhanoff, général de brigade Fonvizine...

Glacé jusqu'aux os, Nicolas se répétait : « Douze ans de bagne et la relégation pour toujours ! Ce n'est pas possible ! Le châtiment est trop fort ! A la fin, ils annonceront une commutation de peine ! »

Devant lui, les juges, malgré eux, prenaient un air fautif. Certains n'osaient même plus regarder les condamnés en face. Les prélats, tête basse, ruminaient dans leur barbe. Le ministre de la Guerre, Tatischeff, prisait et éternuait nerveusement dans son mouchoir. Le général Tchernycheff, plus maquillé que de coutume, examinait ses ongles avec l'attention d'un bijoutier.

— Ozareff, Nicolas Mikhaïlovitch...

Nicolas tressaillit en entendant son nom et lorgna ses camarades, à droite, à gauche. Tous étaient figés de stupeur.

— Colonel Narychkine... Cornette prince Odoïevsky !...

C'était le dernier nom de la quatrième catégorie. Le secrétaire se tut et fit un pas en arrière. Un autre prit sa place, pour rappeler, d'une voix monocorde, à titre d'information, le verdict prononcé, quelques minutes auparavant, contre les accusés appartenant aux catégories un, deux et trois : travaux forcés à perpétuité, pour vingt ans, pour quinze ans... Enfin, dressant le cou, comme un coq pour lâcher son cri matinal, il annonça que les criminels politiques Paul Pestel, Serge Mouravieff-Apostol, Michel Bestoujeff-Rioumine, Conrad Ryléïeff et Pierre Kakhovsky avaient été condamnés à la mort par pendaison. Nicolas reçut le choc en plein ventre. L'indignation l'essouffla, sans qu'il eût fait un mouvement. Pendant une seconde, il attendit la proclamation de la grâce impériale. Mais le secrétaire, ayant esquissé un salut, se retira sans ajouter un mot.

— Emmenez-les ! dit Lobanoff-Rostovsky.

Il y eut un remous de protestation parmi les prisonniers.

— Vous ne pouvez pas nous juger ainsi ! cria Nicolas. Laissez-nous, au moins, présenter notre défense !...

— Emmenez-les ! répéta Lobanoff-Rostovsky avec colère. Et faites entrer les suivants !

— Par file à droite ! hurla un sous-officier.

Les prisonniers sortirent de la salle. Des gardiens les convoyèrent jusqu'au ravelin Alexis, où des nouvelles cellules leur avaient été assignées. A peine Nicolas se fut-il assis sur sa paillasse, que le père Myslovsky entra, très pâle, très agité.

— Surtout ne croyez pas un mot de ce que vous avez entendu ! dit-il. On les graciera au pied de la potence ! Et votre condamnation, à vous aussi, sera allégée !

— Comment ont-ils appris qu'ils seraient pendus ?

— Avec beaucoup de calme ! D'ailleurs, ils n'ignorent pas que c'est une mesure d'intimidation ! La peine de mort étant supprimée en Russie, le tsar ne peut aller contre la Loi des hommes et les quatre métropolites du Tribunal Suprême contre la Loi de Dieu. Confiance ! Confiance !...

Dans son exaltation, il s'associait aux condamnés politiques. Le malheur était sa patrie. Il bénit rapidement Nicolas et dit :

— Je ne puis rester plus longtemps. Il faut que je passe chez tous vos amis. A demain !...

★

L'ombre venue, Nicolas ne put s'endormir. Par la fenêtre ouverte, la nuit de juillet poussait dans la cellule sa chaleur humide, son parfum énervant et les rumeurs lointaines de la ville. De temps à autre, un bruit de rames longeait le mur de la forteresse. Des rats pointaient le nez hors de leurs trous, curieux des réactions de ce nouveau locataire. Il ne leur prêtait même pas attention. Une soif de fièvre lui desséchait la bouche. La sueur collait sa chemise à sa peau. Les gardiens lui avaient laissé ses vêtements personnels en lui recommandant de ne pas les salir. Que signifiait cette prévenance ? Couché sur le dos, les yeux tournés vers le ciel bleu-noir, il s'efforçait de rassembler ses pensées en déroute. Le bagne, pour douze ans !... Si la décision n'était pas rapportée, cela voudrait dire que jamais plus il ne reverrait Sophie. Maintenant qu'il l'avait retrouvée, il ne pouvait souffrir la menace de cette séparation. En lui rendant le goût du bonheur, elle lui avait enlevé son courage. « Tout s'arrangera ! se répétait-il. L'empereur limitera ma peine à quelques mois de forteresse. Nos cinq amis ne seront pas pendus. La paix des âmes reviendra en Russie. Dieu ne peut vouloir qu'il en soit autrement ! » Pendant des heures, il pria avec les mots de son enfance.

Au milieu de la nuit, il entendit des coups de marteau, des grincements de scie. Une équipe de charpentiers devait construire des tribunes près de la forteresse. Puis la petite brise aigre de l'aube lui apporta des appels de trompettes, des roulements de tambours, à peine perceptibles. On sonnait la diane dans les différentes casernes de Saint-Pétersbourg. Le ciel, dans l'encadrement de la fenêtre, n'était qu'un néant de brume grise. Des oiseaux pépièrent, une mouette fendit l'espace en criant. Nicolas, épuisé, allait se rendormir, quand le médecin de la prison vint s'enquérir de sa santé. Sans doute redoutait-on, en haut lieu, que la sévérité du verdict n'eût ébranlé les nerfs des prisonniers. Cette sollicitude parut à Nicolas si ridicule, qu'il renvoya son visiteur, sans égards pour sa trousse, ses lunettes et son air savant. Aussitôt après, ce fut le tour du père Myslovsky. Tiraillant la pointe de sa barbe rousse, il affirma :

— Les dernières nouvelles sont rassurantes. La peine capitale ne sera pas appliquée. Que le Christ soit avec vous !

Et il céda la place au commandant. Gonflé d'importance, Podouchkine ordonna à Nicolas de s'habiller et de le suivre.

— Où m'emmenez-vous ? demanda Nicolas.

— Je n'ai pas d'explications à vous donner. Mais, si j'étais vous, je ne traînerais pas !

« Ils vont nous annoncer la grâce, l'amnistie ! » pensa Nicolas dans un élan de ferveur. Des gardiens, des soldats en armes, l'entourèrent, et il les considéra avec amitié. Sous leur escorte, il traversa le pont-levis qui reliait le ravelin Alexis à la forteresse proprement dite et descendit dans la cour. Là, dans le crépuscule du matin, une centaine de prisonniers se serraient les coudes. Il en arrivait encore de toutes les casemates. Mal réveillés, mal rasés, mal vêtus, blêmes, maigres, ils échangeaient des regards de bêtes traquées. Le général Soukine, en uniforme neuf, criait des ordres à tue-tête. Ivres de zèle, des sous-officiers, à collet orange, groupaient les condamnés d'après les catégories où le tribunal les avait classés, la veille. Chacun selon son crime : les grands organisateurs du complot, ceux qui avaient été reconnus coupables d'intentions régicides, ceux qui s'étaient laissé entraîner, ceux qui n'avaient rien fait pour empêcher le soulèvement... Nicolas se retrouva entre les deux frères Béliaïeff et Youri Almazoff. A gauche, il aperçut, parmi les condamnés au bagne à perpétuité, Troubetzkoï, Obolensky, Kuhelbecker, Alexandre Bestoujeff, Iakoubovitch, Pouschine... Dans un autre groupe, celui des vingt ans, Nicolas et Michel Bestoujeff... Mais ni Ryléïeff, ni Kakhovsky, ni Pestel n'étaient là.

— Que vont-ils encore nous offrir comme spectacle ? grommela Youri Almazoff.

— En tout cas, dit Nicolas, je n'aurais jamais cru que nous étions si nombreux ! C'est réconfortant !

Les trois quarts des condamnés lui étaient inconnus. Il y avait là quelques civils en habits noirs, perdus dans une foule de militaires, aux revers rouges, aux épaulettes dédorées, aux chapeaux cabossés et poussiéreux. Sur la poitrine de certains brillaient les plus fameuses décorations de l'Empire. Quand les différents groupes furent rangés et comptés, le général Tchernycheff apparut à cheval. Il n'avait pas pris la peine de se maquiller, ce matin, et sa figure était livide, comme modelée dans de la terre glaise. Son pur-sang renâclait, se cabrait ; il le retenait d'une main nerveuse. Il était mauvais cavalier. Parmi les insurgés, des connaisseurs le jugeaient en silence. Remarquant leurs sourires narquois, il tourna bride et s'en alla, furieux. Un détachement de Pavlovtsy cerna les condamnés de la quatrième catégorie. En hommage à Paul Ier, qui avait fondé le régiment, on y incorporait de préférence des hommes ayant le nez camus, comme l'empereur défunt. Nicolas regarda cette rangée de têtes de morts, sous leurs hautes mitres de cuivre, et songea : « Nous sommes un pays de fous ! » Un sous-officier se raidit, éclata, aboya. La troupe se mit en marche, passa par la porte Pétrovsky et sortit de la forteresse. A gauche, sur le glacis, se dressait un échafaudage étrange : deux poteaux, reliés par une barre de fer. A la barre de fer, pendaient cinq cordes.

— La potence ! chuchota Nicolas.

— Oui, dit Odoïevsky, le père Myslovsky m'a prévenu. On va pousser la comédie jusqu'au bout. Et, à la dernière minute, un envoyé du tsar, arrivant à bride abattue, proclamera la bonne nouvelle !...

— Halte !

Ils s'arrêtèrent sur l'esplanade. Au fond, se pressait un petit nombre de spectateurs silencieux : quelques uniformes étrangers, des diplomates, des gens de cour. Les familles des condamnés n'avaient pas dû être prévenues.

— Peu de monde, mon cher, dit Moukhanoff en riant. Nous ne faisons pas recette !

Nicolas rit, lui aussi, par besoin de surmonter son angoisse : il n'y aurait pas d'exécution ; il ne pouvait pas y en avoir ; la pompe même de cette cérémonie prouvait qu'elle était uniquement destinée à frapper l'esprit des coupables ! Sur la plate-forme de l'échafaud déambulaient des bourreaux vêtus de blouses rouges. De place en place, brûlaient de grands brasiers, qu'attisaient des hommes armés d'épieux et de fourches. Une fumée épaisse montait vers le ciel. Le soleil hésitait à sortir. Des détachements de tous les régiments de la garnison bordaient l'esplanade. Aux quatre points cardinaux, des canons ouvraient leur gueule. Le général Tchernycheff galopait en tous sens, arrêtait son cheval devant l'un ou l'autre des prisonniers, l'examinait à travers son face-à-main, et repartait, l'air affairé, le plumet au vent. C'était lui, visiblement, l'ordonnateur de la cérémonie.

L'empereur ne s'était pas dérangé. Il n'avait pas osé, peut-être ! On le disait à Tsarskoïé-Sélo. Un roulement de tambour ouvrit les solennités. Sur l'injonction de Tchernycheff, un aide de camp relut la sentence générale en scandant chaque mot. Nicolas compta les noms : plus de cent vingt ! Lorsque l'énumération fut terminée, un ordre retentit :

— A genoux !

Tous les condamnés s'agenouillèrent. Les tambours battirent encore pour annoncer la dégradation. Des bourreaux s'approchèrent des officiers et leur arrachèrent leurs épaulettes, leurs fourragères, leurs décorations, leurs galons et enfin leur tunique. Le tout fut jeté dans le feu. Les flammes bondirent, crépitèrent, fumèrent, dégageant une odeur de tissu brûlé. Nicolas, bien que n'étant pas militaire, dut se séparer de son veston.

— Il ne reste rien dans vos poches ? lui demanda le bourreau avec obligeance.

— Non.

— Alors, allons-y !

Il lança l'habit, qui vola, tel un oiseau noir aux ailes écartées, et tomba sur le bûcher en soulevant une gerbe d'étincelles. Quand tous furent en manches de chemise ou torse nu, les bourreaux brandirent des épées, préalablement limées, et les cassèrent sur la tête des officiers. Plusieurs de ces hommes étaient des héros de la guerre nationale. Leur visage, dans l'humiliation, était d'une noblesse tragique. Les mâchoires serrées, l'œil sec, ils n'avaient que leurs souvenirs pour les consoler. Parfois, une lame ne se brisait pas, malgré la violence du choc. Des généraux, des colonels, de simples cornettes, roulaient à terre, l'oreille ou l'épaule écorchée par mégarde. Ils grognaient :

— Maladroits !

— Vous vous y prenez comme des novices !

— Même ça, on ne sait pas le faire en Russie ! murmura Odoïevsky en vacillant sous le coup.

Les bourreaux s'énervaient, pestaient, sous le regard mécontent de Tchernycheff. Nicolas pensait avec une froide colère : « Ils croient nous dégrader et ce sont eux qui se dégradent ! » Lorsque la dernière épée eut été rompue sur la dernière tête, des soldats apportèrent, par brassées, des camisoles pénitentiaires, rayées de gris et de blanc, et en revêtirent les condamnés. On n'avait pas le temps de choisir ce qui allait à l'un ou à l'autre. Les grands étaient vêtus trop court, les petits trop long. Bientôt, il n'y eut plus, sur le glacis de la forteresse, qu'une assemblée de pitres dans leurs chemises. Un orchestre militaire entonna une marche joyeuse, pleine de trilles de fifres et de tintements de cymbales. Un air à faire danser les chevaux. Le général Tchernycheff mit pied à terre devant ses invités. Recevait-il leurs compliments pour le spectacle ? Sous le ciel bleu, retentirent les cris gutturaux des sous-officiers. Une brise fit frémir les plumets des shakos. Des trompettes sonnèrent. Les condamnés reprirent le chemin de la forteresse. Tous levaient la tête, avec curiosité, en passant devant la potence.

Ce fut en vain que Nicolas interrogea le gardien au moment de la soupe. Celui-ci jura ne rien savoir des cinq hommes condamnés à être pendus. Mais son regard fuyant démentait ses paroles. Voulant en avoir le cœur net, Nicolas lui demanda d'aller chercher le père Myslovsky.

— Il est trop tard, dit l'homme.

— C'est pour une confession.

Le geôlier s'inclina : il n'y avait pas d'heure pour recevoir Dieu, à la prison.

Le soir tombait quand le prêtre entra dans la cellule. Rien qu'à voir son visage défait, Nicolas présuma un malheur. Le père Myslovsky s'affala sur le tabouret, couvrit son front de ses mains et murmura :

— Mon pauvre ami, c'est abominable !

— Quoi ? dit Nicolas. Ils ne les ont pas pendus ?...

— Si.

Un instant, Nicolas se balança lui-même, au bout d'une corde, dans le vide. Ses pieds ne touchaient plus le sol. L'horreur l'étouffait.

— Je n'aurais jamais supposé qu'une pareille chose fût possible ! reprit le père Myslovsky. Les gens les mieux placés m'avaient donné des assurances !... Je me suis laissé berner comme un enfant !... Quelle honte !... Quelle honte pour notre pays !

— Les avez-vous assistés dans leurs derniers moments ? demanda Nicolas.

— Oui. Les cinq ont été admirables de courage et de dignité !

— Qu'ont-ils dit ?

— Ryléïeff m'a parlé des souffrances du Christ... Mouravieff-Apostol m'a déclaré : « Je pardonne au tsar, s'il rend la Russie heureuse !... » Le protestant Pestel, lui-même, m'a demandé de le bénir !...

— Et puis ?

— Quoi ?

— Leur a-t-on bandé les yeux ?

— Qu'est-ce que cela peut vous faire ?

— J'ai besoin de le savoir.. Pour mieux les imaginer... Pour mieux les aimer... Pour mieux vénérer leur mémoire !...

— On leur a enfoncé une cagoule sur la tête, on

leur a lié les mains derrière le dos, on leur a accroché un écriteau sur la poitrine : « Régicide ! » Et en avant pour l'échafaud ! Des musiques se sont mises à jouer... Voilà...

Le prêtre poussa un profond soupir et écarta les mains de son visage. Son front se plissait et se déplissait par saccades. Des larmes coulaient sur ses joues et se perdaient dans les poils de sa barbe.

— Sont-ils morts sur le coup, du moins ? balbutia Nicolas.

— Non.

— Comment, non ?

Brusquement, le père Myslovsky ne put se contenir. Son corps frémit, prêt à se disloquer. Tout ce qu'il aurait voulu taire lui monta aux lèvres, comme un flot qui déborde :

— Non, mon pauvre ami, non ! Leur fin a été atroce !... Quand le bourreau a ouvert la trappe sous leurs pieds, trois des cinq cordes se sont rompues !... Pestel et Bestoujeff-Rioumine sont restés pendus ; mais Ryléïeff, Kakhovsky et Mouravieff-Apostol ont basculé dans le trou et se sont cassé les jambes !... On les a sortis de là, tout saignants, tout meurtris !... Un affolement s'est emparé des bourreaux ! Où trouver d'autres cordes ?... Toutes les boutiques étaient fermées !... Cela a duré une demi-heure !... Une demi-heure d'angoisse pour les condamnés, de honte pour les exécuteurs !... Enfin, on les a rependus, pendant que la musique jouait plus fort !... Cette fois, les cordes ont tenu bon !... Je n'ai pas pu supporter le spectacle !... J'ai perdu connaissance !... Je m'en accuse devant Dieu !...

Les nerfs de Nicolas frémirent, sa chair se hérissa de colère inutile.

— Pensez-vous encore que le tsar soit l'oint du

Seigneur, mon père ? dit-il d'une voix tremblante.

— Je ne sais plus, dit le père Myslovsky. Tout se brouille dans ma tête... Le crime a changé de bord... Les juges se sont déshonorés et les accusés sont montés au ciel, nimbés de l'auréole des martyrs... Que Dieu les reçoive et leur donne la félicité éternelle ! Amen.

Il se signa.

— En tout cas, dit Nicolas, après cette exécution il ne nous reste plus le moindre espoir !

— Comment cela ?

— Si le tsar n'a pas hésité à pendre les principaux conjurés, pourquoi hésiterait-il à envoyer les autres au bagne ?

— Je crois, en effet, dit le père Myslovsky, que vous auriez tort, maintenant, de compter sur la clémence impériale.

Nicolas se sentit condamné pour la seconde fois. Devant lui, un vide béant : la Sibérie. « Sophie sait-elle ce qui s'est passé ? », se demanda-t-il. Elle s'éloignait. Déjà, il ne pouvait plus penser à elle comme à sa femme. Un sanglot lui brisa la poitrine. Il s'effondra en travers du lit, ferma les yeux et envia ceux qui étaient morts.

★

Le jour suivant, alors que le soleil brillait haut et clair dans le ciel, des chants d'Eglise parvinrent aux oreilles de Nicolas. Il les écouta longtemps, avec mélancolie, puis appela le gardien pour lui demander des explications.

— On célèbre un office d'actions de grâce sur la place du Sénat, à l'endroit de l'émeute, dit l'homme. L'empereur et la famille impériale sont rentrés exprès de Tsarskoïé-Sélo. Tout le clergé de la cathédrale Notre-Dame de Kazan est là ! Le métropolite passe devant les troupes de la garde et les asperge d'eau bénite. C'est une belle fête !...

Nicolas sourit et murmura :

— Quel jour sommes-nous ?

— Le 14 juillet.

— C'est bien ce qu'il me semblait ! Sais-tu ce qui s'est passé, le 14 juillet, en France, il y a trente-sept ans ?

— Non, Votre Noblesse.

— La prise de la Bastille.

L'homme fit un œil inexpressif, hocha la tête et sortit.

...

6

Nikita rapporta un journal encore humide d'encre et le tendit à Sophie, sans un mot. Elle savait ce qu'elle allait lire. Hippolyte Roznikoff l'avait prévenue, la veille. Mais elle espérait, contre toute raison, que la condamnation aurait été adoucie, entre-temps. Au milieu de la page, le verdict. Les lettres couraient en se bousculant : « Préméditation... crime contre la sûreté de l'Etat... société secrète... excitation des troupes à la révolte... régicide... » Tout l'affreux jargon des tribunaux d'exception. Parmi une longue liste de noms, celui de son mari lui sauta aux yeux : « Nicolas Mikhaïlovitch Ozareff... au bagne pour une durée de douze ans, puis relégué pour toujours... » Elle laissa glisser le journal sur ses genoux.

— C'est bien cela, n'est-ce pas, barynia ? demanda Nikita.

— Oui, dit-elle.

— Quel malheur ! Il y avait la queue devant l'imprimerie pour attendre la sortie du journal ! Tous les visages étaient tristes !

Elle soutint difficilement ce regard trop bleu, trop tendre. Raidie dans son désespoir, elle n'arrivait pas à pleurer. Les yeux secs et brûlants, une douleur entre les côtes, elle souffrait de ne pouvoir, par sa nature, s'abandonner entièrement au chagrin. Brusquement, il lui fut impossible de rester inactive, avec cette pensée, dure comme une pierre, dans la poitrine. Elle essaya d'écrire à son beau-père pour lui apprendre que Nicolas avait été condamné aux travaux forcés. Mais les phrases s'enchaînaient mal. Elle s'adressait à une statue. Agacée, elle remit à plus tard le soin de finir sa lettre et reprit le journal. A côté du verdict, s'étalait l'ordre du jour de l'empereur aux armées :

« Vaillants guerriers de Russie, le 14 décembre 1825 et le 3 janvier 1826, au cours de ces journées mémorables où vous avez, de vos loyales poitrines, protégé le trône, sauvegardé la foi orthodoxe et écarté de la patrie les horreurs d'une révolution, je vous ai fait savoir que certains instigateurs de ce criminel complot se cachaient dans vos rangs fidèles. Vous les avez rejetés avec répulsion et colère. A présent, ils ont été jugés et châtiés comme ils le méritent, et vos troupes sont à l'abri de la contagion qui les menaçait, ainsi que toute la Russie. Sur cette même place où vous étiez prêts, avec joie, à verser votre sang et à sacrifier votre vie pour votre empereur, sur cette même place où fut tué l'inoubliable comte Miloradovitch, nous offrons aujourd'hui notre gratitude à Dieu pour nous avoir aidés à sauver l'empire... »

C'en était trop ! Elle se leva et tourna dans sa chambre comme dans une cage. Que le coup d'Etat du 14 décembre eût été une entreprise absurde, elle était la première à le reconnaître. Une révolution ne peut réussir sans l'appui du peuple et de l'armée. Or, ni l'un ni l'autre, en Russie, n'étaient préparés à comprendre le sens de la liberté et à lutter pour elle. Il aurait fallu éduquer les masses, les éveiller, les former, avant de passer à l'attaque. Elle l'avait dit cent fois à Nicolas. Par leur hâte, par leur inexpérience, les décembristes avaient perdu la partie, alors que, dans quelques années, ils auraient pu la gagner. Mais leurs intentions étaient nobles, désintéressées, admirables ! Tout en réprouvant leur folie, les juges auraient dû admettre que celui qui risque sa vie par conviction politique n'est pas un criminel ordinaire, qu'il agit par amour de la patrie et que, même si son œuvre est prématurée, il a droit à l'estime de ses concitoyens. On ne condamne pas un homme à douze ans de travaux forcés et à l'exil sans fin pour son appartenance à une société secrète, on ne pend pas cinq conjurés sans leur avoir permis de présenter leur défense, on n'étouffe pas la protestation des plus grands esprits de l'empire, quand on est un monarque digne de ce nom ! Remuée par la colère, Sophie se disait qu'en aucun pays du monde une pareille iniquité n'eût été possible. La France lui manquait. Elle y pensait comme à un royaume de clémence et de raison. Depuis un moment, elle respirait mal. Sortir ? Pour aller où ? Elle connaissait peu de gens à Saint-Pétersbourg. Ses seules relations étaient les anciens amis de Nicolas. Elle fit appeler un fiacre pour aller chez Kostia Ladomiroff.

Elle le surprit prenant le café, dans son salon mauresque, avec Stépan Pokrovsky. Tous deux avaient été arrêtés, puis relâchés, l'enquête ayant prouvé qu'ils ne se trouvaient pas sur la place du Sénat, le 14 décembre. En voyant Sophie, ils eurent un instant de confusion. Sans doute étaient-ils honteux de se prélasser dans ce décor élégant et douillet, devant une femme dont le mari était en prison. Elle les dérangeait, comme si elle eût incarné leurs scrupules. Ils lui parlèrent avec indignation de l'exécution de leurs cinq frères et des peines disproportionnées qui frappaient les autres.

— Je ne peux fermer les yeux sans imaginer une potence ! s'écria Stépan Pokrovsky.

— Et moi, sans voir les routes de Sibérie ! soupira Kostia Ladomiroff. Nicolas, mon cher Nicolas ! C'est horrible !... Quand je pense que, s'il ne m'avait pas obligé à partir pour Tsarkoïé-Sélo, le matin du 14 décembre, je me serais retrouvé, avec tous les camarades, sur la place du Sénat !...

Son grand nez était rouge. Il avait les larmes aux yeux. S'étant mouché bruyamment, il affirma qu'après les épreuves physiques et morales qu'il avait subies il comptait se retirer à la campagne pour prendre du repos. Sophie demanda aux deux hommes ce qu'ils pensaient de l'attitude de Nicolas au cours de l'instruction. Ils lui répondirent avec ménagement, comme s'ils se fussent adressés à une veuve. D'après ce qu'ils croyaient savoir, leur pauvre ami avait aggravé son cas en refusant de se reconnaître coupable et en répliquant avec insolence à l'interrogatoire. A travers leurs propos, Sophie découvrait un Nicolas brûlant pour ses idées, se compromettant par fierté, agissant à trente ans avec la fougue d'un très jeune homme. Et, tandis qu'ils le chargeaient de cette inconséquence, elle l'admirait d'en être resté capable, parmi tant d'insurgés qui avaient abjuré leur foi. Tout à coup, elle sentit qu'elle n'avait plus rien de commun avec ces heureux rescapés d'un drame politique. Coupant Kostia Ladomiroff au milieu d'une phrase, elle se leva et prit congé avec la certitude que son départ soulageait tout le monde.

En rentrant à la maison, elle trouva Nikita très agité : un visiteur attendait au salon, depuis dix minutes.

— C'est un officier, barynia ! Avec des décorations, des aiguillettes !...

Aussitôt, elle pensa à Hippolyte Roznikoff. C'était lui, en effet. Il s'excusa d'être venu sans avertir et tendit à Sophie un papier gris, plié en quatre. Elle reconnut l'écriture de Nicolas :

« Ma bien aimée, tu dois savoir maintenant le sort qui nous est réservé. Je suis accablé au-delà de toute expression. Que vas-tu devenir ? J'espère que nous pourrons nous revoir avant qu'on ne m'envoie en Sibérie. Après, il faudra que tu repartes pour la France. Tu y seras mieux qu'ici pour m'oublier. *Car il faut que tu m'oublies.* Je t'aime. Je rêve de toi, nuit et jour. Ton infortuné — NICOLAS. »

— J'ai pu le voir, seul à seul, tout à l'heure, pendant dix minutes, dit Roznikoff. Il m'a demandé du papier, un crayon, et a griffonné ce billet. Il était très calme...

Sophie maîtrisa le tremblement de ses mains et balbutia :

— Calme ? Qu'entendez-vous par là ?

— Je veux dire courageux, Madame. Nicolas a appris sa condamnation sans perdre la tête. La prison ne l'a pas changé...

— Quand l'expédiera-t-on au bagne ? demanda-t-elle en se forçant pour prononcer avec sang-froid ces mots terribles.

— Je l'ignore.

Elle s'impatienta :

— Vous devez bien, tout de même, avoir une idée !
— Un premier contingent de huit hommes est parti hier, aussitôt après l'exécution, dit Roznikoff.
Sophie pressa les mains sur son cœur, pour prévenir une défaillance :
— Déjà ? Ce n'est pas possible...
— Rassurez-vous : il s'agissait des condamnés de la première catégorie : Troubetzkoï, Obolensky, Volkonsky, Iakoubovitch...
— Et les autres ?
— Rien n'est encore décidé en ce qui les concerne. On manque de locaux pénitentiaires pour les recevoir, en Sibérie. Le temps de tout préparer...
— Cela demandera quelques jours ?...
— Ou quelques mois ! dit Roznikoff avec empressement. D'ici là, il est permis d'espérer. Les fêtes du couronnement sont proches. Peut-être que le tsar, à cette occasion...
Elle l'interrompit :
— J'ai fini de croire en la mansuétude impériale.
Il ouvrit les bras dans un geste de résignation :
— La violence de la rébellion a déterminé la violence de la riposte. L'empereur a voulu faire un exemple. J'avais prévenu Nicolas...
— Je sais, dit-elle.
Et elle s'avisa qu'elle lui parlait d'un ton bien sec, alors qu'il s'ingéniait à la conseiller et à l'aider malgré leur divergence d'opinions. Heureusement, il ne semblait pas avoir l'épiderme sensible. Le contentement qu'il avait de soi le protégeait contre les offenses. Les yeux plissés, la moustache altière, une fossette au menton, il observait la jeune femme avec une sympathie appuyée. Manifes-

tement, il la trouvait à son goût et aimait à jouer devant elle de son importance. Elle l'eût facilement retourné en se montrant coquette. Mais cette comédie était au-dessus de ses forces.

— Allez-vous repartir pour la France, comme Nicolas vous le recommande ? dit-il.

Elle haussa les épaules :

— Cela est hors de question !

Il fit étinceler sa denture dans un rire d'ogre :

— J'étais sûr de votre réponse. Ah ! vous êtes bien telle que je vous imaginais !

— Ne pourriez-vous m'obtenir une nouvelle entrevue avec mon mari ?

— Je ferai l'impossible... J'espère réussir... Mais vous êtes si nombreuses à harceler le gouvernement par vos demandes !... Le général Benkendorff est submergé de lettres... S'il devait y répondre, ses journées ne lui suffiraient pas... Quant au tsar, il regrette déjà d'avoir autorisé la princesse Troubetzkoï à suivre son mari en Sibérie !...

— Comment ? murmura Sophie. La princesse Troubetzkoï a reçu la permission de...

— Oui. Elle doit même se préparer à prendre la route, en ce moment. D'autres femmes de prisonniers, la princesse Marie Volkonsky, la comtesse Alexandra Mouravieff, font, elles aussi, des démarches dans ce sens...

Il remarqua l'air intéressé de Sophie et ajouta rapidement :

— Mais elles n'auront pas gain de cause ! Le cas de la princesse Troubetzkoï est exceptionnel ! Le tsar s'intéresse à elle personnellement ! Elle porte un si grand nom, elle a des relations si puissantes !...

— A qui faut-il adresser une supplique ? demanda Sophie.

— A personne.

— Autrement dit à l'empereur ?

— Mais non ! Je vous en conjure, n'en faites rien ! Vous risqueriez d'indisposer les autorités à l'égard de votre mari !...

— C'est vrai, reconnut-elle avec un soupir.

Roznikoff lui décocha un coup d'œil en coulisse : il n'était pas sûr de l'avoir convaincue.

Elle demeura un instant rêveuse, puis, sortant des nuages, dit en le regardant droit au front :

— Quoi que j'entreprenne pour améliorer le sort de mon mari, j'aurai besoin de votre aide, Monsieur.

— Je vous demande, comme une grâce, d'en user toujours librement avec moi, répliqua-t-il en cambrant la taille.

« C'est peut-être un fat et un intrigant, se dit-elle, mais il doit avoir l'âme bonne. » Elle s'imposa de le retenir au salon, fit servir des liqueurs et le questionna sur lui-même. Elle ne pouvait lui procurer de plus grand plaisir. Il s'épanouit et raconta les étapes de sa carrière, que la mort de Miloradovitch avait failli compromettre, mais que l'amitié du grand-duc Michel et du général Benkendorff avait heureusement rétablie en pleine lumière.

★

Onze jours après l'exécution des cinq principaux insurgés, Nicolas Ier fit son entrée solennelle à Moscou pour y être sacré empereur. Les fêtes du couronnement durèrent plus d'un mois. Mais ni la liesse du peuple, ni les parades militaires, ni les pompes religieuses du Kremlin, ni l'empressement servile de la noblesse n'incitèrent le tsar à réviser son jugement sur les décembristes. A la forteresse Saint-Pierre et Saint-Paul, les prisonniers avaient perdu tout espoir d'une remise de peine. Mille signes imperceptibles leur donnaient à comprendre que, dehors, la vie reprenait ses droits, qu'après avoir ému l'opinion publique, ils n'intéressaient plus personne sinon leurs proches, que la Russie entière avait hâte de les oublier pour s'abandonner à l'amour de son nouveau souverain. Ne disait-on pas que Nicolas Ier venait de rappeler Pouchkine, exilé jadis dans ses terres, à Mikhaïlovskoïé, par l'empereur défunt, et que le poète, en échange de la liberté qui lui était rendue, avait promis de se conduire désormais en sujet fidèle ? Encore une victoire du despotisme sur le génie, de la matière sur l'esprit ! Pour se consoler, Nicolas déclamait parfois, dans son cachot, l'*Ode à la liberté*. Il tenta même de la traduire en français, avec l'idée qu'un jour, peut-être, il la réciterait à Sophie. N'ayant rien pour écrire, il devait tout composer et tout retenir dans sa tête. Ce jeu l'amusa d'abord, puis l'agaça et le déçut. La poésie de Pouchkine, si exacte, si musicale, ne se laissait pas transposer dans une autre langue :

Favoris d'un destin volage,
Tyrans du monde, frissonnez !
Et vous, écoutez-moi, courage,
Debout, esclaves prosternés !...

C'était aussi exécrable en français que c'était beau en russe ! Il se rappela l'époque où il peinait sur les versions latines que lui imposait M. Lesur. Une phrase monta, comme une bulle, du fond de sa mémoire : les paroles d'Horace invitant son esclave Davus à participer aux saturnales de fin d'année, pendant lesquelles toute distinction était abolie entre maîtres et serviteurs. « *Age... libertate decembri utere...* Allons... profite de la liberté de décembre !... » Un sourire effleura les lèvres de Nicolas : « Notre liberté de décembre, à nous, n'aura même pas duré le temps des saturnales romaines ! », pensa-t-il.

Cependant, avec les jours qui passaient, la discipline se relâchait un peu à l'intérieur du ravelin Alexis. Sous-officiers, gardiens et soldats s'ingéniaient à adoucir l'existence des détenus. Nicolas fut transféré dans une cellule plus spacieuse. En l'installant dans son nouveau domaine, le gardien lui dit :

— Ici, vous serez bien ! C'est le meilleur cachot, celui qu'on avait donné à Pestel !

Cette circonstance bouleversa Nicolas. Il jeta un regard sur la paillasse. Elle n'avait pas été changée. Pestel avait dormi là sa dernière nuit. Ses pensées, à la veille de la mort, s'étaient envolées par cette fenêtre. Inspectant les murs, de haut en bas, Nicolas espéra y découvrir quelque message gravé avec la pointe d'un clou. Non, les pierres étaient lisses, le plafond reblanchi à la chaux. Alors, il marcha de long en large, mettant ses pas dans ceux du disparu. Il avait sévèrement critiqué Pestel de son vivant, mais, à présent, il songeait à lui avec une certaine déférence. Seul de tous les décembristes, le maître de l'Union du Sud avait pressenti qu'en matière de coup d'Etat les demi-mesures satisfont les cœurs tendres, mais diminuent les chances de réussite, que les foules ne peuvent conquérir la liberté si elles ne sont guidées par un chef aussi tyrannique, aussi résolu, aussi cruel, que celui contre lequel elles se soulèvent, qu'un véritable révolutionnaire doit être humain quant aux buts à atteindre et inhumain quant aux moyens à employer. La leçon du 14 décembre était là, toute claire. Les insurgés avaient perdu la partie, parce qu'ils étaient des rêveurs, des artistes, des enfants. Il leur avait manqué, au-dessus d'eux, un dictateur à la poigne de fer, et, au-dessous d'eux, la masse innombrable du peuple. Ah ! comme Nicolas regrettait aujourd'hui de n'avoir pu échanger quelques mots avec Pestel avant l'exécution ! Quelles avaient été les idées de ce froid matérialiste, au moment de monter à l'échafaud ? Crainte de l'au-delà ? Dépit d'avoir misé sur la mauvaise carte ? Fierté d'être resté fidèle jusqu'au bout à ses convictions politiques ? Nicolas espéra que cette dernière supposition était la bonne. Il en avait besoin pour se justifier à ses propres yeux.

Sa nouvelle cellule donnait, comme l'autre, sur la Néva. Il entendait les bruits de la ville, au loin. Parfois, à la nuit tombante, une barque ralentissait en longeant le mur de la prison. Une voix de femme criait un nom, une voix d'homme lui répondait, enrouée, angoissée, par la fenêtre d'un cachot. La sentinelle hurlait, du haut des remparts :

— Eloignez-vous ! C'est défendu !

— Attends un peu ! Tu ne vois pas qu'on s'est échoué sur un banc de sable ? répondaient les rameurs.

Et, pendant qu'ils feignaient de se remettre difficilement à flot, le prisonnier et la passagère échangaient encore quelques mots en français.

— Ça suffit ! reprenait la sentinelle. Allez-vous-en, ou je tire ! Une, deux, trois !...

— Bon, bon ! Ne te fâche pas, petit frère !

La barque repartait, dans un clapotis paresseux. Les familles des condamnés payaient très cher les patrons de bateaux pour ce genre d'excursion aux abords de la forteresse. A plusieurs reprises, Nicolas crut reconnaître la voix de Sophie, dans la nuit. Chaque fois, en constatant qu'il s'était trompé, il retombait dans une tristesse plus profonde.

Un jour, le père Myslovsky lui annonça que le tsar, touché par les prières de son entourage, avait donné son accord aux visites régulières des parents et des épouses à la citadelle.

— Quand commenceront ces visites ? demanda Nicolas.

— La semaine prochaine.

— On nous l'a déjà promis si souvent !

— Cette fois, c'est officiel.

— Il n'y a plus rien d'officiel en Russie, mon père ! dit Nicolas. Vous le savez bien ! Nous vivons sous le signe du bon vouloir !...

Tout en parlant, il remarqua que le prêtre portait la croix de Sainte-Anne autour du cou. Sans doute l'empereur lui avait-il décerné cette décoration en récompense des services qu'il avait rendus comme aumônier de la forteresse !

— Je vous félicite ! dit Nicolas avec un sourire.

Le père Myslovsky rougit, comme pris en faute, et soupira :

— Non, mon ami. Ne me félicitez pas. Cela m'est très pénible !.. Mais, que voulez-vous ? On ne peut pas... on ne peut pas toujours tout refuser !...

Et il se dépêcha de sortir. Nicolas escalada son tabouret pour regarder par la fenêtre. Au soleil couchant, la Néva était une coulée de métal en fusion. Toute la ville brasillait, rose, noire et or, pailletée de vitres, hérissée de coupoles, de croix et de flèches. Un bateau transbordeur se détacha du ponton de la forteresse. Le père Myslovsky se tenait debout, à la poupe, tête nue, la barbe au vent. Sa silhouette se découpait, dure comme une carapace de scarabée, à contre-jour sur le flamboiement liquide. Il leva la main et bénit la prison. « Encore un jour qui finit, pensa Nicolas. Dois-je m'en réjouir ou le regretter ? » Il ne savait toujours pas si Hippolyte Roznikoff avait remis son billet à Sophie. Pour se donner un but dans l'existence, il se dit éperdument que le père Myslovsky avait raison, que sa femme allait bientôt lui rendre visite, qu'elle reviendrait même souvent...

Le ciel s'assombrit. Un parfum d'acacia monta des îles proches. On devait souper, dans les jardins, à la lueur des lampes. Les dames chassaient les moustiques avec leurs mouchoirs. Quand la lune parut dans le ciel, toute la cellule en fut éclairée. L'ombre de la grille se dessina en noir sur le mur blanc.

★

Cette fois, les prévisions du père Myslovsky se réalisèrent. Vers la mi-septembre, Nicolas fut tiré de sa cellule et amené, sous escorte, dans la maison du commandant, où l'attendait Sophie. Ils tombèrent dans les bras l'un de l'autre, balbutiant et pleurant de joie, sous le regard attentif du général Soukine. La première émotion passée, Nicolas demanda à voix basse :

— Roznikoff t'a-t-il remis mon billet ?

— Oui, dit-elle. Comment peux-tu me conseiller de retourner en France ?

— Mais, voyons, Sophie, c'est la seule solution raisonnable ! Que ferais-tu à Saint-Pétersbourg après mon départ pour le bagne ?

— Je n'ai pas l'intention de rester à Saint-Pétersbourg.

— Où irais-tu, alors ?... A Kachtanovka ?... Avec mon père ?... Je ne le veux pas !... Pour rien au monde !...

Elle lui sourit tranquillement et murmura :

— Je te suivrai en Sibérie.

Il eut un mouvement de recul :

— Tu es folle ! C'est impossible !...

— La princesse Troubetzkoï est déjà en route pour rejoindre son mari. La princesse Volkonsky et la comtesse Alexandra Mouravieff ne tarderont pas à en faire autant. D'autres épouses vont solliciter leurs sauf-conduits pour Irkoutsk. J'ai, de mon côté, commencé les démarches...

Anéanti de bonheur, il tentait de la raisonner encore :

— As-tu réfléchi à ce que serait ton existence là-bas, dans ce pays sauvage, dans ce désert ? On ne te permettra pas de t'installer à proximité du bagne ! Tu n'auras pas le droit de me voir quand tu voudras !...

— Je serai tout de même plus près de toi que si je demeurais ici !

— Tu gâcheras tes plus belles années ! Tu regretteras cet exil, cet exil affreux, sans fin, sans espoir ! Sophie, ma Sophie ! Je ne peux pas accepter ton sacrifice !

— Et si je te disais qu'il m'en coûterait plus de vivre loin de toi que de t'accompagner en enfer ! prononça-t-elle d'une voix oppressée, rapide.

Et, comme honteuse de cet aveu, elle détourna son regard. Il l'étreignit, avec le sentiment de se fondre en elle pour l'éternité. Le châtiment devenait, pour lui, récompense, le désespoir — consolation. L'instant présent était plus long que tous ses souvenirs réunis. Il répétait :

— Non, Sophie ! Non ! Je refuse !

Cependant, de tout son être, il craignait qu'elle ne revînt sur sa décision. Le général Soukine les sépara en leur promettant qu'ils se reverraient bientôt.

En effet, ils purent désormais se rencontrer tous les huit jours. Les minutes de ces entrevues, parcimonieusement calculées, prenaient pour eux une durée de rêve. Ils échangeaient le plus vite possible leurs inquiétudes, leurs espoirs, leurs informations, leurs conseils, pour rester ensuite, ne fût-ce qu'un moment, silencieux dans les bras l'un de l'autre. Le départ pour les travaux forcés était leur idée fixe. Chaque rendez-vous pouvait être le dernier. En se quittant, ils se demandaient s'ils se reverraient la semaine suivante. Nicolas voulait tout savoir des démarches entreprises par sa femme. Elle mentait en lui affirmant que son affaire était en bonne voie. La lettre qu'elle avait envoyée au grand-duc Michel Pavlovitch était demeurée sans réponse. Et le général Benkendorff, à qui elle s'était adressée ensuite, lui avait fait dire, par Hippolyte Roznikoff, qu'elle ne devait pas se montrer trop pressée.

En désespoir de cause, elle se rendit à l'ambassade de France, pour implorer l'appui de M. de La Ferronays. Le diplomate la reçut avec courtoisie, compatit de haut à son chagrin et l'assura qu'il ne pouvait lui être d'aucun secours dans cette pénible conjoncture. Il s'offrit à la rapatrier en France, si elle en exprimait le désir. Elle refusa avec indignation.

Son beau-père, ignorant qu'elle avait résolu de suivre Nicolas en Sibérie, la suppliait toujours de revenir à Kachtanovka. Elle lui répondait par des promesses de plus en plus vagues.

L'automne arriva tout à coup, avec ses rafales de vent froid et ses fines averses. Les châssis vitrés reprirent leur place aux fenêtres des cellules. Les jours diminuaient rapidement, gris à l'aube et gris au soir. Dès trois heures de l'après-midi, Nicolas pouvait voir, au loin, sur la rive opposée, briller des lanternes. L'allumeur de réverbères passait dans les rues avec son échelle. Quand il pleuvait trop fort, les prisonniers devaient renoncer à leur promenade dans le jardinet triangulaire. En prévision de l'hiver, Sophie acheta pour son mari une veste en peau de mouton et des bottes fourrées. Elle put également, grâce à la complicité d'un gardien, lui faire parvenir un peu d'argent et de la nourriture.

Ils continuaient à se voir régulièrement, une fois par semaine, mais, à mesure que le temps passait, Nicolas croyait de moins en moins qu'elle obtiendrait l'autorisation de l'accompagner en Sibérie. Elle avait beau lui dire : « Tout marche ! Roznikoff est en train de faire le siège de Benkendorff ! Le général Diebitch est intervenu pour nous auprès du grand-duc Michel ! » il lui opposait un sourire tendre et sceptique. Elle-même, d'ailleurs, ne savait plus à quelle porte frapper. Toutes les personnes influentes qu'elle connaissait à Saint-Pétersbourg avaient été mises à contribution. Elle enrageait d'avoir tant d'énergie en réserve et de ne rencontrer partout que malveillance, mensonge et dérobade.

Les premiers flocons de neige tombèrent sur une terre tiède qui refusa de les garder, puis la ville se couvrit d'une pellicule blanche. Quelques traîneaux apparurent parmi les calèches. Des glaçons dérivèrent sur les eaux jaunes du fleuve. Avant l'embâcle, les charpentiers démontèrent le pont de la Trinité, qui reliait l'île à la terre ferme.

Le 9 décembre, à minuit, Sophie était sur le point de s'endormir, quand la servante, Douniacha, frappa à sa porte :

— Barynia ! Barynia ! Nikita voudrait vous voir ! C'est important !

Elle passa un peignoir, ouvrit et se trouva devant le garçon et la fille qui avaient des visages défaits :

— Je suis allé me promener du côté de la forteresse, dit Nikita. Il y a un convoi de prisonniers qui se met en route pour la Sibérie !

Le souffle coupé, Sophie articula difficilement :

— Quoi ?... Maintenant ?... En pleine nuit ?...

— Oui, barynia.

— Sais-tu si Nicolas Mikhaïlovitch est du nombre ?

— Je n'ai pas pu voir... Il y a des gendarmes partout !...

Elle le renvoya et s'habilla en hâte, aidée de Douniacha qui pleurait. L'impatience crispait Sophie. Elle fût partie sans manteau. La servante l'obligea à en mettre un. Dix minutes plus tard, elle était dans la rue. Nikita marchait sur ses talons. L'appartement était proche de la forteresse. En arrivant devant la porte Pétrovsky, elle découvrit l'esplanade vide, hésita une seconde et s'engagea sur le pont-levis.

— Où allez-vous, barynia ? dit Nikita. Ce n'est plus la peine !... Vous voyez bien, tout le monde est parti !...

Sophie continua son chemin. La sentinelle cria : « Halte ! » et croisa la baïonnette. Un sous-officier sortit du poste de garde et leva son fanal pour regarder la jeune femme au visage.

— Je voudrais voir le général Soukine, dit-elle.

— Ce n'est pas l'heure.

— Il faut pourtant que je sache si mon mari faisait partie du convoi !

— Vous le saurez demain.

— Où les emmenait-on ?

— Pas en Crimée, bien sûr !

— Venez, barynia, chuchota Nikita. En nous dépêchant, nous pourrons peut-être les rattraper au prochain relais !

Cette idée ranima Sophie. Elle suivit Nikita jusqu'au Kronversky prospect, où il y avait une station de voitures de place. Un cocher, qui somnolait sur son siège, entouré de neige tourbillonnante, s'éveilla en sursaut, jugea les clients d'un coup d'œil et demanda un prix énorme pour les conduire, de nuit, au premier relais, sur la route de Moscou. Sophie monta dans le traîneau sans discuter. Nikita s'assit près d'elle, en serrant les genoux.

A mesure qu'on s'éloignait du centre, les rues devenaient plus obscures. Quand on fut en rase campagne, le cocher lança ses chevaux. Sophie rassembla son attention sur ces deux têtes noires, aux crinières échevelées, qui se balançaient, avec violence, dans la pénombre. Le bruit des sabots était celui de son cœur emballé. Elle voulait gagner son destin de vitesse. Au bout d'un siècle, la maison de poste surgit, avec son porche grand ouvert et sa lanterne jaune, au halo traversé de points blancs. Personne dans la cour. Les prisonniers étaient déjà repartis.

Subitement, les forces de Sophie la trahirent. Elle entra dans la salle commune et s'assit près du poêle. Deux paysans dormaient, tête-bêche, sur une large banquette. Leurs bottes fumaient. Nikita demanda à voir le registre des voyageurs. Sur la dernière page, un seul nom, celui du courrier de cabinet commandant le convoi, le feldjaeger Jeldybine. Au-dessous, toutes les villes de l'itinéraire : Rybinsk, Iaroslav, Viatka, Ekaterinbourg, Tioumène, Tobolsk, Irkoutsk... Le maître de poste observait d'un petit œil malin cette femme angoissée en manteau de loutre. Il finit par dire :

— Puis-je vous aider en quoi que ce soit, barynia ?

— Non, dit-elle. J'aurais voulu arriver à temps pour les voir...

— Qui ? Les forçats ? C'est trop tard ! Ils sont loin, maintenant ! Mais peut-être aimeriez-vous savoir quels sont ceux qui ont été expédiés cette nuit ?

— Oh ! oui ! s'écria-t-elle.

Le maître de poste inclina vers elle une face à la barbe rousse, parsemée de grains d'avoine. Sophie fut enveloppée d'une odeur de chevaux. Il murmura :

— J'ai noté tous les noms pour rendre service à des personnes comme vous. Mais, vous comprenez, barynia, je risque gros...

Elle fouilla dans son sac et lui tendit vingt roubles en assignats. Il saisit les billets, les glissa dans la tige de sa botte et reprit avec componction :

— Très gros, barynia !

Elle lui donna encore vingt roubles.

— Que la Mère de Dieu vous le rende en bonheur ! dit le maître de poste.

Et il lui remit une feuille de papier couverte de noms. Elle les lut, quatre à quatre, comme elle eût dévalé un escalier : « Annenkoff, Wolff, Kiréïeff, Torson... » Arrivée en bas, elle poussa un soupir de délivrance : Nicolas n'était pas sur la liste.

Cette alerte avait si rudement ébranlé Sophie, qu'à peine rentrée à la maison elle prit une résolution extrême : elle écrivit à l'impératrice Alexandra Féodorovna — à qui elle n'avait jamais été présentée — pour lui exposer son désir de suivre en Sibérie « le criminel politique Nicolas Mikhaïlovitch Ozareff » et la supplier d'intervenir, dans ce sens, auprès de son auguste époux. Cette fois, renonçant à passer par un intermédiaire, elle porta elle-même sa lettre au palais. Un aide de camp, jeune et glacial, lui promit que sa missive serait transmise, mais refusa de l'inscrire pour une audience. Renvoyée sans égards, elle regretta de ne s'être pas adressée à Hippolyte Roznikoff pour cette démarche.

En revoyant Nicolas, le jour de la visite, elle dut se dominer pour paraître encore optimiste. Il lui confia qu'à force d'attendre son départ, de semaine en semaine, il finissait presque par l'espérer. Ainsi, lorsque l'esprit reste longtemps fixé sur un même point, une fascination se produit et la catastrophe à éviter se transforme en but à atteindre. Comme tous ses camarades, il redoutait qu'au lieu de l'expédier en Sibérie on ne le transférât dans la forteresse de Schlusselbourg, où l'administration oubliait parfois les prisonniers jusqu'à la fin de leur vie, quelle que fût la durée légale de leur peine. S'il avait cette malchance, Sophie ne pourrait même pas s'installer près de lui, en exil. Elle le remonta tant bien que mal et, après son départ, interrogea le général Soukine.

— Il est, en effet, question d'envoyer quelques prisonniers à Schlusselbourg, dit ce dernier. Mais nous ne savons pas encore lesquels.

Sophie ne dormit pas de la nuit. Elle avait l'impression de soutenir, à bout de bras, un pan de mur sur le point de crouler. Le 14 décembre, les visites furent interdites à la prison. Sans doute les autorités ne voulaient-elles pas donner une joie aux détenus en ce jour anniversaire de leur crime. Des gendarmes surveillaient discrètement l'entrée des églises, comme s'ils eussent craint quelque manifestation de piété subversive. Un an déjà ! Sophie avait peine à le croire, tant la solitude et l'angoisse avaient pénétré dans son habitude. A Noël, elle put rencontrer Nicolas pendant dix minutes et lui remettre, avec l'autorisation du général Soukine, un colis de nourriture. Saint-Pétersbourg pavoisait et s'illuminait. D'un hôtel à l'autre, ce n'étaient que bals, soupers, spectacles, concerts, mascarades. Les familles des prisonniers demeuraient isolées au milieu de l'effervescence générale.

Vers la mi-février, Hippolyte Roznikoff vint encore voir Sophie. Elle fut émue de cette attention. Mais il ne lui apportait aucune nouvelle. Elle n'osa pas lui dire qu'elle avait écrit directement à l'impératrice. Il était fringant, parfumé, les cheveux coupés court, la culotte de daim tendue à craquer sur une cuisse un peu grasse. Après son départ, elle se mit à sa correspondance : elle devait une lettre à ses parents. Certes, elle les avait déjà prévenus que Nicolas était compromis dans un complot politique, mais en minimisant, par charité pour eux, la gravité de son cas. Il était temps de leur apprendre la vérité. Vue de France, cette condamnation aux travaux forcés ne pouvait que paraître infamante. Sophie croyait entendre les exclamations indignées de son père, les protestations larmoyantes de sa mère. Gens de société, tournant au vent de la mode, ils étaient les êtres les moins faits pour comprendre que certains châtiments élèvent ceux qu'ils devraient abattre.

Elle en était au milieu de la première page, quand un bruit de clochettes l'attira à la fenêtre. Un traîneau couvert s'arrêtait dans la cour. Elle vit descendre de la caisse un homme-ours, engoncé dans de grosses fourrures. Avant même d'avoir distingué son visage, elle reconnut son beau-père. Immédiatement, elle s'inquiéta : était-il arrivé quelque chose de grave au petit Serge ? Mais non, à la moindre alerte, Michel Borissovitch l'eût rappelée, par lettre, à Kachtanovka. S'il se dérangeait, ce devait être pour voir son fils, ce fils qu'il dénigrait jadis, et pour lequel, peut-être, il commençait à ressentir de la compassion ! Un tel revirement l'eût racheté aux yeux de Sophie. Déjà, elle était prête à se radoucir, à pardonner... Mais pourquoi ne l'avait-il pas prévenue de son voyage ? Il fallait toujours qu'il essayât de la surprendre ! Elle envoya Nikita et Douniacha aider au déchargement des bagages et sortit elle-même sur le palier, pour accueillir Michel Borissovitch.

En voyant de près ce vieux visage crispé de bonheur, elle fut remuée davantage qu'elle ne l'eût supposé. Il lui baisa les deux mains avec dévotion. Ses yeux pleuraient de froid. Son nez était strié de veinules bleues. Les cahots de la course avaient dérangé son col, ébouriffé ses favoris poivre et sel.

— Sophie, balbutia-t-il, enfin je vous retrouve ! La vie sans vous était si pénible !

Reprise par sa première crainte, elle demanda :

— Et Serge ?

— Il se porte le mieux du monde !

Elle respira : c'était donc bien pour Nicolas qu'il était venu !

— Pourquoi ne m'avez-vous pas avertie de votre arrivée ? dit-elle.

— Tout s'est décidé si vite ! s'écria-t-il. Soudain, je n'ai plus pu tenir ! Il a fallu que je parte ! Comme un fou !

Elle le conduisit au salon. Il se laissa tomber

lourdement dans un fauteuil et promena autour de lui un regard atone. Sans doute, cherchait-il à montrer combien il était las et avait besoin de sollicitude. Debout devant lui, Sophie demeurait perplexe. Elle avait de terribles reproches à lui faire, mais ne voulait pas le brusquer, puisqu'il semblait bien disposé à l'égard de son fils. Décidée à tout lui dire, avec le plus de ménagement possible, elle sourit tristement et murmura :

— Ah ! père, comme je vous en veux ! Vous m'avez manqué de parole !...

Il s'étonna, la nuque raidie, les sourcils en bataille :

— Moi ? Quand ? Comment ?

— En envoyant cette lettre à Nicolas, pour lui annoncer que j'étais au courant de tout et que je ne voulais plus le revoir ! Je vous avais demandé de ne pas le faire ! Je devais lui écrire moi-même !...

— Oui, ma chère enfant, mais le temps passait, vous ne vous décidiez pas, vous souffriez en silence... J'ai pris sur moi de vous remplacer dans cette pénible obligation... Je croyais agir pour le mieux... Vous savez bien que je ne pense qu'à votre bonheur !...

Elle aurait pu prévoir la réponse. Michel Borissovitch était toujours égal à lui-même. Il fallait l'accepter tel quel ou refuser de le recevoir. Comme elle se taisait, il poursuivit d'un ton humble :

— Avez-vous un coin pour me loger, Sophie ? Sinon, j'irai à l'auberge...

Un moment, elle voulut le ramener à la discussion, le débusquer, le convaincre de ses torts, puis se ravisa, de guerre lasse, et dit :

— Oui, père, suivez-moi.

Elle lui fit préparer un lit dans une grande pièce inutile, au fond de l'appartement. Il s'y retira pour se laver et se changer. Antipe, qu'il avait amené de Kachtanovka, courait de la cuisine à la chambre avec des brocs. En passant dans le couloir, Sophie entendit l'eau qui giclait, la vaisselle qui tintait et Michel Borissovitch qui soupirait d'aise en s'appliquant des claques par tout le corps. Il reparut, rose, exsudé, reposé, le ventre moulé dans sa robe de chambre verte à brandebourgs, les pieds chaussés de pantoufles moelleuses. Sophie l'invita à prendre le thé. A la vue du samovar, il s'épanouit complètement. Elle ouvrit deux pots de confitures. Il hésita entre la prune et la framboise, et se décida pour cette dernière. Son nez se fronçait de gourmandise. Elle l'observait comme un animal aux mœurs étranges. Il beurrait sa troisième tartine et n'avait pas encore demandé des nouvelles de son fils. Agacée, elle finit par dire :

— J'ai vu Nicolas, avant-hier !

— Il a bien de la chance ! marmonna-t-il. Moi, vous ne m'avez pas vu depuis un an !

— Père, comment pouvez-vous comparer ?... Il est si malheureux !... Je suis sa femme... je dois tenter l'impossible pour le réconforter !...

— Parce que vous êtes redevenue sa femme ? dit-il, un éclair d'ironie méchante dans les yeux.

— Je n'ai jamais cessé de l'être !

— Quelle largeur d'esprit ! Vous me feriez croire qu'il suffit qu'on vous manque d'égards pour que vous vous attachiez ! La pitié vous aveugle, chère Sophie ! Jusqu'où comptez-vous aller dans l'abnégation ?

Rassemblant sa raison, elle se contint pour ne pas lui répondre.

— Jusqu'en Sibérie ? reprit-il d'une voix douce.

Elle tressaillit. Comment avait-il appris son projet ? Elle ne lui en avait rien dit dans ses lettres. Tendu vers elle, il ne l'attaquait plus, il l'implorait en silence. Elle le laissa longtemps flotter dans le vide.

— Dites-moi que ce n'est pas vrai ! chuchota-t-il enfin.

— Si, dit-elle.

Il écrasa ses poings sur son front :

— C'est abominable !

— Qui vous a prévenu ?

— Le maréchal de la noblesse de Pskov. A la suite d'une lettre que vous avez écrite à l'impératrice, il a reçu de Saint-Pétersbourg l'ordre de rédiger un rapport sur votre vie à Kachtanovka. Comme nous sommes de vieux amis, il m'a aussitôt mis au courant...

Sophie en déduisit rapidement que si le gouvernement avait prescrit une enquête sur elle, c'était que sa demande allait être prise en considération. Son visage s'éclaira d'un tel espoir, que Michel Borissovitch se renfrogna et dit :

— Ne vous réjouissez pas trop tôt ! Les renseignements sur vous ne seront peut-être pas tous favorables !

— Cela m'étonnerait ! dit-elle.

— Moi aussi, reconnut-il avec un pauvre sourire.

Il y eut entre eux un silence lourd de réflexion. Retranchée en elle-même, Sophie suivait le cheminement d'une idée, qui, soudain, éclata avec la force de l'évidence.

— C'est parce que vous avez su que je voulais partir pour la Sibérie que vous êtes venu ? demanda-t-elle.

Il soutint son regard sans broncher et dit :

— Oui. Il faut absolument que je vous empêche de commettre cette folie !

— Vous parlez comme votre fils ! Lui aussi

voudrait me décourager ! Pourquoi vous écouterais-je, alors que je ne l'ai pas écouté, lui ?

— Il n'a pas pu vous dire tout ce que je vous dirai, moi ! Il a trop envie, au fond, de vous avoir à ses côtés, pour vous représenter l'absurdité de cette entreprise !

— Je sais parfaitement ce qui m'attend là-bas.

— Non ! vous n'avez aucune notion de ce qu'est la Sibérie ! Il faut y être né pour supporter d'y vivre ! Peut-être vous assignera-t-on une résidence très éloignée du bagne où sera enfermé Nicolas ? Vous ne le verrez plus du tout, et, coupée de Saint-Pétersbourg, vous ne pourrez même pas intercéder en sa faveur !

— Je prends ce risque !

— Ce n'est pas un risque, mais la quasi certitude d'un échec ! Puisque vous éprouvez un tel besoin de vous dévouer, dites-vous bien que vous en aurez plus l'occasion à Kachtanovka qu'au-delà du lac Baïkal !...

— Ce n'est pas mon avis !

— Auriez-vous oublié votre petit Serge ? Marie vous l'a confié, en mourant ! Vous êtes comptable, envers elle, de cette jeune vie !

Elle devina l'affreuse comédie qu'il s'apprêtait à jouer et se raidit dans la répulsion.

— Il n'a que vous au monde ! reprit-il. Vous êtes sa mère ! En le quittant, vous le priverez de cette tendresse, de cette chaleur à laquelle tout enfant a droit ! Accepteriez-vous que, pour la deuxième fois, il devînt orphelin ?

Sa voix s'enrouait. Des larmes hésitaient au bord de ses paupières.

— J'aime Serge de tout mon cœur, dit-elle, mais je sais que, moi partie, il ne sera pas plus malheureux. Il grandira, sans manquer de rien, dans votre maison. Nicolas, lui, est un homme perdu, si je ne vais pas le rejoindre. Il a plus besoin de moi que quiconque !

— Mettre en balance un enfant innocent et un criminel politique ! dit Michel Borissovitch.

Poussée à bout, elle s'écria :

— Je vous en prie, ne vous servez pas du petit Serge pour m'attendrir, alors que vous pensez uniquement à vous dans cette affaire !

— Moi ? dit-il en arrondissant un œil indigné. Comment pouvez-vous supposer cela ?

— Je vous connais, père ! Vous ramenez tout à vous ! Votre bon plaisir est la loi de vos proches. Si vous ne voulez pas que je suive Nicolas en Sibérie, c'est parce que vous avez peur de vous ennuyer seul, à Kachtanovka ! Il vous importe peu que votre fils crève de misère, à l'autre bout du monde, pourvu que vous ayez votre partie d'échecs avec moi, chaque soir !

— Vous me tuez ! articula-t-il en portant la main à son cœur.

Sa grimace de souffrance était si théâtrale — lèvres tordues, prunelles révulsées — que Sophie en eut un surcroît de fureur :

— Cessez de geindre ! Dans la situation où nous sommes, vos petits malheurs personnels ne comptent pas ! Quand vous aurez vu Nicolas, maigre, sale, malade de solitude, vous comprendrez sûrement !...

Les traits de Michel Borissovitch se figèrent. La cire molle devenait marbre.

— Il n'est pas dans mon intention de le voir, déclara-t-il.

Elle crut avoir mal entendu :

— Que dites-vous ?

— Je n'ai jamais mis les pieds dans une prison, précisa Michel Borissovitch. Ce n'est pas à mon âge que je commencerai !

— Mais il s'agit de votre fils !...

— Il n'est plus mon fils, puisqu'il a conspiré contre la vie du tsar ! J'ai lu le jugement ! Je sais tout ! Par sa faute, je suis couvert de honte !... Le nom des Ozaref, notre nom, traîné dans la boue !... Et vous voulez que je lui pardonne ?

Elle le considéra avec horreur et dit d'une voix que l'émotion étouffait :

— Je ne vous demande pas de lui pardonner, mais de l'aimer et de le plaindre ! Nicolas n'est ni un assassin ni un voleur ! Il n'est coupable d'aucune bassesse ! Au contraire !... Il s'est sacrifié à un idéal !... Que cet idéal ne soit pas le vôtre, c'est une autre affaire ! Reconnaissez, du moins, qu'il inspire de grands dévouements !

— Je reconnais surtout que mon fils vous a bien retournée, mon enfant ! ricana Michel Borissovitch. Vous parliez autrement avant de l'avoir revu !

— Peut-être... Le malheur nous a réunis... Et aussi la cause pour laquelle il souffre !

— La cause des régicides, des massacreurs, des incendiaires ?...

— La cause de la liberté ! C'est de moi, vous le savez, qu'il a pris ses idées politiques. Il ne serait peut-être pas en prison aujourd'hui, s'il ne m'avait pas rencontrée, s'il avait épousé une jeune fille russe de votre choix. Et, d'après vous, je devrais maintenant le renier, l'abandonner ?... Non, père, je ne me suis jamais sentie aussi proche de Nicolas ! Je suis fière d'être sa femme !

Elle s'arrêta, essoufflée, vibrante, pleine d'un mélange de courroux et d'amour qui lui mettait les larmes aux yeux. Michel Borissovitch rentra légèrement la tête dans les épaules et marmotta :

— Calmez-vous, Sophie ! Je n'ai pas voulu vous blesser... On parle, on s'échauffe... En vérité, je ne vous blâmerai jamais d'être charitable envers mon fils... Il est un morceau de ma chair... Mais, excusez-moi, je ne peux pas vous suivre jusqu'au bout de vos raisonnements... Certaines traditions, à mon âge, sont plus fortes que tout... Les principes se durcissent comme les artères...

Ce changement de ton la surprit. Visiblement Michel Borissovitch essayait une autre tactique. De nouveau, elle n'avait plus sous les yeux qu'un pitre larmoyant.

— Est-ce que vous me comprenez ? bégaya-t-il.

— Non, père ! répondit-elle sèchement.

— Ce n'est pas possible !... Tout ça parce que je me suis permis de critiquer Nicolas, ce Nicolas que vous maudissiez avec moi, il n'y a pas longtemps !... Bon, bon !... Si vous tenez tellement à ce que je le voie, je ferai un effort... J'irai là-bas... Mais pas maintenant... Plus tard... Dans quelques semaines... quand je me serai habitué à l'idée...

— Après ce que vous m'avez dit sur lui, je vous défends de le rencontrer ! cria-t-elle.

Il cligna des paupières, à plusieurs reprises, comme assourdi par des coups de marteau. Puis il soupira :

— Vous voyez comme vous êtes bizarre !... Tantôt vous voulez, et tantôt vous ne voulez pas !... Eh bien ! n'en parlons plus !... Mais revenez à moi, Sophie, je vous en conjure !... Je n'ai pas mérité votre cruauté !... Sans vous, je périrai !... Je périrai !...

Un sanglot contenu fit frémir ses joues. Il prit appui sur le bras d'un fauteuil et s'agenouilla péniblement devant sa bru. Elle eut un mouvement de recul, comme si une mare d'eau sale se fût élargie à ses pieds.

— Relevez-vous ! dit-elle. Vous êtes grotesque !
Il resta prosterné. Elle sortit de la pièce et claqua la porte. Dix minutes plus tard, Douniacha vint, en grand émoi, la chercher dans sa chambre :

— Barynia ! Votre beau-père se trouve mal ! Il est couché sur son lit ! Il respire à peine !

Sophie s'attendait à cette manœuvre.

— Qu'on le laisse tranquille, dit-elle. Il se sentira mieux, s'il voit que personne ne s'occupe de lui !

— Mais c'est que, barynia, il vous réclame !

— Dis-lui que je suis occupée.

Elle donna un flacon de sels à Douniacha et la renvoya. Restée seule, elle mit longtemps à se dominer. Elle songeait à l'étonnante sécheresse de Michel Borissovitch, à son orgueil, à sa violence, aux intrigues de ruse et de cruauté qui naissaient dans son cerveau enfantin. Affamé d'égards, ivre d'autorité, il avait perdu toute pudeur dans l'étalage de son caractère. Si elle avait pu, jadis, lui trouver des excuses, elle était convaincue maintenant que Nicolas avait raison : cet homme était un monstre !

7

En retournant auprès de Nicolas, Sophie décida de lui laisser ignorer que son père se trouvait à Saint-Pétersbourg mais répugnait à le voir. A quoi bon le tourmenter dans son cachot avec cette odieuse histoire de famille, alors qu'il avait besoin de tout son calme pour supporter l'épreuve jusqu'au bout ? Marchant vers la prison, elle s'enfonçait, les yeux ouverts, dans une tendresse cotonneuse. Il avait neigé pendant la nuit. Dans tout ce blanc, la citadelle paraissait plus massive et plus sombre. Des invalides balayaient le pont-levis, devant la porte Pétrovsky. La sentinelle, dans sa guérite rayée, portait le long manteau noir et le capuchon des grands froids. C'était jour de visite. Des traîneaux s'engouffraient, l'un après l'autre, sous la voûte. Les parents de prisonniers se saluaient en descendant de voiture, dans la cour. A force de se rencontrer, ils avaient appris à se connaître. La plupart étaient chargés de paquets. Dans le panier de Sophie, il y avait des lainages, un saucisson, dont Nicolas était friand, et de petits cigares. N'était-ce pas un peu trop pour un seul colis ? Elle sourit à quelques visages familiers, gravit les marches de la maison du commandant et tendit son laissez-passer au sous-officier de garde, à l'entrée. L'homme jeta un regard sur le document, le compara avec une liste qu'il tenait à la main et dit :

— Il n'est plus là.

Sous le choc, la tête de Sophie se vida. Ce malheur, qu'elle attendait depuis longtemps, la surprenait comme si elle n'y eût pas été préparée.

— Ce n'est pas possible ! balbutia-t-elle.

— Eh ! si, grommela le sous-officier. Il est parti, tout juste hier, le 28 février, avec un convoi, pour la Sibérie.

— Pour la Sibérie, répéta-t-elle machinalement.

Elle écarquillait les yeux sur ce messager du destin, qui lui annonçait, d'un air indifférent, la fin du monde.

— Le général Soukine, s'il vous plaît... murmura-t-elle.

— Il ne peut pas vous recevoir.

— Et le commandant Podouchkine ?

— Il est occupé.

— Prévenez-le tout de même !

— Impossible... Je regrette... J'ai des instructions...

— Mais enfin... il faut que je sache où, exactement, on a envoyé mon mari... dans quelle région, dans quelle ville !...

— On ne vous le dira pas : c'est un secret !

— Je vous en prie...

Les mots fuyaient sa bouche. Ses forces l'abandonnaient.

— Allez-vous-en, Madame, dit le sous-officier. Vous n'avez plus rien à faire dans la forteresse.

Il haussait le ton. Sophie pensa aux lainages, au saucisson, aux petits cigares, et se sentit aussi tragiquement ridicule que si elle les eût apportés à un mort.

— Donnez ceci à un autre condamné politique, dit-elle en posant le panier sur une marche.

Elle retraversa la cour, tête haute, malgré la faiblesse de ses jambes. Les parents de prisonniers, qui attendaient leur tour de visite, la regardaient avec compassion et chuchotaient sur son passage. En franchissant le pont-levis, elle glissa sur le plancher verglacé, faillit tomber, et se retint à une chaîne de fer. Où était Nicolas en ce moment ? Elle l'imagina, lancé en traîneau à travers un désert de neige, à demi mort de froid, désespéré de ne l'avoir pas revue avant son départ, pensant à elle comme à sa dernière chance de salut !

En rentrant à la maison, elle trouva son beau-père qui l'attendait. Une colère la saisit à la vue de ce vieillard bien portant et rasé de près, qui lisait son journal dans le salon, le dos appuyé au poêle de faïence.

— Soyez content ! dit-elle. Votre fils est parti pour la Sibérie !

— Puisse-t-il y trouver le pardon de Dieu ! soupira Michel Borissovitch en tournant une page.

Puis il leva la tête, sourit à Sophie d'un air malicieux, et dit encore :

— C'est dommage ! Je m'étais fait à l'idée de le rencontrer la semaine prochaine !...

★

Le froid et la faim penchaient Nicolas vers le sommeil. Il perdait conscience, puis se réveillait en sursaut et s'étonnait d'être dans un traîneau à la bâche déchirée, avec son camarade Youri

Almazoff, dormant sur son épaule, et un gendarme assis en face d'eux, les paupières closes, la moustache au repos et le nez violâtre. Il y avait plus d'une semaine qu'ils avaient quitté Saint-Pétersbourg. Six chariots attelés en troïkas. Celui où se trouvait Nicolas était le plus petit et venait en dernière position. Les clochettes de tous ces chevaux faisaient un bruit de fête dans le désert. On filait quarante-huit heures de suite, avec un arrêt toutes les deux nuits dans une maison de poste. La frontière de la Sibérie ne devait plus être loin. Nicolas souleva la bâche et ne vit que du blanc. Son estomac gargouillait. Si seulement on lui avait donné un peu de soupe chaude à la dernière halte ! Mais le feldjaeger Korotychkine, qui était le chef du convoi, réduisait les dépenses de nourriture afin d'empocher le plus d'argent possible sur la somme allouée pour le voyage. Dérangé par un cahot, Youri Almazoff poussa un gémissement sourd et changea de posture.

— S'ils ne nous donnent pas à manger à la prochaine station, nous devrions protester, dit Nicolas en français.

— Comment veux-tu protester ? dit Youri Almazoff. Au nom de quoi ? Nous sommes à la merci de cette canaille !...

Le gendarme explosa sur son siège :

— Veuillez vous exprimer en russe, qu'on puisse vous comprendre ! Sinon, je signalerai votre cas au feldjaeger !

D'après le règlement, le feldjaeger pouvait supprimer un repas, par sanction, à tout déporté qui causait en français avec ses camarades. Nicolas se rappela que, dans son enfance, son précepteur, M. Lesur, lui interdisait de parler russe à table, sous peine d'être privé de dessert. Un sourire descendit de ses yeux à sa bouche. Le gendarme ravala son mécontentement. Youri Almazoff s'assoupit de nouveau. Gelé, ratatiné, le menton bleu, les sourcils noirs, il dodelinait de la tête et exhalait une épaisse vapeur entre ses lèvres gercées jusqu'au sang. Un cheval hennit. Le fouet claqua en revenant sur la bâche. Pour se distraire, Nicolas chercha à démêler un air de musique dans le tintement désordonné des clochettes. Mais la seule mélodie dont son esprit fatigué gardait le souvenir était celle que jouait le carillon de la forteresse. Il l'avait entendue pour la dernière fois cette nuit où, tiré de son sommeil par les gardiens, amené sous escorte dans la maison du commandant, il y avait retrouvé ses actuels compagnons de route. Quinze prisonniers ahuris, un ballot de linge sous le bras et, en face d'eux, le général Soukine annonçant avec superbe : « Par ordre impérial, on va vous mettre les fers aux pieds. » Ils s'étaient regardés avec stupeur, mais, au fond, ils s'attendaient tous à cette avanie. « Asseyez-vous sur ce tabouret », avait dit un gardien à Nicolas, comme s'il allait lui essayer des chaussures. Puis il s'était agenouillé devant lui et avait sorti d'un sac les lourdes chaînes emmêlées comme des serpents. Une sensation de froid sur la peau. Un tour de clef. Deux anneaux fixés aux chevilles. En se relevant pour marcher, Nicolas avait eu de la peine à poser un pied devant l'autre. Dix livres de ferraille entravaient ses mouvements. Il traînait derrière lui un cliquetis d'enfer. Ses camarades vacillaient comme lui sur leurs jambes maladroites. Des gardiens les avaient pris sous les bras pour les aider à descendre l'escalier. Il y avait un gendarme par traîneau, plus le feldjaeger Korotychkine, qui dirigeait l'embarquement. Le convoi s'était ébranlé, à une heure du matin, au milieu d'une capitale morte. Nicolas disait adieu aux maisons, aux monuments, à la vie qu'il avait aimée. Sophie devait dormir, à cette heure-ci. Ne percevait-elle pas, à travers ses rêves, le déchirement d'un départ ? Il s'élançait vers sa femme avec un cri silencieux. Des larmes gelaient au bord de ses paupières. Les chevaux allaient au pas. Le feldjaeger marchait sur le trottoir de bois, à côté de sa voiture. Une jeune fille s'appuyait à son bras. Elle chuchotait, pleurait, se mouchait. « Voyons, Marthe ! C'est ridicule, Marthe ! », grommelait le feldjaeger. Mais, lui, ne partait que pour un mois ! Avant d'arriver à la barrière, il avait renvoyé la jeune fille. Des employé de l'octroi avaient vérifié les papiers, soulevé les bâches. Les cochers avaient libéré les clochettes, qui étaient restées attachées, pour ne pas faire de bruit, pendant la traversée de la ville. Et, soudain, ç'avait été la ruée des troïkas en rase campagne.

« Huit jours déjà ! pensa Nicolas. A moins que ce ne soit neuf ! Ou peut-être un an ! Je ne sais plus. Manger, dormir. Rien d'autre ne compte. » Il voulait s'en persuader et ne le pouvait pas. Toujours une tristesse lancinante le halait en arrière. Il regarda ses chaînes. Cet amas d'anneaux luisants, endormis entre ses pieds, cette vie de fer mêlée à sa vie. A Perm, on l'avait déchaîné pour le mener aux étuves avec ses compagnons. Les garçons de bains étaient tous d'anciens forçats. Condamnés de droit commum, ils portaient la marque d'infamie sur le visage. Certains avaient les narines entaillées. Ils avaient pris en main les nouveaux venus, leur grattant le dos avec des torchons de tille et leur criant à l'oreille les conseils de leur expérience : « Si vous restez à Irkoutsk, vous verrez, c'est le paradis ! Tchita aussi n'est pas mal ! Mais Dieu vous préserve des mines de Blagodatsk !... » Quand tous les « politiques » avaient été nettoyés et renchaînés, le feldjaeger Korotychkine les avait conduits à l'église. L'office était déjà commencé. Des anges chantaient du côté de l'iconostase. Un prêtre, tout doré, invoquait Dieu avec une voix de tonnerre et de velours. On avait parqué les prisonniers dans un coin, à l'écart des fidèles. A la sortie de la messe, les braves gens, passant devant eux, leur faisaient l'aumône. Certains demandaient :

— Pourquoi vous envoie-t-on en Sibérie ?

Ils répondaient :

— C'est pour la révolte du 14 décembre.

Personne n'avait l'air de savoir ce qui s'était passé le 14 décembre. Parfois, un paysan plus déluré hochait la tête :

— Ça veut dire que vous êtes des politiques ?

— Oui, petit père.

— Une mauvaise affaire sur la terre peut devenir une bonne affaire dans le ciel ! Que le Seigneur vous réconforte !

Une jeune fille en fichu avait regardé Nicolas de toutes ses forces, en murmurant : « Pauvre ! Pauvre ! » et lui avait glissé un rouble dans la main. Il n'avait pas refusé, il n'avait pas remercié, la gorge nouée par l'émotion. Maintenant encore, il pensait à ce petit visage frais, rond et banal, à ces grands yeux débordant de charité russe. Un souvenir se leva en lui. Il se revit, dix ans plus tôt, dans la cour d'un relais de poste, avec Sophie. Elle arrivait de France. Elle ne savait rien de son nouveau pays. Tout à coup, elle avait découvert, avec horreur, un groupe de forçats rangés contre le mur. Pendant qu'on changeait l'attelage, elle s'était avancée vers eux et avait donné de l'argent au plus misérable. Il s'était prosterné et avait baisé le bas de sa robe. Un fossé la séparait de ces bagnards en loques, qui étaient le rebut de la société. Aujourd'hui, son mari était des leurs. Un vertige le saisit à rapprocher ces deux images. Il comprit que la richesse, la grandeur, la santé, la vertu, la chance de certains, ne provenaient peut-être que d'une distraction divine, que le bonheur véritable ne devait rien aux circonstances extérieures et qu'à condition de vivre pour l'essentiel, l'homme le plus vaincu, le plus disgracié, pouvait représenter à lui seul une force extraordinaire, un avenir irremplaçable, une vision de l'humanité qui ne disparaîtrait qu'avec lui. Il tâta le rouble au fond de sa poche. Ce serait son talisman.

Le traîneau ralentit. Les chevaux peinaient, haletaient. Cette traversée de l'Oural était interminable. Quand arriverait-on au sommet du col ?

— Halte ! Pied à terre !

Tous les prisonniers descendirent. Le gendarme ordonna à Nicolas et à Youri Almazoff d'attacher leurs fers à la ceinture, pour donner plus d'aisance à leurs mouvements. Ils se mirent en marche, à la file. Un vent sans méchanceté leur jetait des cristaux de neige au visage. De hauts sapins noirs bordaient la route. Entre les cimes, coulait un fleuve de vapeur blanche. Au tintement argentin des clochettes, répondait le lourd cliquetis des chaînes. Une théorie de manchots gravissait la côte, en se dandinant. Comme les déportés n'avaient pas l'habitude du grand air, ils s'essoufflèrent et il fallut ralentir l'allure. Nicolas, les poumons déchirés, le cœur battant par à-coups, vacillait d'un pas sur l'autre. Il tomba deux fois et le gendarme l'aida à se relever. Sur la crête, se dressait une cabane solitaire, coiffée de neige. Une cheminée qui fumait, un chien qui aboyait : la vie ! Les traîneaux vides arrivèrent au relais avant les hommes. De là-haut, le feldjaeger leur faisait signe de se dépêcher :

— Allons ! Un petit effort ! Qui est-ce qui m'a foutu des empotés pareils ? Tenez mieux vos chaînes ! Marchez dans les traces !

En atteignant le sommet du col, Nicolas crut perdre connaissance. Les oreilles bourdonnantes, des aiguilles de givre dans les yeux, un goût de sang au fond de la bouche, il s'adossa à un arbre pour reprendre haleine. On lui parlait et il ne comprenait rien. Il avait envie de pleurer et de vomir. Peu à peu, cependant, les forces lui revinrent. Il regarda le monde, en contrebas. Des forêts bleues et noires, dentelées de neige, couvraient, à perte de vue, les pentes de l'Oural. La route blanche descendait dans cette épaisse fourrure, s'incurvait, s'effaçait, pour reparaître plus loin, rétrécie, filiforme. Un cocher leva son fouet et dit :

— Par là, c'est la Sibérie !

Nicolas écarquilla les prunelles. Il se trouvait donc enfin à la frontière de ces deux mondes inconciliables. Derrière lui, la Russie, le passé, Sophie, la douceur de vivre ; devant lui, le bagne, la terre de l'oubli.

— Eh bien ! quoi ? dit Youri Almazoff. Vu d'ici, rien ne ressemble plus à l'Europe que l'Asie !

Nicolas tenta de sourire. Mais son visage, durci par le froid, ne lui obéissait plus. Sur un ordre du feldjaeger, les prisonniers, dos rond, chaînes bruissantes, se dirigèrent vers la cabane. Un aigle bicéphale, en bois grossièrement découpé, surmontait la porte.

8

Sophie retira son manteau, son chapeau, les remit à Douniacha et s'assit au bord du canapé, tête basse, les mains sur les genoux. Jusqu'à quatre heures de l'après-midi, elle avait couru les chancelleries. Nulle part on n'avait connaissance de son affaire. Econduite du Palais d'Hiver et de l'ambassade de France, elle n'avait pu trouver Hippolyte Roznikoff au palais Michel, où il avait maintenant son bureau. Comme le pas de son beau-père se rapprochait dans le couloir, elle se rétracta sous l'effet de la contrariété. Depuis le départ de Nicolas, elle supportait mal la présence à ses côtés de ce vieillard dont l'affection se teintait de fourberie et qui semblait se délecter de la souffrance qu'elle lui infligeait parfois en le rudoyant. Il la fatiguait par ses mines et ses soupirs.

— Quelles nouvelles ? demanda-t-il en pénétrant dans le salon.

— Rien, dit-elle.

La consternation allongea la figure de Michel Borissovitch :

— Ma chère enfant, je suis désolé pour vous !...

— Je vous en prie, père, répliqua-t-elle vivement, ce n'est pas à vous de me plaindre !

— Mais si ! Mais si ! Tout en réprouvant la cause à laquelle vous vous dévouez, j'admire votre persévérance et déplore de la voir si mal récompensée !

Elle balança la tête lentement :

— Je ne comprends pas l'incertitude où on me laisse ! Qu'on me dise oui, ou non ! C'est pourtant simple !...

— Il faut que vous n'ayez aucune idée de la distance qui nous sépare du tsar pour supposer qu'il pourrait nous entendre. Vous vous adressez à un mur, Sophie ! Les semaines passeront ! Vous userez votre santé, votre dignité, en visites inutiles ! Croyez-moi, vous avez fait l'impossible ! Maintenant, la conscience en paix, vous avez le droit — que dis-je le droit ? — le devoir ! de retourner avec moi auprès du petit Serge...

— Non, dit-elle, je n'abandonnerai pas la partie.

— Qui vous parle d'abandonner la partie ? s'écria-t-il. Si vous devez avoir une réponse, elle vous touchera aussi bien à Kachtanovka qu'à Saint-Pétersbourg. Au lieu de l'attendre ici, dans l'énervement et l'oisiveté, vous l'attendrez là-bas, en vous rendant utile à votre entourage !

Cet argument ébranla Sophie. Elle était lasse, découragée. Malgré toutes les relations qu'elle s'était faites, elle se sentait plus perdue à Saint-Pétersbourg que dans une forêt. Prête à céder, elle leva les yeux sur son beau-père. Debout devant elle, il la regardait avec une expression de ruse et de tendresse qu'elle lui avait déjà vue pendant leurs parties d'échecs. Elle s'ébroua pour retrouver sa lucidité d'esprit.

— Je n'irai pas à Kachtanovka, dit-elle.

— Mais pourquoi ?... Je viens pourtant de vous expliquer...

— Céder sur ce point équivaudrait à céder sur tous les autres. Si l'on apprend en haut lieu que je me résigne à vous suivre, on classera définitivement mon affaire.

— Soit, soupira-t-il. Le temps se chargera de vous convaincre, puisque vous ne voulez pas entendre mes raisons !

— Et vous, père, quand comptez-vous repartir ? demanda-t-elle à brûle-pourpoint.

Il frissonna et une lueur d'affolement traversa ses prunelles.

— Je ne veux pas vous quitter, dit-il.

— Même si je dois demeurer ici des semaines, des mois encore ?

— Oui, Sophie.

— Et le petit Serge ?

— Quoi ?

— Vous le laisseriez seul à Kachtanovka ?

— Il a toutes les servantes, toutes les nourrices qu'il faut pour s'occuper de lui !

Elle lui retournait les reproches dont il l'avait accablée autrefois.

— Vous me teniez un autre langage quand il s'agissait de me persuader ! dit-elle.

Désarmé au milieu de l'attaque, il bomba le torse, chassa l'air violemment par les narines et dit d'une voix sourde :

— Je me moque du petit Serge ! Ma vie n'est pas auprès de lui, mais auprès de vous !

Ce fut comme si un bloc de pierre venait de tomber dans une mare. Un long silence suivit, pendant lequel les cercles s'élargirent autour de cette vérité. Douniacha entra pour allumer les lampes. Un globe de verre dépoli brilla entre Sophie et son beau-père, au centre de la table. Tiré de la pénombre, le visage de Michel Borissovitch apparut, crevassé comme une terre sèche. Il avait dépouillé tout orgueil. Après le départ de la servante, il balbutia :

— Permettez-moi de rester, Sophie ! Nous nous installerons dans un logement plus agréable ! Je vous aiderai...

Depuis son arrivée, elle vivait de l'argent que Nicolas avait touché sur la vente de la maison familiale à Saint-Pétersbourg. Mais elle avait beau surveiller ses dépenses, cet appartement modeste, loué tout meublé, lui coûtait, chaque mois, une fortune. La nourriture, le moindre service, étaient, en ville, hors de prix. Bientôt elle serait obligée d'engager des bijoux à un prêteur. Michel Borissovitch devait se douter de sa gêne.

— Je ne puis tolérer que des soucis d'argent s'ajoutent à vos soucis de cœur ! reprit-il. Ah ! Sophie, pourquoi refusez-vous de me considérer comme l'être qui vous veut le plus de bien au monde ?

— Je n'ai besoin de rien, dit-elle, et je n'ai pas du tout l'intention de déménager.

— Laissez-moi, du moins, participer aux frais de la maison, puisque j'y habite !

— Non.

— Je m'invite donc, dit-il. Mais pour longtemps !

— Pour le temps que vous désirez !

Il espérait cette réponse après tant de déconvenues. Un air de bonheur inonda son vieux visage. Elle s'en voulut de lui avoir fait plaisir.

— Que Dieu exauce tous vos vœux, ma chère enfant ! dit-il. Même ceux dont la réalisation me serait le plus pénible !

Et il se tourna vers l'icône de la Sainte-Vierge, qui veillait à l'angle du salon. Sophie se demanda s'il ne priait pas pour toute autre chose. Il se signa.

— Je voudrais vous emmener souper au restaurant, ce soir, dit-il en revenant vers Sophie.

C'était la première fois qu'il lui proposait une sortie en ville. Elle songea à Nicolas, perdu dans la steppe. Cette misère, jour à jour devinée, la rendait intraitable envers tous ceux qui n'en avaient pas conscience. Elle allait répondre durement à son beau-père, quand Nikita frappa à la porte pour annoncer une visite. Hippolyte Roznikoff entra, porté par un rayon de lumière. Ses éperons tintaient, ses yeux brillaient, ses dents riaient. Il claqua des talons, se cassa en deux devant Sophie, puis devant Michel Borissovitch, dégrafa son épée et s'écria en français :

— Je vous ai manquée de peu à mon bureau, chère Madame ! J'ai enfin du nouveau pour vous ! Le général Benkendorff désire vous voir après-demain, à trois heures !

★

D'un geste souple de la main, le général Benkendorff invita Sophie à s'asseoir devant lui. Elle darda ses regards sur cet homme d'une quarantaine d'années, au front dégarni, aux joues fripées et aux yeux vifs, dont dépendait son destin. D'énormes épaulettes débordaient ses maigres épaules. Cordons et aiguillettes passaient en dessins compliqués entre les boutons de son uniforme. Tout le côté gauche de sa poitrine était couvert de crachats, de croix et de médailles. Il embaumait le « Parfum de la Cour ». Elle lui trouva l'air distant, et s'inquiéta.

— Madame, lui dit-il en français, avec un fort accent russe, Sa Majesté a pris connaissance des nombreuses requêtes que vous avez présentées aux personnes de son entourage.

— J'en suis fort heureuse, général, balbutia-t-elle.

Elle s'était habillée avec recherche pour cette visite. Redingote de velours plain, d'un vert tirant sur le noir, et chapeau de même velours, à plumes de marabout mauves incurvées sur l'oreille. En entrant dans le bureau, elle était sûre de plaire. Pour emporter la décision, elle n'eût pas hésité, même, à se montrer coquette. Mais Benkendorff semblait insensible à son charme. Il était, devant cette femme, comme devant un dossier, l'œil fixe, la moustache triste.

— Votre insistance, dit-il, aurait pu déplaire à l'empereur. Il a eu la bonté de n'y voir que la manifestation d'un vif dévouement conjugal. Cela, bien entendu, ne résout pas le problème...

— Je ne suis pas la première épouse qui sollicite de Sa Majesté la faveur de suivre son mari en Sibérie, dit Sophie en essayant de sourire.

— Certes non ! s'écria Benkendorff. Les princesses Troubetzkoï et Volkonsky vous ont donné l'exemple. Mais permettez-moi de vous faire observer qu'elles appartiennent toutes deux à de grandes familles russes et que nous pouvons avoir en elles une entière confiance.

Elle eut un sourd battement de cœur. La conversation s'engageait mal.

— Me reprocheriez-vous d'être française ? dit-elle.

— Grand Dieu non ! Ce ne sont pas vos origines mais vos opinions qui sont en cause ! J'ai là un rapport des plus intéressants...

Il prit une liasse de papiers sur sa table, les feuilleta et lut :

— « D'après les témoignages recueillis sur

place, à Kachtanovka et dans tout le district, l'intéressée (il s'agit de vous, Madame !) fréquente l'église plus par curiosité que par piété véritable, déplore l'institution du servage, entretient les paysans dans la pensée que l'instruction les sauvera de la misère et ne manque pas une occasion de critiquer l'ordre établi et de prôner les théories libérales françaises. »

— Ce n'est pas vrai ! marmonna Sophie. Qui a dit cela ?

— Des personnes proches de vous.

Elle songea à son beau-père. N'avait-il pas fourni les plus mauvais renseignements sur elle, pour inciter le gouvernement à lui refuser un sauf-conduit ? Il était capable de tout ! Mais non, un tel machiavélisme était inconcevable ! Il fallait chercher ailleurs ! Les méchantes langues ne manquaient pas dans la région : Daria Philippovna, Bachmakoff, Péschouroff... Des noms défilaient dans sa tête, mais toujours, avec insistance, ses soupçons se reportaient sur Michel Borissovitch. Elle se sentit perdue.

— Comment pouvez-vous ajouter foi à des ragots de province ? dit-elle.

— Vous venez de France, Madame, dit Benkendorff. Un pays où la politique bouillonne jusque dans la rue ! Auriez-vous renoncé à vos idées républicaines en vous expatriant ?

Elle se rebiffa :

— Sans renoncer à mes idées, je n'ai jamais essayé de les propager autour de moi, par égard pour l'hospitalité que je recevais dans ma nouvelle patrie !

— Quel dommage que votre mari n'ait pas été aussi discret que vous ! dit Benkendorff avec un demi-sourire.

— Il s'est laissé entraîner...

— Et vous n'avez rien tenté pour le retenir. Mais nous ne sommes pas là pour faire le procès des décembristes...

— Ni celui de leurs épouses, général, dit Sophie.

— Ne vous enflammez pas ainsi, Madame. En France, tous ces messieurs auraient été condamnés à mort !

— Du moins auraient-ils eu des avocats pour les défendre !

— En matière de politique, les avocats n'ont jamais sauvé la tête de personne !

— C'est une question de principe !

— Les principes, Madame, ne servent qu'à entretenir l'aigreur des faibles contre les forts ! Pour vous, la France est le pays de la civilisation et de la justice, mais, à toutes les époques de son histoire, les crimes politiques y ont été punis sans pitié ! La république a guillotiné par milliers les aristocrates, l'empire a fusillé le duc d'Enghien, la royauté a tranché le cou aux quatre sergents de La Rochelle... Et vous voulez donner des leçons d'humanité au monde !

Sophie se dominait pour ne pas contredire Benkendorff. Même s'il ne restait plus qu'une chance infime de succès, elle devait se cantonner dans son rôle de quémandeuse. Elle pensa à Nicolas, pour se donner le courage d'accepter d'autres humiliations. Mais, déjà, le visage du général se plissait dans une grimace aimable.

— Eh ! oui, reprit-il avec notre prétendue barbarie, nous sommes plus indulgents pour les ennemis du régime que les Français dont la largeur d'esprit est légendaire. A ceux qui en douteraient encore, la mansuétude du tsar envers les familles des condamnés apporte, chaque jour, une preuve irréfutable.

— Je voudrais pouvoir partager leur reconnaissance, dit Sophie avec effort.

— Vous allez en avoir l'occasion, dit Benkendorff en se renversant sur le dossier de son fauteuil.

Il marqua un temps, comme un acteur qui se prépare à lancer sa meilleure réplique, perça Sophie d'un regard pointu, et dit encore :

— J'ai l'agréable mission de vous faire savoir que l'empereur accède à votre requête.

Elle éprouva un sentiment d'irréalité, de bonheur intense ; son sang bondit, ses yeux se voilèrent de larmes ; elle chuchota :

— Je vous remercie, général.

— Ce n'est pas moi qu'il faut remercier, dit Benkendorff, mais l'empereur, et, davantage encore, peut-être, l'impératrice, dont l'intervention en votre faveur a été décisive.

— J'écrirai... j'écrirai à Leurs Majestés...

Benkendorff jouissait de son trouble en connaisseur.

— Vous êtes charmante ! dit-il, comme s'il se fût aperçu, tout à coup, qu'il avait affaire à une femme. Saint-Pétersbourg vous regrettera, si vous ne regrettez pas Saint-Pétersbourg. N'avez-vous pas alerté l'ambassadeur de France au sujet de votre supplique ?

— Si.

— C'est ce qu'il me semblait ! A tout hasard, j'ai avisé M. de La Ferronays, de l'heureuse conclusion donnée à vos démarches. Je ne doute pas qu'il en fera mention dans sa prochaine dépêche. Il est bon qu'on sache à Paris que la fermeté du tsar n'exclut pas une bienveillance paternelle...

Sophie comprit qu'il y avait encore de la propagande là-dessous. Elle devinait le prétexte d'une

démonstration politique. Peu lui importait ! L'essentiel était que la route vers Nicolas fût ouverte.
— Quand pourrai-je partir ? demanda-t-elle.
— Ne soyez pas trop pressée ! Si vous saviez ce qui vous attend là-bas !...
— Mon mari !
— Voilà une belle réponse, Madame, grommela Benkendorff en s'inclinant. Préparez donc votre voyage. Dans quelque temps, vous serez convoquée par le grand maître de la police qui vous remettra un sauf-conduit.
Il se leva. L'entretien était terminé.
En quittant Benkendorff, Sophie se laissa porter par la joie à travers une antichambre pleine d'officiers, au bas d'un escalier bordé de sentinelles, dans la rue enfin, où des passants la coudoyèrent, sans la tirer de sa merveilleuse obsession. Elle n'avait pas la foi. Jamais elle n'avait prié Dieu de l'aider dans son malheur. Mais, par une disposition d'esprit qu'elle s'expliquait mal, c'était Lui qu'elle avait envie de remercier, maintenant qu'elle était heureuse. A croire que toutes les lettres qu'elle avait écrites, toutes les visites qu'elle avait faites, n'eussent servi de rien si une puissance surnaturelle n'avait ordonné au tsar de la comprendre et de l'exaucer. Elle entra dans la première église qui se présenta, comme si elle y eût été attendue. Quelques fidèles, disséminés dans la nef, se prosternaient et se signaient en silence. Un fond de scepticisme empêchait Sophie de les imiter. Et, cependant, elle avait l'intuition que le monde n'était pas fait seulement de choses visibles, que la vraie vie était, peut-être, au-delà des gestes et des mots.
— Merci... Merci, dit-elle à voix basse.
Mille petites flammes brillaient devant elle. Sans réfléchir, elle acheta un cierge, l'alluma, le planta

sous une image sainte et le regarda brûler parmi les autres bâtonnets blancs. Un plaisir enfantin et, sans doute, peu religieux, lui venait de cette contemplation. Elle ne se retrouvait pas, avec son caractère fort et clair, dans cette femme fondue de béatitude. On lui avait retiré un harnais des épaules. Libre de ses mouvements, allégée de son angoisse, et peut-être de sa raison, elle s'en retourna vers la porte d'où soufflait le froid de l'hiver. Sur le parvis, des mendiants et des nonnes lui tendirent leurs mains bleues. Elle leur fit l'aumône à tous, comme sa chance l'y obligeait.

Pendant le trajet jusqu'à la maison, elle ne pensa guère à Michel Borissovitch. Tout à coup, elle se trouva devant lui, dans le salon, où il l'attendait depuis des heures. Elle lui sourit, radieuse, sous son chapeau à plumes. Il comprit et ses traits s'affaissèrent, son regard s'éteignit. Il n'avait pas eu cet air désespéré en apprenant l'arrestation de son fils. Sophie lui raconta son entrevue avec Benkendorff. Elle parlait avec volubilité. Son allégresse la rendait égoïste. Elle voyait son beau-père souffrir et ne le plaignait pas. Quand elle se tut, il resta longtemps tête basse, replié sur sa blessure. Puis il dit faiblement :

— Allez là-bas, Sophie, puisque c'est votre désir !... Mais revenez... revenez dans six mois, dans un an !... Si vous tardez trop, je serai mort !...

Elle détourna les yeux. Il se moucha avec un bruit de trompette. Son menton sautillait entre les effilochures de ses favoris grisâtres. Ridé, voûté, vidé, il paraissait vraiment sur le point de rendre l'âme. Mais il avait trop souvent simulé des malaises, pour qu'elle s'inquiétât de cette nouvelle défaillance. Lui-même, d'ailleurs, feignait déjà de se surmonter.

— Ne pensez plus à moi ! Soyez toute à votre

bonheur, mon enfant ! Vous l'avez mérité ! dit-il avec un entrain funèbre.

Il garda cette attitude, les jours suivants. L'existence de Sophie en fut facilitée. Leurs seules dissensions portaient maintenant sur les modalités du départ. De semaine en semaine, elle attendait la convocation du grand maître de la police. Michel Borissovitch exigeait que le voyage s'effectuât dans des conditions de confort exceptionnelles et que tous les frais fussent à sa charge. Mais Sophie ne voulait rien lui devoir. Elle vendit quelques bijoux et un manteau de fourrure pour se procurer de l'argent. Le total fit quatre mille roubles. C'était suffisant. Il fallut aussi régler la question des domestiques. Nikita supplia sa maîtresse de l'emmener en Sibérie. Elle eut beau lui affirmer qu'il courait au-devant des pires déconvenues, il s'entêta dans son projet :

— Partout où vous irez, barynia, j'irai aussi ! Je vous le dois, à vous et à Nicolas Mikhaïlovitch ! C'est vous et non mes parents qui m'avez donné la vie !

Ce dévouement aveugle attendrissait Sophie et agaçait Michel Borissovitch. Visiblement, il était jaloux de tous les êtres à qui elle marquait de la sympathie. Il tenta de lui expliquer qu'elle serait mieux servie, aux relais, par Antipe. Elle tint bon. Il s'assombrit.

— Ne craignez-vous pas les racontars, dit-il, si on vous voit courant les routes avec ce serviteur trop jeune et trop bien tourné ?

Elle le frappa d'un regard méprisant qui le ravit. Il aimait cette sensation de froid au-dedans de lui-même. En se retirant, il murmura :

— Vous ne pouvez m'en vouloir d'être soigneux de votre réputation !

Quelques minutes plus tard, passant devant

l'office, elle entendit un bruit de discussion et entrebâilla la porte. A genoux devant Michel Borissovitch, Antipe tendait ses mains jointes et marmonnait :

— Du moment que Nikita y va, barine, pourquoi irais-je aussi ?

— L'un surveillera l'autre.

— Alors prenez quelqu'un de plus jeune que moi ! Je n'ai plus ma vigueur d'avant ! Et je n'ai rien fait pour être envoyé en Sibérie !

— Tu n'es pas le seul !

— Par pitié, barine ! gémit Antipe.

Il grimaçait de toute sa face de pitre aux poils roux et aux grandes oreilles.

— Tais-toi, chien ! cria Michel Borissovitch, tu feras ce que je te dirai de faire ! Il n'est pas convenable que la barynia parte avec Nikita seul ! D'ailleurs, je vais aussi expédier Douniacha avec elle ! Vous ne serez pas trop de trois pour la servir !

Douniacha jeta son visage dans ses mains et sanglota bruyamment. Sophie entra dans la pièce et rétablit l'ordre par quelques mots si vifs, que Michel Borissovitch en eut la respiration coupée. Elle ne voulait personne d'autre que Nikita. Sauvés de l'exil, Antipe et Douniacha se précipitèrent sur elle et lui baisèrent les mains. Michel Borissovitch bouda toute la soirée. Le lendemain, en rentrant de faire ses emplettes, Sophie trouva devant la maison une superbe calèche, noire et jaune, avec son beau-père assis à l'intérieur. Il venait d'acheter cette voiture pour sa bru. Il essayait les ressorts.

— Ce sera mon dernier cadeau, dit-il.

Elle refusa d'emblée, par dignité. Il se désola :

— C'est ridicule ! Vous ne pouvez partir pour un si long voyage dans une guimbarde mal suspendue ! Vous vous fatiguerez deux fois plus et vous irez deux fois moins vite ! Ne soyez pas entêtée ! Ou alors, je le deviendrai, moi aussi ! J'empêcherai Nikita de vous suivre !

— Comment cela ? demanda-t-elle avec hauteur.

— Cet homme m'appartient : il ne peut aller en Sibérie sans mon autorisation écrite !

— En somme, vous me proposez un marché ?

— Un marché dans lequel je n'ai rien à gagner, si ce n'est un peu de votre reconnaissance !

Elle se sentit désarmée. Cette calèche la tentait beaucoup. Elle n'avait pas les moyens de s'en procurer une aussi commode. D'autre part, elle se disait qu'elle pourrait difficilement se passer de Nikita en cours de route. Après un long débat de conscience, elle accepta. Le soir même, Michel Borissovitch rédigea l'attestation qu'on exigeait de lui :

« Je soussigné autorise mon serf Nikita Christophorytch à accompagner ma bru, Sophie Ozareff, Française d'origine, en Sibérie. Voici le signalement de l'intéressé : taille deux archines neuf verchoks, yeux bleus, cheveux blonds, visage ovale, nez droit, barbe rasée, soupçon de moustache. Célibataire. Sait lire et écrire. Religion orthodoxe. » Une grande signature et un cachet de cire verte, aux armes de la famille Ozareff, certifièrent le document. En le remettant à Sophie, Michel Borissovitch grommela :

— Je n'ai pas de honte à vous céder, puisque le tsar m'en a donné l'exemple. Mais, permettez-moi de vous dire qu'il n'est pas du tout sûr qu'on vous autorise à prendre un domestique avec vous !

Son plaisir, maintenant, se réduisait à la taquiner et à l'apitoyer, tour à tour, pour se repaître des diverses expressions de son visage avant la séparation. Chaque instant passé auprès d'elle était pour lui une fête qu'il vivait en avare. Il allait à l'église le matin, pour prier Dieu que le grand maître de la police n'envoyât pas de convocation, et, le soir, pour remercier Dieu de lui avoir donné une journée de sursis. Deux grands mois s'écoulèrent encore, dans l'expectative. Enfin, le 27 mai, un agent de quartier se présenta, porteur de l'ordre espéré par Sophie, redouté par Michel Borissovitch.

Elle s'attendait à une formalité rapide, mais le jeune secrétaire, qui la reçut à la direction générale de la police, avait le goût de la lenteur et de la précision. Il lui lut des notes de service, auxquelles elle ne comprit rien, et finit par lui montrer un papier armorié et calligraphié, en disant :

— Ceci est le règlement qu'il vous faudra signer si vous persistez dans votre idée de rejoindre votre mari.

Elle parcourut le document, avec négligence d'abord, puis avec surprise :

« Les épouses des criminels politiques qui suivront leurs maris en Sibérie devront partager leur sort et perdre leur premier état, c'est-à-dire qu'elles ne seront plus regardées que comme des femmes d'exilés, de forçats, et que leurs enfants, nés en Sibérie, feront partie des serfs de la Couronne...

« Elles ne pourront être accompagnées que d'une seule personne, choisie parmi leurs serfs, et cela à condition que cette personne, homme ou femme, y consente de bon gré et en donne soit un certificat signé, soit une déclaration orale au gouverneur...

« Elles ne pourront voir leurs maris dans la maison de correction que deux fois par semaine...

« Elles ne pourront exiger des autorités aucune défense contre les avances incessantes des gens dépravés, faisant partie de la classe la plus méprisable, qui croiront avoir le droit d'outrager ou de violer la femme d'un criminel d'Etat soumis au même sort qu'eux...

« Elles ne pourront jamais quitter la résidence qui leur est assignée...

« Elles ne pourront envoyer leurs lettres autrement qu'en les remettant ouvertes au commandant... »

Toutes ces interdictions étaient si manifestement calculées pour décourager les femmes des décembristes, que Sophie eut un sursaut de révolte.

— Ce n'est pas sérieux, Monsieur ! dit-elle. En somme, une femme ne peut rejoindre son mari en Sibérie qu'en acceptant de devenir, elle-même, une sorte de forçat !

— Pas tout à fait, Madame.

— Il est vrai qu'on ne parle pas, dans votre règlement, de nous mettre les fers aux pieds !

— Ni de vous obliger à travailler ! Ni de vous enfermer dans une prison !

— J'attendais autre chose de la magnanimité impériale.

Le secrétaire tendit la main pour reprendre le document :

— Il est encore temps de refuser !

— Non, dit-elle. Où faut-il que je signe ?

Il pointa son index, à l'ongle effilé, au bas de la page.

— Ici.

Elle traça son nom d'une main ferme, avec la sensation d'engager son destin plus gravement que le jour de son mariage.

DEUXIÈME PARTIE

1

A la sortie de Tomsk, la route partit dans un poudroiement grisâtre, entre des étendues d'herbe lustrée par le vent furieux. Tout frissonnait, tout vibrait, dans une odeur de terre arrachée. Le cocher conduisait à l'aveuglette. Une demi-douzaine de clochettes tintaient sur l'arc de bois peint qui surmontait l'encolure du limonier. Il trottait durement, par saccades, tandis que les deux chevaux de côté, la tête tournée vers l'extérieur, galopaient en forçant à peine sur leurs bricoles. Un arbuste déraciné vola en travers du chemin. La troïka effarouchée fit un écart si subit, que les deux roues de gauche de la voiture entrèrent dans un fossé et s'immobilisèrent. Déséquilibrée, elle menaça de se coucher tout à fait. Le cocher descendit en sacrant. Nikita le suivit et saisit le limonier au mors. Sophie voulut les aider. Mais, sitôt qu'elle eut pris pied sur le talus, l'ouragan la cingla, la ligota dans sa robe. Mille pointes d'épingle lui criblèrent les joues. Elle perdit le souffle et serra les mâchoires. Du sable crissait sous ses dents.

— Remontez vite, barynia ! hurla Nikita.

Fouetté par la bourrasque, il avait une silhouette oblique, ébouriffée, comme si son vêtement eût été fait de plumes et de lanières. Le cheval se cabra devant lui. Il le retint à bout de bras. La tête de l'animal et la tête de l'homme s'affrontèrent dans un tourbillon de poussière lumineuse. L'un criait, l'autre hennissait. Ils finirent par se comprendre. Les chevaux se calmèrent. Craquant de toutes ses jointures, la calèche franchit le revers du talus et se rétablit sur ses quatre roues. Sophie et Nikita reprirent leur place, côte à côte, sur la banquette. Le cocher escalada son siège, siffla et lâcha les rênes. L'équipage bondit dans une effroyable secousse. Arc-boutée des deux pieds contre le fond de la voiture, cramponnée à la rambarde, Sophie ne pouvait se prémunir contre les chocs. Tantôt elle roulait sur l'épaule de Nikita, tantôt elle était projetée en l'air et se cognait la tête contre les ferrures de la capote. Le prochain relais, Sémiloujnoïé, était à trente verstes. Il paraissait improbable que la belle calèche noire et jaune, don de Michel Borissovitch, tînt jusque-là.

Soudain, aux clameurs de l'ouragan succéda un silence irréel. Ayant soulevé beaucoup de poussière et sarclé beaucoup d'herbe, le cyclone s'éloignait vers Tomsk. La campagne s'immobilisa dans une chaleur de fournaise. Dans l'air asséché, la moindre brindille, le moindre caillou, se dessinaient avec une précision fascinante. Mais Sophie n'avait même plus la force de s'intéreser au paysage. Depuis quatre semaines qu'elle avait quitté Saint-Pétersbourg, une idée fixe la guidait : y aurait-il des chevaux au relais suivant ? La manière de voyager des Russes, qu'elle avait adoptée à son corps défendant, consistait à rouler jour et nuit, tant qu'on trouvait des attelages de rechange. Dès l'arrivée à une station, elle se jetait sur le maître de poste pour lui présenter sa *podorojnaïa,* ou feuille de route, se faire inscrire sur un registre et réclamer une troïka fraîche. S'il y en avait une, on repartait dix minutes plus tard ; s'il n'y en avait pas, l'attente commençait, d'autant plus insupportable pour Sophie, qu'à chaque seconde pouvait surgir un nouveau venu dont la feuille de route primerait la sienne. Elle ne se résignait pas à cette classification des voyageurs en trois catégories, d'après le caractère de leur sauf-conduit. La *podorojnaïa* du courrier de cabinet impérial portait trois cachets et permettait de réquisitionner la meilleure troïka, sous le nez même de ceux qui s'apprêtaient à la prendre. Le maître de poste devait toujours tenir des chevaux en réserve, pour le cas où l'un de ces personnages importants tomberait dans sa cabane. Le service de la poste aux lettres était assimilé à la première catégorie. La *podorojnaïa* de deuxième catégorie, ou *podorojnaïa* officielle, marquée de deux cachets, était celle des officiers de terre et de mer, et des gros bonnets de l'administration. Le détenteur de cette feuille n'avait pas le pouvoir de réquisitionner des chevaux et, s'il n'y en avait plus de disponibles à l'écurie, il était obligé d'attendre que le dernier attelage eût pris cinq heures de repos ; après quoi, il se l'appropriait au détriment des autres voyageurs, quand bien même ceux-ci fussent arrivés avant lui à la station. La *podorojnaïa* de troisième catégorie, frappée d'un seul cachet, était délivrée aux simples particuliers. C'était celle de Sophie. Il était injuste, se disait-elle, que les gens de la poste, les courriers ministériels, les employés, qui voyageaient pour de vagues affaires administratives, prissent le pas sur elle, qui allait au bout du monde pour reconquérir son bonheur. Dans les moments de grande fatigue, elle doutait qu'il lui serait donné un jour de revoir Nicolas. Elle ne savait même pas sur quel bagne il avait été dirigé. A Saint-Pétersbourg, dans les bureaux de la police, on l'avait prévenue que tous les renseignements nécessaires lui seraient communiqués à Irkoutsk, centre de triage des déportés. Or, Irkoutsk était à mille cinq cent soixante verstes de Tomsk ; soit, au mieux, quinze jours de route ! Que se passerait-il, si, là-bas, des fonctionnaires imbéciles prétendaient n'être au courant de rien ? On racontait, dans la capitale, que quelques décembristes étaient morts pendant le transfert, que les autres travaillaient dans des mines de cuivre, que l'administration pénitentiaire ne les distinguait pas des criminels de droit commun... Tout en refusant de croire à ces ragots, Sophie en était constamment tourmentée. Fermant les paupières, elle eut l'impression que les petits chevaux sibériens l'emportaient dans le vide, qu'il n'y aurait pas de terme à son aventure, qu'elle déboucherait brusquement, seule vivante, dans un univers sans couleur, sans odeur, sans écho. Une voix grave la toucha dans sa rêverie :

— Barynia ! Barynia ! Qu'avez-vous ?

Elle rouvrit les yeux et contempla avec reconnaissance le visage hâlé de Nikita. Il était si prévenant et si discret à la fois, qu'elle n'aurait pu souhaiter un meilleur compagnon de voyage.

— Un peu de fatigue, dit-elle.

— Vous êtes si pâle ! Voulez-vous que nous nous arrêtions ?

— Non. Ce n'est rien !... Continuons ! Continuons ! Nous n'avons pas de temps à perdre !...

La route s'étirait dans un paysage onduleux et

désert. Par échappées, le regard plongeait dans un vallon transversal, où se déroulait la vague sombre des forêts. Puis venaient des prairies d'un vert tendre, désaltérant. Dans l'herbe haute, tremblait le pointillé multicolore des fleurs : renoncules jaunes, anémones violettes, myosotis d'un bleu délicat. Parfois, la trompe d'un berger déchirait l'air d'un appel rauque. Le long d'un talus, s'étalait un campement d'émigrants. Une marmite fumait sur un brasier. Des hommes en loques, la main sur les yeux, regardaient passer la voiture. Encore deux ou trois verstes, et un groupe d'isbas misérables se pressaient au bord de la route. Sophie avait déjà vu mille fois ce même village : maisonnettes de rondins, noircies, déhanchées, palissades mangées par les orties, puits à bascule, petite église badigeonnée de blanc, coiffée d'un toit vert chou et surmontée d'une coupole métallique... Des cochons à tête de sangliers, maigres, jaunes, le poil hirsute, se vautraient dans un fossé. Une oie s'envolait, effarouchée. Un pope se retournait, barbu comme un prophète, étonné comme un enfant. Et, déjà, il n'y avait plus de village.

Le temps d'avaler encore une grande étendue de plaines, de forêts, de route poussiéreuse, et le hameau suivant pointa à l'horizon. Les chevaux forcèrent l'allure, le cocher se dressa sur son siège, Nikita tira sa chemise dans sa ceinture : c'était le relais.

Un poteau bariolé de blanc et de noir indiquait la maison de poste. Elle était bâtie en bois, surélevée de quelques marches, avec un auvent pour protéger l'entrée. Heureusement, il y avait une troïka disponible. Le maître de poste jura même à Sophie qu'il lui donnait ses meilleures bêtes. « Des aigles, des aigles de la steppe, barynia ! » Elle lui glissa un rouble de pourboire. Un palefrenier détela les chevaux fourbus. On les laisserait souffler vingt minutes, puis le cocher enfourcherait l'un d'eux, saisirait les autres par la bride, et les ramènerait au petit trot à la station d'où ils étaient venus. Là, ils prendraient leurs cinq heures de repos réglementaire avant de repartir pour le même trajet.

Dans sa gangue de poussière, la calèche ressemblait à une voiture-fantôme. Nikita arrima fermement les bagages et surveilla le graissage des essieux. Pendant ce temps, Sophie alla s'inscrire sur le registre des voyageurs. La salle commune était identique à toutes celles qu'elle avait connues précédemment : une table avec un chandelier, quatre chaises, des banquettes rembourrées pour les dormeurs, une icône, le tableau des distances entre les stations, le tarif des chevaux (un kopeck et demi par verste et par cheval) et un portrait d'Alexandre Ier, celui du nouveau tsar n'ayant pas dû parvenir encore dans ces régions reculées. Le samovar fumait. Elle but une tasse de thé brûlant, mangea deux œufs durs, un morceau de pain noir et envoya chercher Nikita pour qu'il se restaurât, lui aussi. Il vint, large d'épaules, enfantin de visage, refusa de s'asseoir devant elle, mais accepta, en rougissant de partager son repas. Sa blouse de paysan, ceinturée à la taille, était d'un rose brique déteint, ce qui donnait plus de lumière encore, par contraste, à ses yeux bleus. Le soleil et le vent avaient bruni ses pommettes, décoloré ses cheveux, ses sourcils, gercé ses lèvres. Il dévorait. A peine se fût-il essuyé la bouche avec le revers de sa manche, que le maître de poste déclara :

— La voiture est prête !

Les petits chevaux sibériens étaient si fougueux, que des valets d'écurie leur tenaient la tête pour les calmer. Sophie et Nikita montèrent avec légèreté dans la calèche, en ayant soin de ne pas imprimer de secousses aux brancards. Quand le cocher eut, à son tour, bondi sur son siège, les hommes qui immobilisaient l'attelage s'écartèrent. La troïka libérée s'élança, droit devant elle, avec la force d'un torrent. Tout craquait, tout dansait, dans le martèlement des sabots et le tintement des clochettes. La première impulsion passée, l'allure s'assagit, le cocher reprit ses bêtes en mains. Harnachées de cordes et de lambeaux de cuir, la robe grise et bourrue, la crinière flottante, elles gravissaient les côtes avec entrain et les dévalaient sans presque ralentir, le limonier seul s'arc-boutant sur son train de derrière pour soutenir le poids de la voiture.

— Il y a un frein à la calèche ! cria Sophie au cocher. Pourquoi ne t'en sers-tu pas ?

— Eh ! barynia, le meilleur frein c'est encore le cul des chevaux ! répondit l'autre.

Nikita jeta un regard inquiet à Sophie. Elle n'avait pas bronché. Il souffrait chaque fois que quelqu'un parlait vulgairement devant elle. Il eût voulu lui éviter les gros mots, les mauvaises rencontres, l'excès de chaleur, l'excès de froid, la faim, la soif, les fatigues, les angoisses de toutes sortes... Comment une personne d'apparence aussi délicate pouvait-elle résister aux épreuves du voyage ? Malgré la rudesse du parcours elle n'avait rien perdu, pensait-il, de son élégance. Elle portait une robe en tissu écossais noir, gris et cerise, des gants noirs, un chapeau de paille, retenu par un voile sous le menton. Une ombrelle fermée reposait sur ses genoux. Elle s'aperçut que Nikita la détaillait du coin de l'œil et sourit. L'admiration dont il l'enveloppait lui était douce.

— Le paysage s'anime un peu, dit-elle.

Les collines, recouvertes de pins et de bouleaux, moutonnaient à l'infini. De nombreuses rivières, affluents de l'Obi, coupaient la route. On traversait les unes sur des ponts de bois, qui pliaient au passage, les autres à gué ; l'eau bouillonnait autour des roues et léchait le marchepied. Quand l'attelage ralentissait, une nuée de moustiques s'attaquaient aux voyageurs. Nikita les chassait en agitant une branche feuillue devant le visage de Sophie.

De relais en relais, ils approchèrent du soir. Le bleu du ciel s'abîma dans un flamboiement de cuivre et d'émeraude. A la chaleur torride succéda un froid sec. Les écarts de température étaient si brusques dans la région, que Sophie croyait passer de l'été à l'hiver avec le coucher du soleil. Nikita trouvait qu'elle était peu couverte. Elle dut jeter un mantelet ouaté sur ses épaules et accepter un plaid sur ses genoux.

Ils arrivèrent, de nuit, à la station de Patchitanskaïa, où une déception les attendait : le courrier postal venait d'en partir avec quatre voitures et douze chevaux. L'écurie était vide. Dans la salle, une dizaine de voyageurs, affalés sur des banquettes, ruminaient leur malchance. Parmi eux, il y avait deux Chinois en robe de soie noire et petit chapeau rond. Ils dormaient assis, dos à dos, la tête sur la poitrine, tels des magots de porcelaine. Une jeune femme avait déballé son gros sein blanc et allaitait un bébé, sous l'œil repu du mari. Au bout de la table, un marchand barbu ronflait, le front sur ses mains jointes, deux autres buvaient du thé, les paupières mi-closes, un morceau de sucre dans la joue. Des mouches tournaient autour de l'unique fanal qui pendait du plafond. Les fenêtres calfeutrées maintenaient dans la pièce une odeur d'huile de tournesol, de bottes pourries et de choux aigres. Le maître de poste inscrivit Sophie dans le registre des voyageurs et l'avertit qu'elle ne pourrait reprendre la route que le lendemain, vers midi.

— Ce n'est pas possible ! gémit-elle. Je suis très pressée...

Et elle lui fourra trois roubles dans la main. Il accepta l'argent avec une courbette, mais répéta qu'il n'aurait pas de chevaux disponibles avant l'heure qu'il avait dite.

— D'ailleurs, un peu de repos vous fera du bien ! reprit-il. Si vous avez faim, j'ai tout ce qu'il faut pour vous préparer un excellent repas !

En fait, il ne put servir que des œufs, de la soupe aux choux et du lait caillé. Comme il n'y avait pas de chambre pour les voyageurs, Sophie s'étendit sur une banquette et tira son plaid jusqu'au menton. Nikita s'allongea sur la banquette d'en face. Le maître de poste baissa la mèche de la lampe. Dans la pénombre, le bruit des respirations devint assourdissant. Sophie écoutait cette rumeur de flux et de reflux — coupée de râles, de sifflements, de soupirs humides — et ne pouvait dormir. Le bébé se mit à geindre. Sa mère le berça d'une chansonnette. Un marchand se leva pour boire un verre d'eau. En se recouchant, il éveilla son voisin. Ils chuchotèrent :

— Ecoute, compère, j'ai réfléchi ! Rabats-moi dix kopecks sur tes cuillers et je t'en rabattrai autant sur mon drap !...

— Es-tu un ennemi du Christ, mon nourricier, pour me faire une proposition pareille ?...

La suite se perdit dans un bourdonnement. Sophie appuya sa nuque sur son manteau plié en quatre. Tous ses membres lui faisaient mal. Assommée de fatigue, elle tomba dans un trou noir. Un peu plus tard, des hurlements monotones la tirèrent de son sommeil. Le bébé avait la diarrhée. Sa mère le changea et, pour le calmer, lui donna de nouveau le sein. En se tournant vers Nikita, Sophie remarqua qu'il avait les yeux ouverts.

— Vous ne pourrez pas vous reposer ici, barynia ! murmura-t-il. Voulez-vous que j'essaye de décider un paysan à nous louer des chevaux ? Seulement, dans ces cas là, ils ne se connaissent plus, ils demandent n'importe quel prix !

— Je paierai ce qu'il faudra, dit Sophie. Va vite !

Il partit pour le village. Elle était presque sûre qu'il reviendrait bredouille : personne ne lui ouvrirait, en pleine nuit ! A peine fut-il sorti, que des aboiements furieux éclatèrent. Les chiens donnaient de la voix, de proche en proche, contre cet inconnu qui marchait à l'heure où les autres dorment. Sophie pouvait le suivre, dans ses allées et venues, au vacarme de protestations qu'il soulevait sur son passage. Longtemps, elle resta l'esprit vide, le regard fixé sur la porte. Soudain, Nikita reparut, l'air victorieux : un paysan proposait une troïka pour six kopecks par verste et par cheval. Jusqu'à la station de Bérikoulskoïé, distante de vingt-sept verstes, cela ferait cinquante roubles avec le pourboire. Le quadruple du tarif officiel !

— Allons-y ! dit Sophie.

Nikita réveilla le maître de poste et les valets d'écurie. A la lueur d'un fanal, trois chevaux nains, velus, à l'œil sauvage, furent confrontés avec l'élégante calèche. Visiblement, ils étaient plutôt faits pour tirer des tarantass. Leur propriétaire, un Toungouse, exigea d'être payé d'avance. Quand il eut empoché l'argent, l'attelage se rua, ventre à terre, dans les ténèbres.

— Je vois à peine la route ! balbutia Sophie entre deux cahots.

— Lui, la voit, barynia ! dit Nikita. Ne craignez rien !... Essayez de dormir !...

Elle en était bien incapable. Cramponnée à la banquette, elle scrutait, à droite, à gauche, cet abîme d'herbe noire, de feuillage noir, de brume noire où, çà et là, luisait le squelette blanc d'un bouleau. Au loin, une bête poussa un cri qui ressemblait à un rire d'enfant.

— Quel est cet animal ? demanda Sophie.

Nikita ne répondit pas. Il s'était assoupi. Un balancement de la voiture le pencha vers Sophie. Elle reçut le poids d'une tête chaude sur son épaule. Jamais une pareille intimité n'avait existé entre eux. Endormi, Nikita était, pensait-elle, de son rang. Réveillé, il redeviendrait un domestique. Mais un domestique d'une espèce particulière, que son service grandissait au lieu de le diminuer. Dans l'extraordinaire aventure où ils s'étaient lancés l'un et l'autre, la différence de leurs conditions s'était progressivement abolie. Ils avaient dépouillé les faux principes de la civilisation pour retrouver l'essence de leur être. Ce rapprochement apparaissait à Sophie comme une illustration des théories égalitaires qui l'avaient exaltée dans sa jeunesse. C'était assurément parce qu'elle était Française et républicaine qu'elle se sentait à l'aise dans une situation aussi insolite. Russe, elle n'eût pu oublier, malgré toute sa hauteur d'âme, que Nikita était un serf. Quelles idées, quels rêves cheminaient derrière ce front qui bougeait mollement au rythme des cahots ? Si elle avait su voir en lui par transparence, n'y eût-elle pas découvert sa propre image, comme reflétée dans l'eau noire et lisse d'un puits ? Elle percevait, sur son corsage, sur sa main, la caresse d'une haleine tiède.

De temps à autre, le vent de la course brouillait toutes ces impressions agréables. Pour un peu, elle eût ordonné au cocher de conduire moins vite.

Le jour se leva. Les cheveux de Nikita blondirent. Ce fut la première couleur qui revint sur la terre. A un brusque mouvement que fit le garçon, Sophie ferma les yeux et feignit le sommeil. Elle n'eût pas toléré d'être surprise par lui dans sa contemplation. Maintenant, elle lui opposait un visage clos de partout et dont elle contrôlait l'innocence et la grâce. Elle devina qu'il s'écartait d'elle, qu'il la regardait, qu'il arrangeait sa couverture. Jusqu'aux abords de Bérikoulskoïé, elle prolongea ainsi le plaisir d'être aveugle. Puis soudain, elle s'éveilla avec naturel. Aussitôt, Nikita se préoccupa de savoir si elle avait bien dormi, si elle n'était pas trop lasse...

Au milieu du village, un bouvier à cheval sonnait dans un cornet d'écorce de bouleau. A ce signal, les paysans ouvraient leurs étables et laissaient partir leur bétail pour le pâturage. La calèche navigua lentement, à contre-courant, parmi des vagues de laines bouclée, de mufles roses et de cornes, avant de parvenir à la maison de poste.

Pas de chevaux avant trois heures. Sophie se résigna. Elle avait besoin de se restaurer, de se rafraîchir. Dans un réduit sombre, elle trouva une fontaine en cuivre, suspendue au mur. Le fond du récipient était traversé par un petit levier, terminé par une boule formant soupape. Chaque fois que Sophie soulevait cette tige mobile, l'ouverture crachotait un filet d'eau sur ses mains. Elle déboutonna sa robe et se lava comme elle put, en maintenant la porte bloquée avec son pied, car il n'y avait pas de targette.

Le cocher et les chevaux qui se présentèrent dans la cour ressemblaient, trait pour trait, à ceux dont ils prenaient la relève. On repartit, sans même s'apercevoir du changement. A trois verstes de Bérikoulskoïé, le ciel se couvrit. De tous les coins de l'horizon arrivèrent des troupeaux de nuages noirs. Ils avaient des toisons crépues et de faibles pattes de vapeur qui traînaient par terre. Trop lourds pour continuer, ils crevèrent en pluie. La capote résonna comme une peau de tambour. Les lointains disparurent, hachés menu par les couteaux de l'averse. En un clin d'œil, la route se liquéfia. Les sabots des chevaux s'enfonçaient dans la gadoue et en ressortaient avec un bruit de succion. Bientôt, la vase atteignit une telle profondeur, que les roues s'enlisèrent. A dix pas de là, une passerelle de troncs d'arbre recouvrait le sol. C'était le seul élément solide dans cette campagne ramollie. Un furieux effort de l'attelage engagea la voiture sur le plancher branlant. Il y eut un choc et la caisse pencha. Le cocher sauta à terre, fit le tour de l'équipage, s'ébroua sous une cataracte et annonça que les deux roues arrière étaient cassées.

— Nous allons arranger ça ! dit Nikita en le rejoignant.

Mais le mal était plus grave qu'il ne le supposait. Jantes et rayons rompus — il ne fallait songer ni à réparer l'avarie ni à poursuivre le chemin dans ces conditions. Le cocher connaissait une maison à l'écart de la route. Les voyageurs pourraient s'y installer, pendant que lui-même, enfourchant un cheval, irait chercher un tarantass et un charron au relais de poste. Pour être sûr qu'il reviendrait, Nikita décida de garder les deux autres chevaux en gage. Le cocher accepta, d'un air de dignité outragée.

— Je vais vous conduire, dit-il. Autrement, vous ne seriez pas bien reçus !

Sophie descendit pour alléger la calèche. Nikita

ouvrit un parapluie et le lui tendit. On s'ébranla sous des trombes d'eau. Les flaques bouillonnaient de grosses bulles rieuses. Mille petites grenouilles sautaient dans les ornières transformées en ruisseaux. Le cocher guidait l'attelage au pas. Nikita et Sophie marchaient derrière la voiture, qui tanguait, gémissait, s'affaissait et cassait du bois à chaque soubresaut. Bientôt, elle roula sur les rais, puis sur les moyeux. La troïka tirait à grand-peine cet étrange véhicule, dont l'arrière-train labourait le sol.

On avait quitté la route pour s'enfoncer dans une forêt de mélèzes géants. Il y faisait sombre comme au crépuscule, mais les branches tamisaient la pluie. Au milieu d'une clairière, surgirent trois maisons de rondins. Une seule paraissait habitée.

— Est-ce là ? demanda Nikita au cocher.

— Oui, dit l'autre. Vous y serez bien pour attendre. Je serai de retour dans trois heures.

Mais Nikita ne semblait pas convaincu. Il entraîna le cocher à l'écart et lui parla à voix basse. En revenant vers Sophie, il avait une mine soucieuse.

— Barynia, dit-il, nous ne devrions pas aller dans cette maison.

— Pourquoi ?

— Elle appartient à un *chaman*.

— Qu'est-ce que c'est qu'un *chaman* ?

— Un sorcier sibérien. Il vit seul. Il parle avec les bêtes, avec les plantes, avec les esprits...

— La belle affaire ! Aurais-tu peur ?

Nikita se troubla, comme si elle lui eût reproché de manquer d'instruction.

— Avec ce que tu as lu, avec ce que tu as appris, tu devrais rire de ces sornettes ! reprit-elle. Ce *chaman* est probablement un brave homme.

J'ai très envie de faire sa connaissance. D'ailleurs, nous n'avons pas le choix !

— Comme vous voulez, barynia, murmura-t-il. Mais les livres n'expliquent pas tout.

Ils s'avancèrent vers la maison. Le cocher frappa à la porte. Sur le seuil, parut un petit homme sans âge, à la chair jaune, huileuse, avec deux fentes obliques à la place des yeux, pas de sourcils, pas de barbe et une bouche hilare où branlait une dent. Il était coiffé d'un bonnet pointu et habillé d'une longue veste en peau de renne. Le cocher le salua en s'inclinant jusqu'à la ceinture et lui dit quelques mots dans un dialecte incompréhensible. Après quoi, le *chaman* s'adressa en russe aux voyageurs :

— Je m'appelle Koubaldo. Que ma maison soit la vôtre aussi longtemps qu'il vous plaira !

Sophie le remercia et, précédant Nikita, entra dans la cahute. Une odeur de viande séchée, de pissât et de suint la prit à la gorge. Aux murs, des fourrures de loup, de zibeline, de renard, d'écureuil étaient clouées par les quatre pattes. L'unique fenêtre était tendue de vessie de poisson en guise de vitre. Au milieu de la pièce, brûlait un feu sur trois pierres. La fumée sortait par un trou dans le toit. Pour tout mobilier, des caisses de bois blanc, marquées d'inscriptions chinoises. Koubaldo étala des peaux de renne sur le sol et invita les voyageurs à s'asseoir dessus, les jambes repliées. Dans une marmite, posée sur le brasier, chauffait le thé de briques, ou thé kalmouk, que les Sibériens préfèrent à tout autre breuvage. Sophie avait entendu parler de cette infusion grossière, agrémentée de lait, de graisse de mouton et de sel, mais n'avait jamais eu le courage d'y tremper ses lèvres. Lorsque Koubaldo en offrit à la ronde, elle ne put refuser. Il remplit quatre écuelles d'un liquide épais, tirant sur le beige, qui dégageait un relent d'étable. Le cocher vida son bol d'un trait, avec délices, salua la compagnie et promit de revenir avec la rapidité d'une flèche. Quand il fut parti, Nikita et Sophie burent à leur tour, sous l'œil aigu du *chaman*. Dès la première gorgée, elle eut le feu aux joues. Ce goût d'herbe calcinée et de lard n'était pas supportable. Ecœurée, elle demanda un peu d'eau pour se rafraîchir la bouche.

— Je vais t'en chercher, dit Koubaldo. Elle vient d'une source si pure, que tu n'en as jamais connu de pareille !

Il avait une voix de vieille femme et parlait le russe avec un fort accent oriental. Sophie le trouvait amusant, mais Nikita le considérait avec méfiance.

— Vous ne devriez pas boire de son eau, barynia, chuchota-t-il à Sophie, pendant que leur hôte se dirigeait, d'une démarche balancée, vers le fond de la cabane.

Le *chaman* revint, portant une cruche d'une main et une pierre noire dans l'autre. Gravement, il jeta la pierre dans la cruche.

— Pourquoi fais-tu cela ? lui demanda Sophie.

— Cette pierre n'est pas une pierre ordinaire, dit-il. C'est une étoile, tombée du ciel, un jour, devant moi. Elle est née loin, loin, dans les profondeurs de l'espace, comme l'eau que je t'offre est née, loin, loin, dans les profondeurs de la terre. Quand je réunis la pierre et l'eau, je referme le cercle de la création. Il peut en résulter un grand bonheur...

Sophie esquissa un sourire. Les yeux de Koubaldo étincelèrent entre ses paupières rapprochées.

— N'aurais-tu pas besoin de bonheur ? dit-il.

— Oh ! si, dit-elle. Plus que jamais !

— Alors, pourquoi souris-tu ? Le bonheur, comme un serpent, se charme par des signes. Je ne te connais pas, mais je lis dans ton âme. Tu as beaucoup souffert, et tu es prête à souffrir plus encore pour rejoindre un homme. Lui, je ne le vois pas, mais, quand je pense à lui, j'entends un bruit de chaînes...

Sophie demeura une seconde interloquée, puis elle se dit que le *chaman* avait été renseigné, tout à l'heure, par le cocher, qui, lui-même, devait tenir cette information du maître de poste. Nikita, cependant, paraissait frappé de stupeur par la faculté divinatoire de Koubaldo. Profitant d'un moment de silence, la forêt se rapprocha de la maison, avec des craquements de branches, des ruissellements de pluie, des cris apeurés d'oiseaux. Dans les flammes du foyer, il y avait un combat de coqs. Des plumes d'ombre et de lumière sautaient dans tous les coins. Eclairé par en bas, le vieux Sibérien était une montagne de rides. La peau de son visage était aussi plissée que le cuir de ses bottes. Un fantôme au chapeau pointu s'agitait sur le mur, derrière ses épaules.

— Que peux-tu me dire d'autre ? demanda Sophie.

— Pas grand-chose. Il faudrait que tu restes plus longtemps avec moi. Tu as un caractère plein de fermeté et cela t'empêche de connaître certaines joies, parmi les plus simples.

— Ce n'est pas de moi que je voudrais que tu me parles.

— Et de qui ?

— De l'homme que je vais rejoindre.

— Je te répète que je ne le vois pas.

— Essaye !...

Elle se surprit à entrer dans le jeu d'une superstition qu'elle avait toujours réprouvée. Mais, au degré d'angoisse où elle était parvenue, tous les moyens lui étaient bons pour percer l'avenir. Avec un sentiment de gêne, elle insista :

— Est-il vivant ?

— Oui, dit le *chaman.*

Elle en éprouva un soulagement, qu'aussitôt elle jugea ridicule. Son éducation rationaliste luttait pied à pied contre la tentation du mystère.

— Est-il en bonne santé ?

— Je le crois. Mais je ne puis rien t'apprendre de plus : je mentirais. D'ailleurs, cela doit te suffire. Laisse-toi porter par le courant...

Il remplit une tasse de bois, jusqu'à ras bord, et la tendit à Sophie. Elle but et il lui sembla que la fraîcheur de la campagne passait dans sa bouche.

— Ton eau est excellente, dit-elle.

Il s'inclina devant la jeune femme, lui prit la tasse des mains et la tendit à Nikita en ordonnant :

— A toi, maintenant.

— Non, dit Nikita.

— Pourquoi ?

— Je n'ai pas soif.

— Dis plutôt que tu te méfies !

— Il y a de ça aussi !

— C'est absurde ! murmura Sophie. Bois, donc !

— Vous êtes entrés à deux dans ma maison, dit le *chaman.* Vous en ressortirez à deux. Si l'un refuse l'eau du bonheur, alors que l'autre l'a bue, tout ce qui devait être blanc deviendra noir.

Une expression effrayée marqua le visage de Nikita. Il saisit la tasse et la vida d'un trait. Puis il se signa la bouche.

— Signe-toi tant que tu voudras, dit le *chaman.* J'ai vu des prêtres, des missionnaires. Je sais ce qu'il y a dans leurs livres. Je ne suis pas leur ennemi. Seulement, leur Dieu à eux vit dans une maison, avec une croix dessus, le mien vit dans la feuille du bouleau, dans le ventre de la zibeline, dans les veines des pierres, dans l'œuf de l'orvet, dans la brume qui monte de la rivière...

— Pour nous aussi, Dieu est tout cela, dit Nikita. Mais, en plus, il y a le Christ et sa leçon de bonté...

Koubaldo se balança plusieurs fois, d'avant en arrière, à la façon d'un poussah.

— Je connais bien l'histoire du Christ. C'était un très grand *chaman*. Le plus grand de tous, peut-être... Mais vous, les chrétiens, vous dites qu'il est mort sur la croix, et nous autres, ici, nous pensons qu'il a survécu au supplice.

— Quoi ? s'écria Nikita. Comment serait-ce possible ?

— Je vais te l'expliquer, comme mon maître en sagesse me l'a expliqué autrefois. Le Christ a été crucifié un vendredi, n'est-ce pas ?

— Oui.

— D'habitude, on laissait les condamnés agoniser trois jours sur la croix ; mais lui, on l'a détaché le lendemain, samedi, parce que c'était le sabbat, et que, pendant le sabbat, tout s'arrête chez les Juifs. Le soldat qui devait l'achever d'un coup de lance lui a tiré du côté un peu de sang et d'eau, ce qui prouve qu'il était encore en vie. Puis on l'a rendu à sa mère. Elle l'a soigné dans un souterrain. Trois jours plus tard, il a retrouvé la parole, et ses disciples ont appelé cette guérison la résurrection. Durant quarante jours, il s'est montré à son entourage. Ensuite, il a quitté la ville. Mais il n'est pas monté au ciel comme le croient ceux qui le prient. Il s'est réfugié dans le désert et y a vécu très vieux, dans la méditation.

— Le Christ... le Christ vieux ?... Tu es fou ! balbutia Nikita en joignant les mains.

— Pourquoi le Christ vieux serait-il moins vénérable que le Christ jeune ? dit Koubaldo.

Cette discussion théologique étonnait Sophie. Elle se demanda d'où le mage sibérien — qui, sans doute, ne savait même pas lire — tenait sa science.

— Quand donc le Christ serait-il mort, d'après toi ? dit-elle.

— Je n'en sais rien, répondit Koubaldo. Mais très tard ! Rappelle-toi ce qui est arrivé à celui que vous appelez saint Paul ! (Tu vois que je connais beaucoup de choses !) Lorsqu'il raconte la vision qu'il a eue sur le chemin de Damas, il ment. C'est le Christ en chair et en os qu'il a rencontré. Le Christ vieux. Aussi vieux que moi. Plus peut-être ! Le Christ vieux a fait entrer le voyageur Paul dans son isba. Ils ont parlé du grand mystère, comme nous, ce soir. Et le voyageur Paul a été converti...

Il se tut, mais un tremblement agitait les parties molles de son visage. On eût dit qu'il poursuivait la conversation avec quelqu'un d'autre, dans un langage inaudible pour le commun des mortels. Un hennissement retentit, lugubre comme un appel à l'aide. Nikita se précipita dehors : les deux chevaux étaient là, à l'attache, sous la pluie et, non loin d'eux, la calèche démantelée, inutilisable. Il rentra, tête basse, dans la cabane, où le *chaman* offrait à Sophie un plat de pignes. Elle en grignota quelques-unes, les déclara délicieuses et interrogea son hôte sur ses chasses dans la forêt. Mis en verve, Koubaldo lui raconta la façon dont il attaquait l'ours, tirait les isoubres et capturait les chevreuils dans des fossés recouverts de branchages.

— Souvent, dit-il, quand un chevreuil tombe dans un de ces fossés, il y rencontre le loup qui le poursuivait. Mais, dans ce cas, le loup emprisonné ne touche pas à sa proie. Entre eux, se fait l'alliance du malheur...

L'alliance du malheur : ces mots ramenèrent Sophie au souvenir de Nicolas. Elle eut honte du plaisir que lui procurait cette halte, alors qu'elle aurait dû maudire tout incident qui la retardait dans son voyage. Etait-ce le crépuscule, qui, déjà, assombrissait la fenêtre tendue d'une membrane jaunâtre ? Le temps passait vite dans ce lieu de solitude et de magie. La pluie avait cessé. Mais la forêt s'égouttait encore. Koubaldo jeta des bûches dans le feu qui monta plus haut. Sophie se sentait la tête lourde. Peut-être Nikita avait-il eu raison de la mettre en garde contre le pouvoir du *chaman* ? Peut-être l'eau qu'elle avait bue était-elle un philtre, qui changeait toutes les dispositions de l'âme ? Elle sourit à cette pensée, qui était si peu dans sa manière.

— Il devrait déjà être de retour, dit Nikita.

— Oui, sans doute, murmura-t-elle, l'esprit ailleurs.

— S'il ne vient pas avant la nuit, que ferons-nous ?

— Vous dormirez sous mon toit, dit le *chaman*.

— Non, dit Nikita. Je prendrai un cheval et j'irai à sa rencontre...

— Ce serait le meilleur moyen de le manquer ! dit Sophie.

Et elle ajouta à voix basse :

— Et puis je ne peux rester ici toute seule !

— Alors, partons ensemble ! proposa-t-il.

— Et les bagages, et la calèche ?

Il s'inclina. Le *chaman* frottait ses longues mains sèches et riait :

— Voyageurs, voyageurs, oubliez d'où vous venez, oubliez où vous allez, oubliez qui vous êtes ! L'existence est trop courte pour ne pas saisir toutes les chances de bonheur ! Il y a dans nos régions un grand coq des bois, qui pèse jusqu'à trente livres, avec un plumage gris et noir, des sourcils rouges, un bec crochu. Au printemps, il appelle ses femelles, du haut d'un arbre, par un long roucoulement, suivi d'un cri bref. Pendant ce roucoulement, l'oiseau — les ailes à demi-ouvertes, la queue déployée, le cou tendu vers le ciel, dans l'extase — perd la notion du danger au point de ne pas entendre le chasseur qui s'approche et va tirer sur lui. Nous surnommons cet oiseau le sourdaud, parce qu'il est sourd à tout ce qui n'est pas sa joie. Il faut savoir parfois être un sourdaud dans la vie...

Nikita regarda Sophie avec inquiétude. N'allait-elle pas se fâcher contre ce vieux sorcier bavard ? Mais non, elle souriait, inconsciente, comme si elle eût voyagé pour son plaisir et que son compagnon de route ne fût pas un serf.

— Ton histoire est très jolie, dit-elle à Koubaldo. Mais, si j'ai bien compris, les sourdauds sont presque toujours victimes de leur insouciance.

— N'est-ce pas la meilleure mort que celle qui vous frappe au sommet de la vie ?

— Je ne le crois pas, dit Sophie.

— Tu es trop prudente ! Tu ne dois pas être de chez nous ! D'ailleurs, tu as un drôle d'accent ! Où es-tu née ?

— En France, dit Sophie.

Koubaldo rêva derrière ses paupières plissées et dit :

— La France... C'est loin !... Je sais des choses

sur la France... La révolution... Napoléon... Je vais vous préparer deux couchettes contre le mur...

— Non, dit Nikita précipitamment.

— Tu es pressé que le cocher revienne? demanda Koubaldo avec une moue sarcastique.

— Oui.

Le vieillard se tourna vers Sophie :

— Et toi aussi, barynia ?

— Oui, dit-elle.

— Alors, ce sera comme vous voulez.

Le *chaman* croisa les bras sur sa poitrine, baissa la tête, ferma les yeux. Au bout d'un long moment, Sophie entendit un bruit de clochettes qui se rapprochait dans la nuit.

2

Les roues, réparées à Podiélnitchnaïa, cassèrent de nouveau à la sortie de Mariinsk. L'avant-train, dont les ferrures s'étaient disloquées, se détacha entre Mariinsk et Souslova. Les essieux durent être remplacés trois fois entre Souslova et Tiajinskaïa. Malmenée par les pistes sibériennes, la calèche de Saint-Pétersbourg demandait grâce. Nikita conseilla à Sophie de la vendre, même à un très bas prix, et d'acheter un tarantass pour continuer la route. Mais si elle voulait une bonne marchandise, c'était à Krasnoyarsk qu'elle la trouverait, et non dans les petits villages du parcours.

Ils entrèrent de nuit dans cette grande bourgade, étalée au bord de l'Iénisséï. Par extraordinaire, le maître de poste disposait d'une chambre. Sophie put enfin se laver des pieds à la tête, donner son linge à blanchir et se coucher dans un vrai lit. Le lendemain, toute propre, toute délassée, elle sortit avec plaisir dans la rue. Après des verstes de solitude, l'animation de la ville lui brouilla les yeux. La plupart des maisons avaient la couleur rouge-brun des montagnes environnantes. Sur les trottoirs de planches, des Russes, vêtus à l'européenne, coudoyaient des Asiates aux figures larges et jaunes, aux vêtements flottants. Nikita conduisit Sophie chez un charron, qui, d'après le maître de poste, possédait le plus beau tarantass du monde.

C'était un chariot à quatre roues, dont la caisse ne reposait pas sur des ressorts, mais sur huit pièces de bois cylindriques, longues et flexibles, destinées à amortir les chocs ; pour que le système fût assez souple, il fallait, aux dires de Nikita, que l'écartement entre les essieux du train avant et du train arrière atteignît au moins quatre archines. Il se glissa sous la voiture, avec le marchand, pour prendre les mesures : elles se révélèrent idéales. Il ausculta également les roues, tâta les bandages, gratta du canif l'enduit d'un moyeu qui lui semblait fendu, et se déclara satisfait. Sophie, cependant, s'inquiétait qu'il n'y eût pas de siège dans le tarantass. On lui expliqua que c'était normal. Les voyageurs disposaient leurs bagages dans la caisse de façon à former une banquette ou une couchette, bourraient les interstices avec de la paille et étendaient sur le tout des peaux de mouton et des coussins. Une capote en cuir se relevait à volonté, et un large tablier protégeait la partie antérieure. En échange de ce véhicule presque neuf, le marchand exigeait trois cents roubles et la vieille calèche. Sophie était prête à accepter le marché, mais Nikita se mit en colère. Un reflet de poignard brilla dans ses yeux bleus. Il saisit le charron au collet, l'accusa de profiter de la situation et le menaça de lui écraser le museau s'il n'abaissait pas son prix de moitié. Jamais Sophie n'eût supposé que son paisible serviteur fût capable d'une telle explosion de rage. Effrayé, le vendeur, qui manifestement avait demandé trop cher, bégaya qu'on n'était pas des sauvages, qu'on pouvait discuter. De palier en palier, il descendit jusqu'à deux cents roubles. Ce chiffre comprendrait la fourniture d'une boîte de suif pour l'entretien des roues, de cordes, grosses et petites, d'un paquet de chandelles, d'un assortiment de clous, d'une hache et de quelques autres outils nécessaires aux réparations en cours de route. Cette fois, Nikita jugea l'offre raisonnable et tendit la main pour la tape d'accordement. Il fut convenu que le tarantass, mis en état et graissé, serait livré vers six heures devant la maison de poste.

— Pourquoi t'es-tu fâché ainsi ? demanda Sophie à Nikita quand ils sortirent de la remise.

— Cet homme cherchait à vous tromper, à vous voler, barynia ! Je l'ai lu dans ses yeux ! Je n'ai pas pu le supporter !...

Elle voulut visiter les magasins du centre de la ville. Sa toilette excitait la curiosité des passants. Certains se retournaient sur elle. Nikita les foudroyait du regard. Il ne marchait plus à un pas derrière sa maîtresse, comme naguère, mais à côté d'elle, les bras ballants, fort et ombrageux, prêt à la défendre contre quiconque oserait l'importuner. Elle s'amusait de lui voir cet air de cavalier servant. Il avait passé une partie de la matinée aux étuves. Il sentait le savon. Ses cheveux trop longs brillaient au soleil comme de la paille. Sa chemise était propre. Elle pensa qu'elle aurait pu lui en offrir une autre, bleue où blanche. Mais cette idée ne la retint qu'un instant. Ce qu'il fallait avant tout, c'était se procurer des provisions de voyage, Sophie en acheta pour cinquante roubles. Nikita porta les paquets dans un sac, sur son dos. Ils soupèrent fort mal à la maison de poste et se couchèrent tôt, elle dans sa chambre, lui dans la salle commune. Avant le lever du jour, il frappa à la porte. Le cocher attendait dans la cour avec les chevaux.

Dans le tarantass, les cahots étaient beaucoup plus violents que dans la calèche, mais il semblait que l'ajustage des bois fût à toute épreuve. A demi allongée dans la caisse, sur ses bagages, Sophie se faisait l'effet d'une reine des anciens temps, promenée rudement en litière. Assis près d'elle, Nikita ne la quittait pas des yeux, le regard suppliant, comme s'il eût voulu s'excuser des inégalités de la route. Un petit vent vif mettait du désordre dans le paysage, coiffant les prairies à rebrousse-poil, tournant les feuillages à l'envers et ridant l'eau dans le mauvais sens. Il fallut naviguer en bac sur un premier bras de l'Iénisséï, passer deux îles unies par un pont de bateaux et s'installer sur un second bac pour traverser le dernier bras du fleuve. Sophie et Nikita descendirent de voiture, tandis qu'on détachait les amarres. Reliée à un câble, qui allait d'une rive à l'autre, la lourde embarcation se déplaçait en oblique, poussée par la seule force du courant. A plus d'une verste de distance, la berge opposée était une brume de verdure, d'où émergeait la dentelure rose et bleue des montagnes. Ce glissement lent et silencieux, sur une eau calme, donnait à Sophie l'impression de voguer vers un mirage. Derrière elle, se pressaient des paysans, des chariots, des chevaux, des bœufs, toute la population, tout le cheptel, d'une île à la dérive. Hommes et bêtes étaient immobiles, muets, comme saisis par l'étrangeté de ce voyage hors du temps. Accoudée près de Nikita à une rambarde, Sophie murmura :

— Cela prendra au moins une heure !

Il la regarda tristement :

— Oui, barynia. Vous êtes impatiente d'arriver à la station ?

— Comme toujours !

— C'est pourtant beau, ce que nous voyons là !

— Très beau, Nikita. Mais je n'ai pas l'esprit assez libre pour admirer le paysage.

— Je comprends, je comprends...

Elle devina qu'elle lui faisait mal, qu'il eût donné n'importe quoi pour qu'elle parût heureuse, que cette randonnée interminable, angoissante, décevante, où elle usait son énergie sans même savoir quand elle toucherait au but, était pour lui la plus belle aventure qu'il eût jamais rêvée. Le clapotis de l'eau les enveloppa, les dispensa de parler. Sur la barre d'appui, elle sentit la main de Nikita proche de la sienne. Il avait un visage de souffrance. Elle s'écarta légèrement. Mais leurs coudes se frôlaient encore. Ils baignaient dans la même chaleur. Soudain, d'un mouvement irrité, il quitta la jeune femme et alla se poser à l'arrière du bac. Il ne revint vers elle qu'au moment où le bateau accostait. Elle ne lui demanda pas la raison de son incartade.

La route longeait la rive droite, puis s'élevait, par lacets paresseux, au flanc de la montagne. Pas de forêts. De la pierre et de l'herbe, sous un soleil dévorant. Le tarantass tenait bon malgré les ornières. A chaque station, Sophie et Nikita se désaltéraient et se restauraient, pendant que le maître de poste faisait changer les chevaux et graisser les roues.

Ils arrivèrent à onze heures et demie du soir à Ouïar, pour en repartir à minuit. Le cocher, un petit paysan d'une vingtaine d'années, était ivre. Au premier tournant, il boula dans le ravin. Sophie poussa un cri de frayeur. Les chevaux, affolés, prirent de la vitesse. Nikita n'eut que le temps de rattraper les guides et de tirer dessus. La troïka s'arrêta dans un entrechoquement de planches. Le gamin, riant et gesticulant, rejoignit la voiture et remonta sur son siège. Mais Nikita lui cloua le bec d'une gifle, le poussa de côté et garda les guides en mains. Il ne connaissait pas la route et hésitait à lancer l'attelage. Dégrisé, le cocher s'assoupit sur son épaule, avec l'abandon d'un sac de noix. Tous les quatre ou cinq cahots, il fallait le redresser.

L'ombre était claire, le ciel piqué d'étoiles. De temps à autre, Nikita se retournait pour voir Sophie. Elle ne dormait pas. Il distinguait la lueur attentive de ses yeux au fond du tarantass. A quoi pensait-elle en le regardant ? Par respect pour elle, il n'avait jamais approché de femme. Enfermé dans sa chasteté, il était fier qu'aucun souvenir voluptueux n'entachât sa passion. Mais, depuis que le *chaman* lui avait donné à boire de son eau, il se sentait prisonnier d'un charme pervers. Lui qui, jadis, n'aurait pas osé considérer Sophie comme une créature de chair, s'étonnait maintenant des audaces où l'entraînait son imagination. Une trappe s'était ouverte dans son cerveau, libérant tous les désirs qu'il étouffait, par pudeur, depuis des années. Il savait qu'il n'était qu'un serf, indigne de l'attention d'une barynia, que d'ailleurs elle aimait son mari, qu'elle allait le rejoindre — et cependant, conduisant ses chevaux dans la nuit, il ne pouvait s'empêcher d'oublier, par instants, sa condition misérable. Par la faute du vieux mage sibérien, la présence de Sophie était devenue pour lui non plus une bénédiction, mais une torture. Au moment où il se croyait le plus fort, un parfum le touchait, si intime, si émouvant, qu'il en perdait le fil de ses idées. Ou bien c'était l'inflexion d'une voix, un mot, un début de sourire... Alors, les tempes en feu, il songeait à des vêtements retirés. Il s'égarait dans l'inepte, l'inaccessible, l'irréel. Mais pourquoi, elle, qui avait bu le même philtre, gardait-elle la tête froide ? « Sans doute parce qu'elle est Française, se dit-il gravement. Les sortilèges ne prennent pas sur elle. »

Il résolut, par discipline, de ne plus penser à la jeune femme jusqu'à la station suivante, et ne put tenir que deux verstes. Quand il se retourna de nouveau, elle somnolait, la joue appuyée sur un coussin de cuir, une peau d'ours tirée sur ses jambes. Son visage était un œuf magique, déposé dans un nid de duvet par l'oiseau de feu des légendes populaires. Simple moujik, il transportait le bien le plus précieux du monde. Tous les sorciers étaient en alerte. Les bons et les méchants. Pour ou contre lui. Des deux côtés de la route. Ils avaient des figures de pierre, des barbes d'herbe, des doigts branchus, un regard d'étoile, une voix de torrent, un rire de renard. Les chevaux flairaient leur présence et secouaient des crinières peureuses. Pour les calmer, il les signa de loin, à trois reprises. Mais, depuis ce que lui avait dit le *chaman*, il n'était plus sûr de l'exorcisme. Si le Christ n'était pas mort crucifié, pouvait-on se protéger encore par le signe de la croix ? Restait la prière. Il récita : « Notre Père qui es aux cieux... » Très vite, les paroles sacrées se changèrent sur ses lèvres en un balbutiement impie :

— Je l'aime, je l'aime, je l'aime...

Il ne chuchotait plus, il criait dans la nuit. Le feu des mauvais instincts courait dans ses veines. Il brûlait tout entier au souffle de Satan. De loin, on devait le prendre pour un arbre en flammes. Et elle ne se doutait de rien ! Elle ne l'entendait même pas ! Le bruit des roues couvrait sa voix délirante. Heureusement pour lui, d'ailleurs. Sinon, outrée par son insolence, elle l'eût renvoyé à Saint-Pétersbourg. Il préférait souffrir ainsi jusqu'à la mort plutôt que de ne plus la voir. Crever avec ce rêve de géant dans sa poitrine de nain. Des larmes brouillaient ses yeux. Que se passait-il, là-bas, au bout de la route ? Quelles étaient ces lumières ? Ah ! la maison de poste ! Son exaltation baissa. Comme l'oiseau, ivre de ciel, doit tout de même se poser pour reprendre des forces, ainsi éprouvait-il du soulagement à redescendre au niveau du sol. Il était né pour atteindre les plus hautes ferveurs, non pour s'y tenir. S'il voulait pouvoir continuer d'aimer follement, il fallait qu'il fût, parfois, délivré de l'amour. Il rendit les guides au cocher.

Jusqu'à l'aube, ils voyagèrent sans perdre de temps aux relais. Dans le crépuscule du matin, Sophie distingua, sur la droite, les cimes neigeuses des monts Sayan, qui forment la frontière de la Mongolie.

A Kansk, le maître de poste avertit ses clients que des brigands avaient été signalés dans la forêt, à quelques verstes de là : « Ils ne sont pas méchants ; ils prennent les bagages, les chevaux ; et ils laissent les gens tranquilles... » Nikita s'enfiévra aussitôt. Depuis longtemps, il rêvait de risquer sa vie pour défendre sa maîtresse. Elle verrait de quoi il était capable. Son autorité impressionna Sophie. Ils partirent avec un bon cocher et de mauvais chevaux. Un coutelas au poing, Nikita, du haut de son siège, inspectait les abords de la route. « Mettre dix, vingt ennemis en fuite, songeait-il, et, blessé, couvert de sang, expirer aux pieds de ma barynia en lui avouant que je l'aime ! Oui, au seuil de la mort, j'oserai lui dire cela. Mais pas avant, pas avant, que Dieu me pardonne ! » En fait de bandits, ils ne rencontrèrent qu'une troupe de vieilles femmes, marchant à pas comptés, une besace sur l'épaule, un bâton à la main.

— Où allez-vous, petites mères ? leur cria le cocher en arrêtant ses chevaux.

— A la Laure de la Trinité de Saint-Serge, répondit l'une d'elles.

— C'est près de Moscou, ça ! Vous n'y serez pas avant un an !

— Le temps ne compte pas pour qui porte Dieu dans son cœur !

Elles avaient des figures de poussière et de fatigue, des yeux couleur de pluie.

Sophie leur fit l'aumône. Elles la remercièrent par des saluts profonds. Au bord du talus, une compagnie de minuscules quadrupèdes observaient la scène, dressés sur leurs longues pattes de derrière, les pattes de devant, grêles et courtes, appliquées contre la poitrine, les oreilles pointées, l'œil intelligent.

— Ce sont des écureuils ? demanda Sophie.

— Non, des gerboises ! dit le cocher. Il y en a plein par ici !

Quand il claqua du fouet, les gerboises détalèrent, par bonds successifs. Elles sautaient, pirouettaient, battaient l'air de leur queue à panache blanc. Puis, soudain, elles disparurent dans des trous. Toute vie se figea aux alentours : un aigle planait dans le ciel.

Après Klioutchinsk, on entra dans la taïga. Etranglée entre deux murailles de sapins, la route était aussi caillouteuse qu'un lit de rivière.

La nuit suivante, au bas d'une côte, alors que les chevaux étaient lancés au galop, un craquement retentit, le tarantass pencha à gauche, roula en cahotant sur une longue distance, s'arrêta d'un coup sec, et Sophie dut se cramponner à Nikita pour ne pas basculer dans le vide. Une roue était sortie de son axe. Le cocher partit, en maugréant, la chercher. Nikita battit le briquet, alluma le fanal et s'enfonça, lui aussi, dans la taïga. Restée seule dans la voiture, Sophie dominait mal son appréhension. Elle entendait des froissements de feuillages, dardait ses yeux dans les ténèbres et pensait aux bandits. Enfin, les deux hommes revinrent. Par une chance inexplicable, ils avaient retrouvé non seulement la roue, mais encore l'écrou et jusqu'au clou servant de fiche pour le maintenir. Dix minutes plus tard, le tarantass, rafistolé, roulait bon train, au son des clochettes.

Le lendemain, la taïga s'éclaircit, l'horizon se dégagea et Sophie se mit à compter les verstes qui la séparaient d'Irkoutsk. C'était là qu'elle devait apprendre le lieu de détention de Nicolas et de quelle manière elle pourrait le rejoindre. A mesure qu'elle approchait de cette ville, les fantasmagories du voyage se dissipaient en elle pour faire place à une juste vision de la réalité. Tendue d'impatience, elle ne remarquait même plus l'expression triste de Nikita et s'inquiétait surtout de savoir si la roue tiendrait jusqu'à la station suivante.

A Bokovskaïa, il fallut perdre une heure pour la réparation d'un bandage. Mais le quarante-quatrième et dernier relais n'était que de treize verstes. Le cocher jura qu'il couvrirait la distance en trois quarts d'heure. Grand et gros, avec des bottes, une ceinture rouge et des cheveux coupés à l'écuelle, il conduisait debout en chantant à tue-tête. Dans la plaine, paissaient des troupeaux de chevaux sauvages. Certains, amusés par le passage de la voiture, l'accompagnaient au petit galop, les reins souples, la crinière libre, la prunelle joueuse, puis s'arrêtaient soudain, distraits par un brin d'herbe qui bougeait au vent.

Après avoir traversé des terres nues et marécageuses, et longé les murs d'un énorme couvent aux toits verts, le tarantass s'engagea sur une jetée de planches soutenue par des pilotis, au bord de la rivière Angara. Une foule de paysans, assis sur des paquets, affalés dans des chariots, attendait l'arrivée du bac. Mais les voyageurs, munis d'une feuille de route, avaient priorité sur eux. Ils s'écartèrent pour laisser passer l'attelage. Le ponton résonna sous le pas des chevaux. Sur la berge d'en face, Irkoutsk apparut, sage, dans le crépuscule. Au-dessus des maisonnettes blanches, les bulbes dorés des églises brillaient comme les légumes d'un merveilleux potager.

3

— Je vous félicite pour la rapidité de votre voyage, Madame, dit le général Zeidler, gouverneur d'Irkoutsk, en invitant Sophie à s'asseoir dans son bureau.

Il parlait un français correct et grasseyant. Ses cheveux étaient gris, ses épaulettes décorées, le tissu vert de son uniforme tirait sur le jaune à l'endroit des plis.

— Etes-vous bien installée ? reprit-il aimablement.

— Je n'ai pas eu le temps de m'en rendre compte, dit Sophie. A peine arrivée, je me suis précipitée ici !

— Bien sûr ! Bien sûr ! C'est chez votre compatriote Prosper Raboudin que vous êtes descendue ?

— Oui.

— Une bonne auberge ! La seule auberge française de toute la ville ! Hélas ! Irkoutsk n'est pas Saint-Pétersbourg ! J'imagine qu'après les fatigues de la route vous devez être heureuse de prendre quelque repos !

— Je serai surtout heureuse de repartir !

La figure glabre du général Zeidler se fendilla de mille rides. Un sourire sans joie découvrit ses dents rousses :

— Toutes les mêmes ! La princesse Troubetzkoï et la princesse Volkonsky ne se sont pas exprimées autrement. Ah ! l'empereur a singulièrement compliqué ma tâche en lâchant ces dames sur les pistes sibériennes !

— Excusez-moi, Excellence, dit Sophie, je suis si inquiète !... Ne pouvez-vous m'indiquer où se trouve mon mari ?

— Mais comment donc, Madame ! Il est à Tchita.

— A Tchita ? répéta-t-elle d'un ton incertain.

— Oui.

— Qu'est-ce que c'est que Tchita ?

— Un village où une maison d'arrêt a été spécialement aménagée pour les déportés politiques.

— Est-ce loin d'ici ?

— Hélas, oui, Madame !... Huit cent soixante-dix-sept verstes !... Au-delà du lac Baïkal !... Des routes épouvantables !... D'ailleurs, la région n'est pas sûre !...

— Excellence, je vais vous demander un grand service : pourrais-je avoir des chevaux pour demain matin ?

— Comme vous y allez ! s'écria le général Zeidler. Un peu de patience ! Montrez-moi vos papiers, d'abord.

Sophie lui tendit sa feuille de route, son passeport, celui de Nikita. Le général les examina de si près, qu'il semblait davantage les renifler que les lire. Puis il les glissa dans un tiroir de sa table. Au claquement de la clef tournant dans la serrure du meuble, Sophie tressaillit et demanda :

— Pourquoi enfermez-vous ces documents ?

— Pour qu'ils soient en lieu sûr, Madame. Il serait très grave pour vous de les perdre.

— Mais je vais en avoir besoin.

— Pas avant quelque temps !

— Comment cela ?

— J'attends des instructions pour savoir si je puis vous autoriser à poursuivre votre route.

Sophie demeura un instant sans comprendre. Enfin, elle balbutia :

— Il y a sûrement un malentendu... Le tsar lui-même a donné son accord... Mes papiers sont en règle !...

— Ceux de la princesse Troubetzkoï, de la princesse Volkonsky et de Madame Mouravieff l'étaient également ; je les ai pourtant retenues ici, le temps nécessaire à un supplément d'enquête. En ce qui vous concerne, les recommandations de l'autorité supérieure sont encore plus précises. J'ai reçu l'ordre de procéder à une visite de vos bagages...

— C'est indigne ! s'écria-t-elle.

— Simple formalité, Madame. Mes hommes se trouvent déjà à l'auberge. D'une minute à l'autre, j'aurai le résultat de leurs investigations.

Elle écumait de rage impuissante. Au milieu de la table reposait un dossier, avec son nom calligraphié à l'encre rouge sur la couverture. Le général Zeidler dénoua la ficelle, tira un document de la liasse, le parcourut négligemment, comme pour se rafraîchir les idées et dit :

— Ah ! Madame, que n'êtes-vous restée où vous étiez ! Votre obstination causera le malheur de vos proches sans apporter de bonheur à votre mari...

Au lieu d'écouter son interlocuteur, Sophie regardait le papier qu'il tenait en main. Elle reconnaissait l'écriture et ne pouvait en croire ses yeux.

Son beau-père ! Pourquoi avait-il envoyé une lettre au gouverneur d'Irkoutsk ?

— Qu'est ceci, Excellence ? demanda-t-elle.

Le général Zeidler dédaigna de répondre et rouvrit le dossier pour y ranger le feuillet manuscrit. Mais Sophie devança son geste. Prompte comme l'éclair, elle se leva et saisit la lettre. Son regard sauta d'une phrase à l'autre : « Le passé politique de ma bru... J'adjure Votre Excellence... »

— Rendez-moi ce papier ! dit le général Zeidler d'une voix métallique, sans bouger de son fauteuil.

Perdue dans un brouillard de colère, Sophie l'entendit à peine, recula vers le fond de la pièce et continua de lire au hasard : « Est-ce logique qu'après avoir expédié au bagne les responsables de l'inqualifiable soulèvement du 14 décembre 1825, le gouvernement autorise l'une des plus ardentes propagatrices de leurs idées à s'installer près de la maison de force où ils subissent leur châtiment ?... » Un pas se rapprochait d'elle, accompagné d'un tintement d'éperons. « Eduquée à la française, dans le mépris de la monarchie et de la religion, cette femme représente un grave danger pour l'ordre public... Vous pouvez encore empêcher le pire... Retenez-la... Renvoyez-la à Kachtanovka... »

La lettre échappa des mains de Sophie, comme arrachée par un coup de vent. Elle découvrit le général Zeidler, qui la dominait de la tête. Grand, maigre, livide, l'œil exorbité, la joue creuse, il était un cadavre galvanisé.

— Votre audace vous coûtera cher, Madame ! grommela-t-il.

— Si vous ne vouliez pas que je prenne ce papier, pourquoi l'avez-vous placé ostensiblement sous mes yeux ? dit Sophie.

— Pour vous confondre.
— Eh bien ! c'est fait : me voici confondue ! Mais autrement que vous ne le supposez ! Confondue par la bassesse, par l'égoïsme de mon beau-père !...
Les soupçons qu'elle avait eus lors de sa visite au général Benkendorff se confirmaient brutalement. C'était comme si, en plein élan, une corde l'eût retenue. Elle se croyait libre, elle était en laisse. Après l'avoir arrêtée, Michel Borissovitch n'allait-il pas la tirer, étape par étape, en arrière ? Manœuvrée par lui à distance, elle s'exaspérait de n'avoir pas prévu ce coup et de ne savoir comment y répondre. L'indignation, le dégoût, brouillaient sa tête. Soudain, elle perdit toute assurance. Fatiguée de combattre un ennemi qui restait hors d'atteinte, elle s'effondra :
— Je regrette mon geste, Excellence... Mais essayez de me comprendre... Ce long voyage... Et, en arrivant ici, cette déception horrible... Je me suis emportée...
Elle avait honte d'avouer ainsi sa faiblesse, mais, en même temps, elle devinait que le général Zeidler y était sensible. Au milieu de son désarroi, une intuition féminine l'avertissait qu'elle pourrait plus obtenir de cet homme en se reconnaissant vaincue qu'en lui tenant tête.
— Calmez-vous, Madame, dit-il en se rasseyant. Je veux bien oublier l'étrangeté de votre conduite par égard pour le chagrin que vous éprouvez. Toutefois je dois tenir compte de cette lettre, qui m'a été transmise par la voie hiérarchique...
— Cette lettre prouve simplement que mon beau-père est prêt à utiliser n'importe quel moyen pour me ramener à lui ! s'écria Sophie.
Un sourire en estafilade allongea les lèvres du général Zeidler.

— Je n'ai pas à entrer dans vos querelles de famille ! dit-il modérément. Michel Borissovitch Ozareff est un personnage d'une réputation irréprochable, dont l'attachement à la cause impériale est connu de tous, alors que vous êtes, Madame, — excusez-moi ! — une étrangère, épouse d'un déporté politique. N'est-il pas normal que notre confiance aille au père qui a surmonté sa douleur pour demeurer un fidèle sujet du tsar, et non à la femme qui tente de retrouver son mari parce qu'elle approuve les idées pour lesquelles il a été condamné ?

— La politique n'a rien à voir dans le voyage que j'ai entrepris ! dit Sophie avec chaleur. J'aime mon mari ! Je ne supporte pas qu'il soit malheureux loin de moi ! Et je me demande comment des hommes qui se réclament sans cesse de la religion peuvent oublier qu'aucun jugement terrestre ne doit séparer ce que Dieu a uni !...

Elle se tut, effrayée d'avoir parlé trop fort devant un adversaire prompt à prendre la mouche. Mais il continuait de sourire en la regardant, comme amusé par le désordre de ses pensées. Elle était la quatrième femme de déporté qu'il recevait dans son bureau. Sans doute faisait-il des comparaisons avec les autres. Pour se donner du courage, elle songea qu'elle ne pouvait échouer là où les trois premières avaient réussi. Il fallait comprendre ce militaire sec, bilieux et désabusé, le tirer hors de ses paperasses, l'intéresser, l'attendrir, le séduire... Elle murmura :

— Aidez-moi, général, je vous en supplie !

— Vous me supposez plus de pouvoir que je n'en ai, Madame, dit-il. La décision ne dépend pas de moi, mais du général Lavinsky, gouverneur de la Sibérie orientale, qui, lui-même, voudra sûrement prendre l'avis de Saint-Pétersbourg...

— Tout cela à cause de cette lettre absurde, mensongère, criminelle !

— Cette lettre n'est pas faite pour arranger les choses, évidemment. Mais, de toute façon, nous vous aurions retenue quelques jours.

— Pourquoi ?

— Pour apprendre à mieux vous connaître, d'une part, et, d'autre part, pour vous donner le temps de réfléchir. Vous savez à quoi vous vous exposez : la perte de tous vos droits civiques, l'assimilation aux forçats, l'interdiction de revenir en Russie...

— On me l'a déjà expliqué cent fois. J'ai signé des papiers.

— Je vous offre une dernière chance...

— Offrez-moi plutôt des chevaux !

— Nous tournons dans un labyrinthe, Madame ! soupira le général Zeidler.

On frappa à la porte. Un sous-officier entra, rouge d'importance, et déposa un papier sur le bureau du gouverneur. Le général Zeidler lut le document à mi-voix :

— « Inventaire des bagages... Pas de livres français, pas de livres russes, pas de lettres, pas de journaux, des vêtements féminins, de la poudre féminine, des brosses féminines, de l'eau féminine, divers objets féminins... »

— J'ai le détail, si c'est nécessaire, Votre Excellence ! dit le sous-officier d'une voix enrouée.

— Inutile, marmonna le général Zeidler, un pli malicieux au coin de la lèvre. Tout cela me paraît normal.

Le sous-officier jeta un regard en biais à Sophie, renifla et dit encore :

— Je dois rapporter à Votre Excellence que le domestique serf de la voyageuse a voulu s'opposer à notre travail.

— Diable ! dit le général Zeidler. Et alors ?

— Nous l'avons juste un peu rossé pour lui apprendre. Et puis, nous l'avons arrêté.

— Très bien !

Sophie perdit la tête. Elle ne voyait que des ennemis partout.

— Pourquoi avez-vous fait cela ? s'écria-t-elle. Vous allez le relâcher !...

Le sourire narquois du général disparut. Son visage se dessécha.

— Non, Madame, dit-il. Nul ne peut contredire impunément à mes ordres.

— Au moins, permettez-moi de le voir !...

— Votre domestique passera la nuit au cachot. Je l'interrogerai demain. Si ses réponses sont satisfaisantes, je vous le renverrai à l'auberge. C'est tout ce que je puis vous promettre.

Elle se domina, par crainte d'user en escarmouches les forces de persuasion dont elle aurait besoin pour l'assaut final. Le général Zeidler l'accompagna jusqu'à la porte. Sur le seuil, elle balbutia :

— Excellence, vous ne m'avez rien dit de précis au sujet de mon affaire. Que puis-je espérer ?

— Dès qu'il y aura quelque décision vous concernant, je vous le ferai savoir.

— Combien de temps croyez-vous qu'il me faudra attendre ?

— Je l'ignore.

— La princesse Troubetzkoï...

— Elle est restée à Irkoutsk pendant trois mois.

— Ce n'est pas possible !...

— Hélas ! si, Madame ! Je vous présente mes hommages.

Un squelette en uniforme se raidit devant elle.

Deux talons claquèrent dans un mouvement de casse-noisette. Elle sortit, désespérée.

★

A l'auberge, elle trouva ses malles ouvertes, des vêtements épars sur son lit et le patron, Prosper Raboudin, qui se lamentait. Il avait eu très peur quand Nikita s'était opposé à la fouille des bagages.

— Si vous l'aviez vu planté devant votre porte, Madame ! dit-il avec un robuste accent berrichon. Ses yeux crachaient des éclairs ! Il jetait ses poings en avant ! C'est à peine s'ils ont pu le maîtriser ! Et ils étaient quatre !

— Ne l'ont-ils pas blessé, au moins ?

L'aubergiste jura que non. Mais elle le soupçonnait de s'être esquivé avant la fin du combat. Il était gras et chauve. Sa bouche molle s'étirait d'une joue à l'autre comme une limace. Ses petits yeux étaient pleins d'eau.

— Il n'aurait pas dû ! marmonna-t-il encore. Est-ce qu'on peut faire entendre raison à ces gens-là ? Heureusement que notre gouverneur est un brave homme ! S'il a promis de vous le rendre demain, il le fera. Au besoin, j'interviendrai moi-même. J'ai du poids auprès de ces messieurs, à cause de ma table. Et puis, je leur apprends le français...

Elle lui demanda comment il se trouvait si loin de France. Il n'attendait que cette occasion pour raconter tout au long son histoire. Ancien officier dans l'armée de Condé, il était passé en 1794, au service de la Russie et eût fait une excellente carrière dans les dernières années du règne de Catherine II, s'il n'avait eu la malencontreuse idée de blesser en duel un camarade de régiment et, une fois arrêté, de s'évader en tuant une sentinelle. Repris, jugé et envoyé en Sibérie, il avait, après dix ans de bagne, été placé en résidence surveillée à Irkoutsk. Là, il avait ouvert une auberge, car il n'aimait rien tant que la bonne chère. Assise au bord du lit, dans sa chambre, Sophie écoutait avec gêne ce bavard qui ressemblait moins à un militaire qu'à un cuisinier. Etait-il possible que l'âge, les humiliations les compromissions eussent à ce point dégradé un homme, dont la jeunesse avait été brillante? Le plus pénible était qu'il paraissait heureux de son sort. Pourtant, au moment où il était en train d'exalter sa réussite commerciale, une ombre passa dans ses yeux. Changeant de visage, il soupira :

— Ah ! la France, Madame !... Trente-cinq ans que je l'ai quittée ! Et vous, une dizaine d'années, n'est-ce pas ?

— Comment le savez-vous ?

— Nous vivons, ici, dans un désert, La principale distraction consiste à se renseigner, au bureau du gouverneur, sur les voyageurs attendus. On se communique les nouvelles de bouche à oreille. Une semaine avant votre arrivée, j'étais déjà au courant de tous vos problèmes. Votre mariage, votre installation en Russie, vos idées politiques, la révolte des décembristes, vos démarche pour rejoindre votre mari... J'espérais tellement que vous logeriez chez moi ! Merci de votre confiance ! Tout à l'heure, vous goûterez ma cuisine ! De la vraie cuisine de chez nous !...

Il l'agaçait. Elle finit par le renvoyer en se disant fatiguée. La lettre de son beau-père restait gravée dans sa tête. De tous les sentiments qui la tourmentaient, le plus vif était le mépris. Il n'existait pas de mots assez blessants pour la soulager. Que ne pouvait-elle affronter Michel Borissovitch, face à face, les yeux dans les yeux ? Elle s'assit pour lui écrire, chercha la phrase du début et se ravisa. Nul doute qu'une surveillance ne fût organisée autour d'elle, depuis son départ de Saint-Pétersbourg ! Sa lettre serait ouverte à la poste et communiquée au général Zeidler. Il en tirerait peut-être argument pour la retenir plus longtemps à Irkoutsk. La sagesse était de se résigner. Elle refoula sa colère par un effort de volonté, comme on domine une souffrance physique.

Le soir, elle descendit dans la salle à manger, à l'heure des premiers tintements de vaisselle. Il y avait là une grande table d'hôte, avec des convives bruyants, assis coude à coude. La proportion était d'une femme pour trois hommes. Au-dessus des serviettes blanches, nouées sous le menton, les visages brillaient, telles des billes de bois peint. Tous les regards se tournèrent vers la nouvelle venue, tandis que les conversations se perdaient en chuchoteries. Gênée par cette curiosité provinciale, Sophie obtint de Prosper Raboudin qu'il la fît servir seule, à une petite table.

Après une courte pause, les discussions reprirent à pleine voix. Tout le monde parlait russe. Mais les murs étaient décorés d'inscriptions françaises. Sophie lut, avec surprise : « Il n'est bon bec que de Paris... » « De France vient le goût de bien manger, de bien boire et de bien aimer, sans quoi l'homme ne serait que bête... » « Vive le vin de Bourgogne, qui met des rubis dans mon verre !... » Entre les écriteaux, pendaient des gravures jaunies, représentant les costumes des provinces françaises, un portrait de Louis XVI, un autre de Henri IV, des vues de la place de la Concorde, des jardins du Palais-Royal, des moulins de Montmartre, et, sous verre, un éventail à fleurs de lis, un billet de théâtre et un papier couvert de signatures, qui devait être une attestation quelconque ou une feuille de route. Il y avait tant de ridicule et tant de mélancolie à la fois dans ce désir de recréer, avec des brimborions, le souvenir de la patrie perdue, que Sophie en fut touchée de pitié.

— Je vous expliquerai tout cela, en détail, plus tard ! lui dit Prosper Raboudin avec fierté, en désignant d'un geste large les reliques de la salle. Pour l'instant, occupons-nous du menu !

Il lui certifia qu'elle allait goûter, au fin fond de la Sibérie, un potage comme on ne savait plus en mitonner à Paris. Déjà, les soupeurs de la table d'hôte, ayant humé le bouillon, s'animaient et se pourléchaient. Certains même poussaient le raffinement jusqu'à exprimer leur satisfaction en français : « Délicieux ! Suprême ! » Le patron saluait, une main sur le cœur. Pourtant, ces compliments habituels ne lui suffisaient plus. Il attendait le jugement de sa compatriote. En avalant la première cuillerée, elle crut à une plaisanterie. Fallait-il que le prestige culinaire de la France fût grand dans le monde, pour que tant de gens se récriassent d'admiration devant ce prétendu potage parisien, alors que n'importe quelle soupe de paysan russe lui était préférable ! Au moment du dessert, qui était une lourde crème, bourrée de raisins marinés, Prosper Raboudin s'assit près de Sophie et chuchota :

— Alors ?

— C'était très bon, dit-elle évasivement.

— Demain, je vous ferai une fricassée de poulet. Ma plus grande réussite !

— Est-ce chez vous que la princesse Troubetzkoï est descendue ?

— Non. Je n'ai pas eu non plus l'honneur d'héberger la princesse Volkonsky, ni Madame Mouravieff. Elles ont été mal conseillées, à cet égard ! Mais je les ai vues, je leur ai parlé !...

— Comment sont-elles ?

— Admirables ! Des saintes ! Ou peut-être des folles, excusez-moi ! Si belles, si riches, si distinguées, et une seule idée en tête : arriver jusqu'au bagne ! J'ai même l'impression que l'une d'elles — je ne veux nommer personne ! — a découvert qu'elle aimait son mari à partir du moment où il a été condamné ! Lorsqu'il était heureux, elle n'éprouvait pour lui que de l'indifférence. Les fers aux pieds, il est devenu pour elle un héros. C'est étrange, non ?

— Je ne trouve pas, dit Sophie.

— Quand je pense que, pour se lancer dans cette aventure, la princesse Volkonsky a abandonné son fils au berceau, Madame Mouravieff ses trois enfants !... Vous du moins, Madame, vous ne laissez personne derrière vous !...

Il y eut un silence. La porte de la cuisine battit, lâchant une forte odeur de graillon. Sophie songeait au petit Serge, avec la volonté de ne pas se repentir. Si elle devait se sacrifier pour quelqu'un, ce n'était pas pour ce bébé qui grandirait aussi bien sans elle, mais pour Nicolas dont elle seule pouvait soulager la peine. En vérité, elle n'avait pas d'autre enfant que son mari. Elle s'aperçut que, de plus en plus, elle pensait à lui en fonction du réconfort qu'elle allait lui apporter et non du bonheur qu'elle recevrait en échange. Ce qu'elle aimait en lui, c'était le besoin qu'il avait d'elle, c'était son propre dévouement ! Ses idées roulaient si vite et dans une direction si étrange, qu'elle en rompit brutalement le cours.

— Je ne comprends pas, dit-elle, qu'après avoir

accordé aux épouses des condamnés le droit de se rendre en Sibérie, le gouvernement s'ingénie à les arrêter et à les retarder sur leur route !

— Vous avez l'esprit trop logique, Madame ! dit Prosper Raboudin. En Russie, rien n'est jamais décidé une fois pour toutes. On donne d'une main et on retient de l'autre. Si le général Zeidler arrive à vous persuader de rebrousser chemin, on lui en saura gré, à Saint-Pétersbourg.

— Mais pourquoi ?

— Parce que le tsar n'a aucun intérêt à vous transformer, vous et vos semblables, en personnages de légende. Qu'il refuse à une femme de suivre son mari en Sibérie, et l'opinion publique en fait une martyre ? Mais si, parvenue à Irkoutsk, elle se laisse décourager et retourne en arrière, la voici, en quelque sorte, dépréciée, rendue à la condition commune, incapable d'exciter ni l'admiration ni la pitié de son entourage.

Sophie se dit que cet homme gras à lard avait de la finesse. Tout bien pesé, elle était heureuse d'avoir trouvé un Français à Irkoutsk. Elle se sentait un peu en famille, avec cette voix berrichonne dans les oreilles.

— En tout cas, murmura-t-elle, je suis résolue à ne pas céder.

— C'était mon impression ! dit Prosper Raboudin. Autrement, je ne vous aurais pas tenu ce langage. Voyez-vous, Madame, dans ma jeunesse, j'ai milité, en France, pour la monarchie. Mais, depuis que j'ai connu la prison, le knout, le bagne, j'ai changé d'avis.

— Vous êtes pour la république ?

Il eut un sourire large, cligna de l'œil et dit :

— Je suis pour Prosper Raboudin, sous n'importe quel régime et en n'importe quel lieu !

Elle le pria de lui parler des forçats. Il le fit de mauvaise grâce :

— Oui, c'était dur... Je travaillais dans les mines de cuivre de Nertchinsk... Les fers aux pieds, la nourriture abjecte... Mais quoi ? On se fait à tout !...

Visiblement, il ne voulait pas alarmer Sophie en lui donnant le détail des souffrances qu'il avait endurées.

— Aucune politique ne vaut qu'on se détruise pour elle, conclut-il. Si vous allez à Tchita par devoir, par grandeur d'âme, je vous crie casse-cou ! Au contraire, si vous sentez qu'en dehors de Tchita il n'existe pour vous aucune chance de bonheur, alors, n'hésitez pas, foncez tête baissée, renversez tous les gouverneurs !...

Il rit. Elle était troublée.

— Je ne conçois pas de vivre loin de mon mari, dit-elle.

— Bravo ! Permettez-moi de vous offrir une liqueur de France...

Elle accepta un peu de cassis. Il était très sucré et très fort en alcool. Une bouffée de chaleur monta aux joues de Sophie. Sa destinée lui parut d'une bizarrerie étourdissante. Etait-ce bien elle qui, dans cette auberge perdue, près du lac Baïkal, parlait de ses sentiments à un ancien bagnard, venu de l'armée de Condé ? Quand Nicolas aurait fini son temps de travaux forcés, elle s'installerait avec lui dans la ville de résidence qui leur serait assignée. Comme Prosper Raboudin, ils reconstruiraient un foyer, après avoir tout perdu. Ils se survivraient, en essayant d'oublier un passé trop aimable. Combien y en avait-il, de ces êtres transplantés, inadaptés, en Sibérie ?

— N'avez-vous pas eu de la peine à reprendre

une existence normale, après votre libération ? demanda-t-elle.

— Non, dit-il. J'avais amassé un petit pécule. Des amis m'ont aidé. Il n'y avait pas de bon restaurant à Irkoutsk...

— Je ne parle pas du côté matériel...

— Pour le moral, c'est différent, concéda Prosper Raboudin. Comment voulez-vous qu'on ne souffre pas en exil ? Les hommes normaux ont une vie d'un seul tenant. Quand ils songent à leur passé, ils se voient grandir, évoluer, vieillir en douceur. Ils se reconnaissent à tous les âges. Mais nous autres, les forçats libérés, nous sommes coupés en deux. Nous avons commencé une certaine existence. Et puis, à trente ans, à quarante ans, nous en commençons une autre. Les gens qui nous entendent raconter que nous avons eu de la chance, de la fortune, une carrière, des amis illustres, se moquent de nous et nous traitent de hâbleurs. Alors, nous finissons par faire comme eux, nous ne croyons plus à nos souvenirs, pour ne pas trop regretter ce que nous sommes devenus. Ainsi, moi, Madame, je me dis, par moments, que je n'ai jamais vécu en France, que je n'ai jamais porté l'uniforme, que j'ai toujours été aubergiste à Irkoutsk !

Il eut un rictus de défaite.

— Et tout ceci, alors ? dit Sophie en montrant les écriteaux et les estampes pendus au mur.

— Je n'aurais pas dû ! grommela-t-il. Ces choses-là, ça ne sert qu'à se faire mal ! Un jour, je les enlèverai !

Il regarda Sophie avec force et ajouta :

— Vous verrez, Madame, ce qui est pénible, ce n'est pas le bagne — parce qu'au bagne on espère encore — c'est après le bagne, quand on comprend que, jusqu'à son dernier souffle, il faudra se contenter de cette liberté, dans cette petite ville, parmi ces petites gens !

Il se tapa sur le ventre du plat de la main :

— J'étais sec comme un sarment de vigne, j'ai engraissé ; j'étais courageux, je suis devenu prudent ; j'étais pauvre avec superbe, je me suis enrichi sans plaisir ; j'étais mécontent de tout — ce qui est une preuve de combativité — je ne suis content de rien — ce qui est une preuve de résignation !

Il voulut remplir une deuxième fois le verre de Sophie. Elle releva d'un doigt le goulot de la bouteille et sourit en secouant la tête :

— Non, merci.

— Vous devez trouver que je suis un drôle d'aubergiste ! Il y a longtemps que je n'ai pas parlé avec quelqu'un comme avec vous. Ça m'a rafraîchi le cœur. Vous permettez ? Il faut que je m'occupe un peu de mes autres clients.

Il la laissa pour faire le tour de la table d'hôte, où chacun avait un mot à lui dire. Rien n'avait changé en apparence, pour Sophie, depuis, cette conversation, et, cependant, elle se sentait désorientée, comme si les idées qu'elle tenait pour sûres eussent perdu leur véracité. Aimant les situations nettes, elle souffrait d'être entraînée dans un univers où tout était ambigu : les gens, les ordres, le temps, le paysage, les distances, les prévisions... Elle se rappela sa discussion avec le général Zeidler, et trouva mille répliques vives et spirituelles qu'elle aurait pu lancer pour lui river son clou. Mais ce n'était que partie remise. Jour après jour, elle l'assiégerait dans son bureau. Elle triompherait de lui par l'usure. D'abord, il devrait relâcher Nikita, comme il en avait donné l'assurance. Sans doute, le pauvre garçon se rongeait-il d'angoisse dans sa cellule. Demain, elle le gronderait pour son excès de zèle. Une chaleur se répandit dans ses pensées. Elle se leva et se dirigea vers la porte, d'un pas moelleux. Comme elle passait devant la table d'hôte, quelques convives la saluèrent avec empressement. Des chandeliers s'alignaient sur une étagère. Elle en prit un, et trois hommes se précipitèrent pour lui allumer sa bougie. Les briquets battaient autour d'elle. On lui parlait, on la dévisageait, en soufflant sur l'amadou. Ecartant tout le monde, Prosper Raboudin l'accompagna jusqu'au pied de l'escalier et lui souhaita bonne nuit.

Sa chambre était basse de plafond, enfumée, avec un plancher peint en rouge, des taches de bougie sur les meubles et un couvre-pied maculé de graisse. Elle tira des draps de son coffre et ordonna à la servante de lui préparer son lit. Puis elle se fit apporter de grandes quantités d'eau chaude, ferma la porte à clef et se lava, nue, dans un baquet en bois. Il y avait longtemps qu'elle n'avait pas pris soin de son corps. Tandis qu'elle se baissait, se relevait, savonnait ses cuisses, son ventre, ses seins, une glace lui renvoyait son image, toute dorée dans la pénombre. Elle constata qu'elle avait maigri pendant le voyage, ce qui, loin de la déparer, donnait plus de souplesse à sa taille et plus de longueur à son cou. Malgré son refus de penser à elle-même, le bien-être qu'elle éprouvait après son ablution l'entraînait dans une rêverie toujours plus lascive. Elle se coucha, l'esprit brumeux, la peau en éveil, tira ses draps, souffla sa bougie, et la nuit s'emplit pour elle d'un mouvement comparable à celui de la mer.

4

Elle s'était endormie à Irkoutsk, elle s'éveilla en France, quelque part du côté de Bourges ou de Sancerre, tandis qu'une grosse voix du terroir disait derrière la porte.

— Madame ! Madame ! Votre domestique est revenu !

Le temps de reprendre ses esprits, de se rappeler qui était Prosper Raboudin, qui elle était elle-même, et elle répondit :

— Eh bien ! qu'il m'attende en bas !

— Je crois, Madame, que vous devriez descendre, dit Prosper Raboudin.

— Pourquoi ?

— Il a besoin de vous.

Saisie d'inquiétude, elle se leva, s'habilla sans savoir comment et dévala l'escalier. Dans la salle à manger, autour du samovar, des buveurs de thé transpiraient d'aise en humant leurs verres. Sans leur accorder un regard, Sophie suivit Prosper Raboudin à l'office. Nikita était assis là, sur un tabouret, la face blême, la lèvre tuméfiée, un œil à demi fermé, l'autre brillant de fièvre ; des caillots de sang pendaient sous ses narines ; sa chemise était en loques ; de sa main droite, il maintenait contre son corps son bras gauche, qui semblait inerte.

Déchirée de pitié, Sophie poussa un cri :

— Nikita ! Mon Dieu ! Que t'ont-ils fait ?

— Excusez-moi, barynia, chuchota-t-il, c'est au corps de garde... ils sont tombés sur moi... tous ensemble... comme des lâches !... Oh ! je me suis bien défendu !... Ils ont eu leur compte, eux aussi !...

Il tenta de bouger et une grimace de douleur disloqua sa figure.

— Où as-tu mal ? demanda Sophie.

— L'épaule... Il y a quelque chose qui ne va pas, là-dedans...

— Il faut vite appeler un médecin !

— S'il s'agit d'une fracture ou d'un bras démis, le rebouteur fera mieux l'affaire ! dit Prosper Raboudin. Nous avons la chance d'avoir, par ici, le vieux Didyme, qui a des mains d'or !

Tandis qu'un gamin partait en flèche à la recherche de Didyme, les autres domestiques se pressaient autour du blessé, avec des visages de curiosité idiote. Leur commisération se teintait de plaisir, comme si le malheur d'autrui les eût réconciliés avec leur propre sort. Il ne pouvait être question de laisser Nikita dans le va-et-vient du service. Sophie lui demanda s'il aurait la force de monter au premier étage. Il jura que oui, mais, dans l'escalier, ses genoux fléchirent. Prosper Raboudin le soutint, pendant que Sophie courait devant et ouvrait la porte. Elle le fit entrer dans sa chambre, l'assit sur une chaise et lui essuya doucement la figure avec un linge humide. Il respirait par à-coups :

— Vous êtes si bonne, barynia !... Je vous cause

trop d'ennuis !... Il ne faut pas vous occuper de moi !... Ça va déjà mieux !...

Elle le laissait parler sans répondre et continuait à lui poser des compresses, en ayant soin de ne pas appuyer sur les plaies. Toutes les minutes, un domestique se ruait dehors, pour voir si le rebouteur ne venait pas. Au moment où Sophie était à bout de patience, la porte s'ouvrit sur un grand moujik, à la face de cuir tanné et à la barbe de crins blancs. Ses traits étaient rudes, mais une gaieté enfantine rayonnait de ses yeux, perdus dans un filet de rides. Prosper Raboudin se planta devant lui et mima en gesticulant le combat d'un homme seul contre plusieurs adversaires. Didyme hocha la tête et poussa un grognement rauque. Sophie comprit qu'il était sourd-muet.

— C'est très ennuyeux, dit-elle. Comment s'y prendra-t-il pour nous expliquer de quoi il s'agit ?

— Il ne nous expliquera rien, dit Prosper Raboudin. Il se contentera de réparer le mal. Je l'ai vu faire plusieurs fois. Vous pouvez avoir confiance.

Didyme s'était approché de Nikita et l'aidait à retirer sa chemise. Il fallut couper la manche tout du long, pour éviter de bouger le membre douloureux. Quand le jeune homme fut torse nu, Sophie nota que son épaule droite était musclée et ronde, alors que son épaule gauche semblait décrochée, rabattue, sans charpente, sans vie. Le rebouteur ferma les paupières et effleura la zone malade, du bout des doigts, à la façon d'un aveugle. Les traits de Nikita se crispèrent. Des gouttes de sueur perlèrent à la racine de ses cheveux. Ayant terminé son examen, Didyme claqua son pouce contre son majeur.

— Que veut-il dire ? demanda Sophie.

— Je n'en sais rien, marmonna l'aubergiste. En

tout cas, ça ne doit pas être grave. Il ferait une autre tête !

— Je serais tout de même plus tranquille si vous aviez convoqué un médecin !

— Mais non ! Mais non !...

A présent, Didyme, recourbant sa main en cornet, faisait le simulacre de boire.

— Cette fois, je comprends ! s'écria Prosper Raboudin. Il veut de la vodka !

— Pour quoi faire ? dit Sophie.

— Pour étourdir son patient. C'est l'habitude chez les rebouteurs. Un homme ivre souffre moins.

Pendant qu'un serviteur courait chercher de la vodka à la cuisine, Didyme se tourna vers Sophie, la salua, et, respectueusement, lui désigna la porte.

— Il vous prie de quitter la chambre ! dit Prosper Raboudin. Le spectacle risque d'être pénible...

Elle haussa les épaules :

— C'est stupide ! Je peux très bien rester ? Je veux rester !...

Bien qu'ils eussent parlé en français, Nikita avait saisi le sens de la conversation.

— C'est vrai, barynia, vous devriez partir, balbutia-t-il.

Elle le regarda tendrement et secoua la tête. Il claquait des dents. Un domestique lui apporta un carafon de vodka. Il en but, coup sur coup, quatre verres. Ses traits se détendirent, ses prunelles se voilèrent, puis reprirent une lumière et une fixité d'étoile ; un sourire triste joua sur les lèvres ; il était prêt. Selon les indications de Didyme, on l'aida à s'étendre par terre, sur le dos. Sophie s'inquiétait de plus en plus : ce rebouteur muet n'allait-il pas achever de déboîter les os de Nikita au lieu de les remettre en place ? A tout hasard, elle glissa un oreiller sous la nuque du jeune homme. Il souriait toujours, d'un air un peu insensé. Debout au-dessus de lui, elle voyait ce grand corps foudroyé, aux membres épars, à la poitrine large, à la taille mince, dont la blondeur se détachait avec une précision hallucinante sur la peinture rouge sang des lattes, et pensait à Icare tombé du ciel. A chaque aspiration, le ventre de Nikita se contractait sous la ceinture lâche de son pantalon. Sa peau luisait de sueur au creux de ses clavicules et dans le sillon vertical qui séparait ses muscles pectoraux. Son bras droit, mollement relevé, découvrait une aisselle robuste où frisaient des poils d'or. Le soleil n'avait bruni que son visage et ses mains : il était masqué et ganté de hâle. Tout cela, Sophie le remarquait, plus ou moins consciemment, tandis que montait vers elle, par bouffées, une odeur d'homme jeune et nu, qui a chaud.

Didyme plaça son grand pied botté dans l'aisselle de Nikita, lui souleva délicatement la main gauche, cherchant la meilleure position, fronça les sourcils, s'arc-bouta et tira d'un coup sec sur le bras malade. Surpris par la violence du choc, Nikita poussa un hurlement de bête. Les nerfs de Sophie tressaillirent profondément. Un hameçon s'était planté en elle et lui arrachait les entrailles. Le visage de Nikita se haussait vers elle, par saccades, et semblait lui demander grâce. Puis il se renversa en arrière. Il était livide. Ses joues, son front, son menton se couvraient de gouttelettes. Sa mâchoire inférieure tremblait. Un muscle sautait sous la peau de son ventre. Sophie s'agenouilla pour lui éponger la figure. Accroupi de l'autre côté, Didyme, silencieux et hilare, lui offrit un verre de vodka. Il en but une gorgée, avec écœurement. Les prunelles à demi révulsées, il paraissait sur le point de s'évanouir. Mais son épaule gauche, naguère plate, avait retrouvé un bel arrondi. Le rebouteur contemplait son œuvre avec satisfaction. Enfin rassurée, Sophie éprouva une telle faiblesse, que la tête lui tourna.

— C'est fini, murmura-t-elle en posant la main sur le front de Nikita. Tu n'auras plus mal. Tu vas te laisser soigner sagement...

Il remua les lèvres. Elle entendit dans un souffle :

— Oui, barynia...

Didyme se fit apporter du linge déchiré en lanières et enveloppa l'épaule de Nikita dans un pansement imbibé d'eau salée. Ensuite, il lui banda le bras gauche, de façon à le tenir replié et serré contre le thorax. Quand ce fut fini, il s'octroya lui-même une rasade de vodka, cligna de l'œil et leva huit doigts sous le nez de Sophie.

— Il veut dire que votre serviteur sera guéri dans huit jours ! dit Prosper Raboudin.

— Mais quels soins devrons-nous lui faire ?

— Aucun.

— Qu'en savez-vous ?

— Il est en train de vous l'expliquer !

En effet, le sourd-muet indiquait par gestes qu'il ne fallait toucher à rien en son absence, que tout était en ordre, qu'il reviendrait bientôt. Sophie lui tendit vingt roubles en assignats.

— C'est trop ! chuchota Prosper Raboudin.

Didyme empocha les billets, s'agenouilla devant Sophie, baisa le bas de sa robe, se releva et sortit avec une dignité de seigneur. Nikita demeura prostré, pendant cinq minutes encore, puis se remit debout sans le secours de personne. Ayant fait deux pas, il vacilla et s'assit maladroitement sur une chaise. Cet effort l'avait épuisé. Sa tête tomba sur sa poitrine.

— Il a besoin de repos ! décréta Sophie.

Elle ne pouvait le laisser dans sa chambre et ne voulait pas l'envoyer dans le dortoir des domestiques. Prosper Raboudin proposa de l'installer dans une sorte de réduit, sans fenêtre, au bout du couloir. On y porta une paillasse, des couvertures, une chandelle et une cruche d'eau. A peine couché, Nikita glissa dans le sommeil. Sophie le regarda dormir, attentivement. Elle était encore pénétré du cri qu'il avait poussé dans la douleur. C'était comme une vibration qui continuait en elle, à son insu. Elle n'osait croire que tout se fût arrangé si vite. Il lui fallut beaucoup de volonté pour s'arracher à sa contemplation et aller, sans espoir, aux nouvelles.

Le général Zeidler la reçut debout, dans son bureau. Il semblait agacé par l'insistance de la visiteuse :

— J'ai eu l'honneur de vous dire hier, Madame, tout ce que je savais ! Que voulez-vous de plus ?

— Vous remercier de m'avoir rendu mon domestique ! répliqua-t-elle d'un ton mordant. En passant, je vous signale que vos soldats ont failli l'assommer ! Il a une épaule démise !

— Un de mes hommes a bien eu deux dents cassées ! En vérité, je n'aurais pas dû relâcher votre Nikita. Si je l'ai fait, c'est par égard pour vous. Ne m'obligez pas à le regretter !

Elle admit, à part soi, qu'il avait raison, et reprit avec douceur :

— Il m'est venu une idée, Excellence. Vous m'avez bien dit que la décision, en ce qui concernait mon départ, ne dépendait pas de vous mais du général Lavinsky, gouverneur de la Sibérie orientale ?

— Parfaitement.

— J'ai envie de lui demander une audience.

Le général Zeidler poussa un soupir :

— Impossible, Madame.

— Pourquoi ?

— Le général Lavinsky est parti, la semaine dernière, pour une tournée d'inspection dans la région de l'Amour.

— Et c'est aujourd'hui que vous me l'annoncez ? s'écria Sophie.

— Je croyais que vous étiez au courant.

— Pas du tout !... C'est... c'est consternant !...

Elle céda, sur l'instant, à un vertige de panique, puis se ressaisit et demanda :

— Sera-t-il longtemps absent ?

— Je l'ignore.

— Il y a bien quelqu'un qui le remplace pendant ses voyages ?

— Pas quand il s'agit d'affaires aussi délicates que la vôtre. Sa signature est nécessaire.

— Ne peut-on le joindre en cours de route ?

— Il est un jour là, le lendemain ailleurs.

— Si vous lui écriviez...

— Je ne manquerai pas de le faire, mais il sera de retour avant d'avoir reçu ma lettre.

Scrutant le visage décharné du général Zeidler, Sophie ne pouvait deviner s'il disait vrai ou s'il cherchait à se débarrasser d'elle. En tout cas, elle s'était rarement sentie aussi liée par la volonté d'autrui. Elle quitta le bureau avec la certitude d'avoir perdu du terrain, alors qu'elle était venue pour prendre l'avantage.

★

Très vite, Nikita fut sur pied et put accompagner Sophie dans ses courses en ville. Il avait le bras en écharpe et dominait de la tête tous les passants. Dans le temps qu'il faisait un pas, Sophie en faisait deux. Elle lui acheta une chemise blanche pour remplacer celle qu'il avait déchirée dans la bagarre.

La ville était petite, poussiéreuse, avec des rues droites, en terre battue, des trottoirs de planches, des maisons de bois et un square planté de bouleaux et de mélèzes, où se réunissaient, chaque soir, les familles des fonctionnaires et des marchands. Bien qu'on fût au mois d'août, le froid était si vif, en fin de journée, que les promeneurs du jardin se montraient enveloppés de manteaux. Certains notables d'Irkoutsk avaient essayé d'avoir Sophie à dîner ou à souper : ils étaient curieux de questionner cette nouvelle venue sur les cancans de Saint-Pétersbourg. Mais, jalouse de sa tranquillité, elle refusait toutes les invitations. En revanche, elle parlait volontiers avec les convives de la table d'hôte. Depuis ce que Prosper Raboudin lui avait dit au sujet des habitants d'Irkoustk, elle s'amusait à deviner ceux qui étaient originaires du pays et ceux qui s'y trouvaient en résidence surveillée. La plupart du temps, la différence sautait aux yeux. Les autochtones avaient un langage gras, un regard assuré, des manières de rustres. Les déportés, plus distingués et plus timides à la fois, semblaient se survivre dans la tristesse. Nombre d'entre eux, leur peine purgée, étaient devenus d'excellents fonctionnaires dans l'administration locale, des agriculteurs, des précepteurs, des marchands de la deuxième guilde. Cependant, Prosper Raboudin avait raison : ces gens-là n'étaient plus que la moitié, que le tiers d'eux-mêmes. Ce qu'on voyait d'eux ne comptait guère en comparaison des œuvres vives, cachées sous la ligne de flottaison. Elle fit connaissance d'un septuagénaire pommadé, qui avait été envoyé au bagne sur l'ordre de Potemkine, après avoir reçu les faveurs de Catherine II. Il avait pour meilleur ami un comte polonais, fonctionnaire des douanes, que la même impératrice avait exilé pour sa participation, en 1794, à la révolte de Kosciuszko. Parmi les habitués de l'auberge, figuraient encore un ancien professeur de l'université de Moscou, qui s'était attiré la colère de Paul Ier pour avoir tenu des propos philosophiques pendant son cours d'astronomie, un prince géorgien convaincu de trahison, un jeune lieutenant du régiment Sémionovsky, dont la mutinerie avait été si durement réprimée par Alexandre Ier, en 1820, et même un vieillard, encore alerte, qui dirigeait un établissement de bains, se nommait Riedinger, était de souche alsacienne et avait été banni, en 1759, par l'impératrice Elisabeth Pétrovna, pour avoir tué son propre colonel, à la bataille de Kunersdorf, en le prenant pour un ennemi. Quand il raconta sa mésaventure à Sophie, elle ne voulut pas le croire.

— Quel âge aviez-vous donc, à l'époque ? demanda-t-elle.

— Dix-neuf ans. J'en ai quatre-vingt-sept.

— Cinq règnes ont passé, un sixième commence, et vous n'avez toujours pas été gracié !

— On m'a oublié, sans doute ! soupira Riedinger. Ça arrive assez souvent. Depuis, je me suis marié. J'ai six enfants. Vingt-cinq petits-enfants. Tout le monde travaille aux étuves...

Cette résignation la laissa songeuse. De plus en plus, Irkoutsk lui apparaissait comme le rendez-vous des rêves déçus, des ambitions mortes, des injustices consolidées par le temps. Un dépotoir, où les révoltés et les malchanceux de toutes les époques se retrouvaient, une fois leur carrière brisée. Une ville irréelle, peuplée de fantômes. A chaque convulsion de l'Histoire, une nouvelle vague d'exilés déferlaient sur la Sibérie. Après les

Polonais — les Sémionovtsy ; après les Sémionovtsy — les décembristes... Comme on lit l'âge de la terre dans les couches de sédiments superposées, on pouvait imaginer le passé de la Russie en regardant ces êtres jeunes, mûrs, ou cacochymes, qui avaient tous en commun de s'être heurtés un jour à l'autorité impériale. Certes, il y avait, en plus, l'immense troupeau des criminels ordinaires, qui, sortis du bagne, gagnaient leur vie dans la région comme ouvriers, domestiques, mendiants. On les reconnaissait à leurs narines tailladées. Mais les physionomies étaient parfois trompeuses. Un matin, Sophie monta dans un fiacre, dont le cocher portait cette marque d'infamie sur la face, entra en conversation avec lui et apprit qu'il était un ancien major du régiment des cuirassiers d'Astrakhan, impliqué par erreur dans une affaire de détournement de fonds de l'Etat. Disait-il vrai ou mentait-il pour se composer un personnage ? En tout cas, malgré sa figure inquiétante, sa barbe hirsute, sa touloupe sordide, il s'exprimait avec une grande recherche. Sophie fut gênée de l'avoir tutoyé tout au long du parcours, comme un moujik, et se rattrapa en lui demandant, à l'arrivée :

— Combien *vous* dois-je ?

Lorsqu'elle raconta son aventure à Prosper Raboudin, il eut un sourire mélancolique et déclara :

— L'anecdote est significative. S'il me fallait définir la Sibérie, je dirais que c'est un pays où, contrairement à ce qui se passe partout ailleurs, on aborde les gens en leur disant tu, et on les vouvoie ensuite !

★

Le dimanche, Sophie s'éveilla de bonne heure, avec le désir de se rendre à l'église. Nikita lui demanda la permission de l'accompagner. Il s'était fait beau pour la circonstance : chemise blanche, ceinture écarlate et bottes cirées jusque dans les replis. Il ne portait plus le bras en écharpe. Ses cheveux blonds lui descendaient en larges ondulations dans le cou. Au soleil, il était couronné de flammes. Elle prit un fiacre. Il monta à côté du cocher.

La cathédrale était pleine. Tous les fonctionnaires de la ville étaient là, en grand uniforme. Sophie se glissa sur la gauche, du côté des femmes. Au premier rang, le plus près de Dieu, ce n'étaient que toques, plumes, rubans, fourrures, bijoux... Le milieu de l'église était voué à la grisaille des petites gens. Les plus miséreux se tassaient vers la porte. Un prêtre superbe, caparaçonné d'or, officiait avec lenteur, soutenu par un chœur de voix rudes. Il y eut une prière spéciale pour le tsar. Tout le monde s'agenouilla. Sophie comme les autres. Tête basse, mains jointes, elle savourait l'absurdité d'une situation qui l'obligeait à feindre d'appeler la grâce divine sur celui qu'elle rendait responsable de son malheur. Combien y en avait-il, parmi ces fidèles prosternés, dont les gestes dévots cachaient un sentiment de haine à l'égard de la monarchie ? Peut-être pas autant qu'elle l'imaginait ! Le goût de la fatalité était ancré au cœur du peuple russe. Sophie se demanda si Nicolas n'était pas en train de découvrir, lui aussi, que son exil obéissait à une nécessité supérieure. Elle eût voulu le préserver contre cette résignation et, en même temps, elle se disait que c'était probablement le meilleur moyen, pour lui, de retrouver la paix. N'allait-elle pas le faire souffrir en l'empêchant de s'incliner comme ses camarades ? D'une manière inattendue, elle douta de lui apporter le bonheur. Cette pensée l'effleurait pour la première fois. Oubliant le sens des prières publiques, elle s'abandonna au besoin d'être réconfortée par une surhumaine attention. C'était moins un élan vers le ciel qu'une conversation avec elle-même. Elle faisait les questions et les réponses et, dans cet échange, l'ombre se muait en lumière, l'amertume en espoir. Brusquement, il lui sembla que Dieu emplissait le haut de son âme, comme une fumée flottant au-dessus du sol, dans une pièce close.

L'office terminé, elle se retrouva, étourdie, sur le parvis de l'église. Les fidèles, heureux d'exhiber leurs atours du dimanche, s'entrelorgnaient, se saluaient et s'assemblaient sous un froid soleil jaune. Des mendiants allaient d'un groupe à l'autre, une sébile à la main. Le général Zeidler portait la tête haute, au milieu d'un cercle d'officiers. Il aperçut Sophie et s'avança vers elle d'une démarche anguleuse. Elle apprécia l'honneur qu'il lui accordait en public et le remercia d'un sourire :

— Avez-vous du nouveau pour moi, Excellence ?

— Que vous êtes impatiente ! dit-il. Après tout, vous n'êtes ici que depuis une dizaine de jours !

— Ces dix jours m'ont paru un siècle !

Il fit une grimace de parchemin froissé :

— Dans ce cas, je crains fort que vous ne soyez déçue. J'ai eu un courrier, ce matin, du général Lavinsky dont dépend votre sort. Il n'envisage pas de revenir à Irkoutsk avant quatre ou cinq semaines...

— Cinq semaines ! balbutia Sophie. Mais c'est impossible ! Cela me mènerait vers la fin septembre !...

— Notre ville est charmante, en cette saison ! S'il vous était agréable que je vous introduise dans quelques familles de qualité...

— Non, merci, Excellence.

Elle coupa court, traversa dix groupes chuchoteurs, dont les hommes cambraient la taille et les femmes pointaient le menton sur son passage, et rejoignit Nikita, qui l'attendait près du fiacre.

Le soir même, après le souper, elle consulta Prosper Raboudin sur la façon de hâter l'affaire. Il ne lui cacha pas qu'il avait mauvaise impression.

— Il est évident que Zeidler ne peut vous laisser partir sans l'accord de Lavinsky, dit-il. Mais, comme il y a constamment des conflits d'autorité entre eux, je soupçonne le gouverneur d'Irkoutsk de retenir longtemps les dossiers avant de les transmettre au gouverneur de la Sibérie orientale, dans l'espoir que celui-ci se fera reprocher un jour, en haut lieu, le retard apporté à l'expédition des affaires courantes.

— Ne puis-je, dans ces conditions, adresser moi-même une supplique à Lavinsky ?

— Si vous l'envoyez par l'intermédiaire de Zeidler, il se débrouillera pour qu'elle n'arrive pas à destination avant des semaines !

— Et si je l'envoie directement ?

— Zeidler l'apprendra, tôt ou tard, et vous en voudra d'être passée par-dessus sa tête !

— C'est un risque à courir ! murmura-t-elle rêveusement.

Ils s'étaient installés au fond de la salle, à une petite table de conspirateurs, devant une bouteille de mauvais champagne et deux verres.

Sur le mur d'en face, pendait un écriteau vantant l'amour, le vin et les chansons de France.

— Connaissez-vous quelqu'un au gouvernement général ? demanda Sophie.

— Oui, le lieutenant Kouvchinoff, aide de camp et proche collaborateur de Lavinsky.

— Ce Kouvchinoff ne pourrait-il réclamer mon dossier à Zeidler ?

— Si, je pense...

— Ayant examiné mon dossier, n'accepterait-il pas d'expédier au général Lavinsky un rapport favorable ?

— Pourquoi pas ? Mais, si Lavinsky écarte le rapport, vous aurez perdu sur les deux tableaux. Ayant vexé le gouverneur d'Irkoutsk sans avoir intéressé le gouverneur de la Sibérie orientale, à qui vous adresserez-vous encore pour vous tirer du pétrin ? Attention, vous allez lâcher la proie pour l'ombre ! Un tiens vaut mieux que deux tu l'auras !...

Sophie écoutait ces mises en garde avec indifférence. Malgré la faiblesse de ses moyens, elle croyait à la vertu de l'entêtement. Pour elle, il n'y avait pas d'erreur, longtemps poursuivie, qui ne débouchât sur une vérité. De guerre lasse, Prosper Raboudin lui promet d'arranger une entrevue avec le lieutenant Kouvchinoff.

A cette occasion, elle soigna particulièrement sa toilette : robe d'organdi feuille morte, spencer en gros de Naples vert bouteille, très serré à la taille, capote en velours de même couleur, écharpe de barège mordoré sur les épaules. En la voyant ainsi habillée, l'aubergiste se récria d'admiration. Elle reçut ses compliments avec plaisir. Ce matin-là, elle se sentait légère et confiante. Un bruissement d'étoffe l'entourait, lui rappelait qu'elle était femme. Prosper Raboudin lui offrit le bras pour sortir.

Le palais du gouvernement général, construit en pierres, était plus vaste et plus beau que celui du gouvernement de la ville. Dans une antichambre, se pressaient de nombreux officiers, qui avaient des physionomies aussi importantes, mais des uniformes moins bien coupés, que les officiers de Saint-Pétersbourg. Etait-ce parce que le général Lavinsky était absent que tous parlaient si fort ? Son aide de camp reçut Sophie et Prosper Raboudin dans un bureau clair, sous une lithographie représentant les têtes des grands chefs de la guerre nationale, unies en guirlande autour d'Alexandre 1er rayonnant.

Le lieutenant Kouvchinoff était jeune, poupin, avec une bouche en fleur, peu de cheveux sur le crâne et des favoris blonds, étalés en presqu'îles sur ses joues roses. L'histoire de Sophie l'enchanta. De toute évidence, il y voyait une excellente occasion de jouer un tour au général Zeidler.

— C'est un brave homme, dit-il en français, mais il empiète un peu trop sur les attributions du général Lavinsky. Nous allons le rappeler à l'ordre avec douceur.

— Je ne voudrais, pour rien au monde, indisposer qui que ce soit par ma démarche ! dit Sophie.

— Vous n'indisposerez personne ! s'écria Kouvchinoff en se frottant les mains. Et vous rendrez service à bien des gens ! Mon chef, le général Lavinsky, vous saura gré de vous être adressée à lui. Dès à présent, vous pouvez considérer que votre affaire est réglée. Tout cela est d'un drôle ! Mais d'un drôle ! Vous vous en rendriez mieux compte si vous viviez à Irkoutsk depuis quelque temps !...

Il exultait, il riait follement, avec des airs de pigeon qui se rengorge. Ces intrigues provinciales devaient constituer le meilleur de ses journées. Sophie, de son côté, n'osait croire à un si brusque arrangement après tant de déconvenues. Que n'avait-elle frappé, dès son arrivée, à cette porte-là !

— Ah ! Monsieur, comment vous remercier ? dit-elle.

Il répondit qu'il n'obéissait qu'à son devoir en l'aidant à obtenir son sauf-conduit et lui conseilla de profiter de ses derniers jours à Irkoutsk pour acheter tout ce dont elle aurait besoin à Tchita :

— Vous ne trouverez rien, là-bas, Madame, ni tissu, ni fil, ni aiguilles, ni casseroles, ni fer à repasser...

— Combien de temps me reste-t-il pour faire ces emplettes ?

— Une huitaine de jours, au plus !

Elle lui eût sauté au cou pour cette bonne nouvelle.

Dès l'après-midi, elle commença la tournée des bazars. Les marchandises s'empilaient dans un coin de sa chambre. Le soir, elle cochait des articles sur sa liste. Hormis la nourriture, tout coûtait fort cher à Irkoutsk. Mais elle ne pouvait renoncer à l'essentiel. Elle était une jeune mariée qui monte son ménage. Cette circonstance l'amusait. Toute sa vie, elle avait aimé construire.

Trois jours après sa visite au lieutenant Kouvchinoff, elle retourna le voir. Il l'accueillit non comme une quémandeuse mais comme une complice. N'avaient-ils pas un adversaire commun en la personne du gouverneur d'Irkoutsk ?

— Tout va bien, dit-il. Sur ma demande expresse, Zeidler s'est dessaisi de votre dossier. J'en ai immédiatement tiré un rapport favorable, que j'ai expédié au général Lavinsky. Ah ! Madame, je hâte votre départ, alors que notre plaisir à tous serait de vous garder le plus longtemps possible dans cette ville ! Ne me feriez-vous pas l'honneur de m'accompagner, dimanche prochain, au début de l'après-midi, à un concert, dans le square ?

Elle n'avait aucune envie de sortir avec cet

homme, mais craignit de le vexer en refusant. Dans sa situation, elle avait besoin d'un allié solide. Il vint la chercher, tout fringant, à l'auberge.

Dans le jardin public, un orchestre militaire jouait du Gluck avec beaucoup d'ardeur. Les fausses notes mettaient de l'imprévu dans cette musique sage. Toute la ville était là, assise sur des chaises dures. Les officiers ne se mêlaient pas aux fonctionnaires civils, qui, eux, se tenaient à l'écart des marchands. Souvent, dans une famille, la mère et les filles avaient des robes coupées dans le même tissu. Entre deux éclats de cuivre, le lieutenant Kouvchinoff parlait à Sophie de sa vie monotone à Irkoutsk et de ses ambitions intellectuelles et administratives. Leurs voisins les regardaient à la dérobée. On devait les croire en pleine intrigue. Le lieutenant Kouvchinoff était fier de donner cette illusion à ses concitoyens. A l'entracte, il se pencha vers Sophie et dit avec mystère :

— Pourquoi ne reviendriez-vous pas à Irkoutsk après être allée à Tchita ? Je vous ferais établir des papiers pour que vous puissiez circuler librement...

Elle dut se contenir pour ne pas le remettre à sa place.

— Je crois que vous n'avez pas compris le but de mon voyage, dit-elle. Je ne fais pas une visite à mon mari, je vais le rejoindre, pour toujours...

— Vous changerez peut-être d'avis après avoir passé quelque temps là-bas !

— Certainement pas, Monsieur !

— Il ne faut jurer de rien, en Sibérie ! Même quand on est Française !... Savez-vous que vous avez les plus jolies mains du monde ?

Elle lui décocha un regard tellement étonné, qu'il n'alla pas plus loin dans le compliment. Jusqu'à la fin du concert, ils n'échangèrent que des propos insipides. Elle éprouvait la tentation d'être désagréable et se forçait pour sourire ; lui, de son côté, cuvait sa déception en feignant la désinvolture. Il la reconduisit à pied, marchant tout près d'elle et lui offrant le bras, chaque fois qu'il y avait une dénivellation de trottoir. « Je ne suis pas assez aimable avec lui, pensait-elle. Ne vais-je pas le tourner contre moi et perdre ma dernière chance ? »

Ils se séparèrent devant l'auberge, avec des mines empesées.

Dans le vestibule, Sophie trouva Nikita qui l'attendait. Elle le reconnut à peine : il s'était fait couper les cheveux en son absence. De l'épaisse tignasse blonde ne subsistait qu'un chaume court sur le front et autour des oreilles. Sa tête avait diminué de volume au bout de son long cou musclé. Ainsi coiffé, il ressemblait à n'importe quel paysan revenant de la foire. Elle était furieuse. Il le comprit et s'excusa :

— Ils étaient vraiment trop longs, barynia !

Sophie haussa les épaules. Son mécontentement la surprenait elle-même. Quelle importance avaient, dans sa vie, les cheveux de Nikita ?

5

Jour après jour, l'espoir de Sophie diminuait. Malgré les assurances de Kouvchinoff, elle commençait à se dire qu'en cherchant à gagner du temps elle n'avait réussi qu'à embrouiller son affaire. Enfin, le 8 septembre, elle reçut une convocation du gouverneur d'Irkoutsk. Vingt minutes avant l'heure fixée pour l'audience, elle se trouvait dans l'antichambre.

Le général Zeidler la reçut froidement. Il avait une figure compassée. Un regard mince comme un fil d'acier brillait entre ses paupières. Elle mesura le risque qu'elle avait pris en ulcérant cette nature orgueilleuse. Sans la prier de s'asseoir, il dit :

— Vous avez cru bon, Madame, de sauter un échelon pour vous adresser au général Lavinsky. Cette manœuvre, assez discourtoise pour moi, aurait dû vous coûter cher !

— Je n'ai pas voulu vous froisser, Excellence, balbutia Sophie. Mais, dans l'état d'angoisse où je me trouvais, je ne pouvais rester inactive, je devais tout essayer...

Il l'interrompit d'une voix nette :

— Heureusement pour vous, les règles administratives sont une chose et les caprices des administrateurs en sont une autre. Il apparaît que vous avez eu raison d'ignorer la voie hiérarchique et — pardonnez-moi ! — la simple bienséance ! Je viens de recevoir l'ordre — je dis bien l'ordre ! — de vous donner satisfaction.

Il y eut en elle un jaillissement de joie, une exaltation de source libérée.

— Je vous remercie, Excellence, dit-elle.

— Remerciez plutôt le général Lavinsky. Votre feuille de route porte sa signature et non la mienne.

— Quand pourrai-je partir ?

— Quand vous voudrez. Voici vos papiers.

Il lui tendit son passeport et un sauf-conduit cacheté de cire rouge.

— Vous avez également le passeport de mon domestique, dit Sophie en rangeant les documents dans son sac.

Un frisson énigmatique courut sur le visage de Zeidler. Deux rides, fines comme des égratignures, prolongèrent ses lèvres vers le bas.

— Ce passeport-là, je le garde encore, dit-il négligemment.

— Comment cela ?

— Eh ! oui, je n'ai reçu d'instructions qu'en ce qui vous concerne personnellement. J'obéis point par point. Ne m'en demandez pas davantage.

La colère s'empara de Sophie.

— Mais cet homme est venu de Saint-Pétersbourg avec moi ! s'écria-t-elle. Je ne puis l'abandonner !

— Permettez-moi de ne pas m'associer à ces considérations sentimentales, dit le général Zeidler avec ironie.

Elle accumula tant de haine dans son regard,

qu'une douleur irradia autour de ses paupières. Plus elle s'exaspérait, plus le général Zeidler paraissait calme. Il jouissait de sa vengeance, posément, par étapes, sans se presser.

— J'en référerai au général Lavinsky, dit-elle inconsidérément.

— Cela vous a déjà si bien réussi, que vous auriez tort de ne pas recommencer ! répliqua-t-il. Cependant, lorsque le général Lavinsky sera de retour, je me verrai dans l'obligation de lui indiquer que votre domestique s'est livré à des voies de fait contre mes hommes. Dans ces conditions, je doute que le gouverneur de la Sibérie orientale vous donne, une fois de plus, gain de cause contre mon avis.

Elle était vaincue, humiliée, et devait ravaler sa hargne. Le sourire du général Zeidler gagna toutes les fissures de son vieux visage gris.

— Entre nous, dit-il encore, vous vous désolez pour bien peu de chose ! Qu'est-ce qu'un serf ? Vous trouverez tous les domestiques que vous voulez, à Tchita !

Ces paroles de froide insolence achevèrent d'exaspérer Sophie. Un filet s'était abattu sur elle et, à chaque soubresaut, elle s'empêtrait davantage.

— Il ne me reste plus qu'à vous souhaiter bon voyage, Madame ! conclut le général Zeidler.

En le quittant, elle se précipita au palais du gouvernement général pour demander l'appui du lieutenant Kouvchinoff. Il la reçut immédiatement. Elle croyait que, d'un mot, il allait dissiper les nuages. Mais, après l'avoir entendue, il se rembrunit.

— Oui, dit-il, une errreur a été commise à la base. Dans mon rapport au général Lavinsky, je n'ai parlé que de vous. Je n'imaginais pas qu'on allait vous chercher chicane pour le reste. Maintenant, je crains que le général Zeidler, qui a la rancune tenace, ne mette un point d'honneur à empêcher le départ de votre domestique.

— Mais le général Lavinsky pourrait intervenir !...

— Il est intervenu en votre faveur ; il n'interviendra pas en faveur de votre serf ! Ce serait offenser Zeidler deux fois de suite. Nous n'en sommes pas encore à la guerre déclarée entre nos administrations ! Bien entendu, il se peut que je me trompe... Si vous n'êtes pas trop pressée, attendez donc le retour du gouverneur général. Il sera là dans deux semaines. Vous lui exposerez vous-même votre cas.

— Deux semaines ! murmura-t-elle, désemparée.

Sa première idée fut qu'elle n'avait pas le droit de rester plus longtemps à Irkoutsk. Chaque heure qu'elle consacrerait à Nikita serait désormais volée à son mari. Comme on enlève un cheval sur l'obstacle, elle fit appel à toute sa volonté pour décider de partir. Mais sa résolution fléchit, avant même qu'elle ne l'eût exprimée. Ce garçon, qui l'avait suivie au cœur de la Sibérie, pouvait-elle, à présent, se désintéresser de son sort ? Les services qu'il lui avait rendus, le dévouement qu'il lui avait témoigné, méritaient bien qu'elle s'attardât quelques jours pour essayer de le tirer d'embarras. Forte de cette excuse, elle affronta le regard curieux du lieutenant Kouvchinoff, rougit un peu et marmonna :

— Il m'est impossible de partir dans ces conditions... Nikita... mon serviteur... a fait un tel chemin pour venir jusqu'ici, que je ne puis le laisser !... Ce serait... ce serait inhumain !...

— Si son passeport est en règle, il trouvera

toujours quelqu'un pour l'employer à Irkoutsk ! Que sait-il faire ?

— Lire, écrire, tenir des comptes...

— Eh bien ! alors ? s'écria Kouvchinoff en riant. De quoi avez-vous peur pour lui ? Eloignez-vous sans remords ! Je ne donne pas une semaine à votre gaillard pour qu'il se case royalement !

Sophie balança la tête :

— Non... Je vous assure... Je préfère attendre le général Lavinsky...

Kouvchinoff eut un sourire élastique. Ses yeux pétillèrent. Son nez pointa.

— Quelle que soit la raison de votre entêtement, je bénis les circonstances qui vous retiennent parmi nous !

Comme pour atténuer ce que son option avait d'insolite, Sophie dit, entre haut et bas :

— Bien entendu, si je changeais d'avis, je serais heureuse de pouvoir encore compter sur vous !...

— Mais oui, chère Madame. Soyez tout à fait tranquille. Quoi qu'il arrive, je n'oublierai pas votre protégé.

Il se dérobait derrière un voile de miel. Sophie prit congé, sans avoir retrouvé l'équilibre de ses pensées. En dépit des apparences, elle repartait les mains vides. La feuille de route, si longtemps convoitée, ne suffisait plus à son bonheur. Elle se sentait coupable envers son mari, parce qu'au lieu de songer uniquement à lui, elle remâchait des soucis où il n'était pour rien. Une fois dehors, elle se persuada, pour se réconforter, que deux semaines seraient vite écoulées, que, peut-être, d'ailleurs, Lavinsky reviendrait avant la date prévue, et qu'en tout état de cause Nicolas ne souffrirait pas de ce retard, puisqu'il ignorait qu'elle s'était mise en voyage. Dire que tous ces contretemps eussent pu être évités, si elle avait eu la patience de laisser faire le général Zeidler ! Trop pressée, comme toujours, trop volontaire, trop impétueuse !...

A peine rentrée à l'auberge, elle convoqua Nikita dans sa chambre. Il parut avec, sur le visage, une expression d'espoir et de gratitude qui la bouleversa. Elle le regardait fixement et une houle de plaisir se levait en elle, sans qu'elle fût capable de la maîtriser. Comme elle continuait à se taire, il s'inquiéta et dit doucement :

— Quoi, barynia ? Vous avez de mauvaises nouvelles ?

— Non, balbutia-t-elle. Ou plutôt, si... Je n'ai pas pu obtenir une feuille de route pour toi...

Il accusa le choc par un léger trébuchement des prunelles.

— Enfin... pas encore, reprit-elle avec vivacité. Mais tout peut s'arranger... Tout s'arrangera, j'en suis sûre !...

En prononçant ces mots, elle eut conscience de la voie dangereuse où elle s'engageait. Ce qu'elle surprenait, au fond d'elle-même, l'effrayait, comme si, en se contemplant dans une glace, elle y eût découvert une étrangère au sourire de folle. Elle pouvait encore se raviser, fuir Nikita avant qu'il ne fût trop tard. Pour se donner le temps de réfléchir, elle lui raconta d'une traite sa visite à Zeidler, puis à Kouvchinoff. Quand elle eut fini, il demanda :

— Alors, vous allez partir seule ?

Elle respira longuement. Et soudain, sa décision fut prise. L'avenir dépendait du présent. Il fallait frapper vite et fort pour que la blessure fût saine.

— Oui, dit-elle.

Les mâchoires de Nikita se crispèrent. Sophie éprouva le contrecoup de cette souffrance, comme le jour où elle l'avait vu, tordu de douleur, sur le plancher rouge de la chambre. C'était lui qui avait mal, et elle dont la gorge se nouait, dont les yeux s'emplissaient de larmes. Craignant de ne pouvoir refouler sa tendresse, elle ajouta :

— Il n'y a pas moyen de faire autrement.

— Je comprends, barynia, dit-il. Quand partirez-vous ?

— Demain.

— Déjà ?

— Oui, Nikita, dit-elle d'une voix défaillante. La route jusqu'à Tchita est si longue !...

La vie se retirait de lui, ou du moins, la conscience. Il dormait debout, enveloppé dans son malheur. Elle eut peur de cette tranquillité anormale.

— Le lieutenant Kouvchinoff m'a promis qu'il s'occuperait de toi, dit-elle avec un faux entrain. Peut-être, dans quelques jours, te laissera-t-on partir, toi aussi ?...

— On ne me laissera pas partir, barynia, vous le savez bien ! dit-il. Je ne vous reverrai jamais, jamais...

Sur sa figure simple, couronnée de cheveux blonds trop courts, l'amour éperdu se mêlait à un désespoir sans bornes. Remuée jusqu'au ventre, prête à céder aux troubles délices de la compassion, Sophie se ressaisit :

— C'est absurde ! Je te défends de parler ainsi ! Nous allons voir ce que tu pourrais faire à Irkoutsk, en attendant d'avoir tes papiers. Il te faut du travail, un logement... Je te laisserai un peu d'argent, pour que tu ne sois pas tout à fait démuni au début... Si, si !... C'est indispensable !...

Elle s'arrêta, essoufflée. Le revirement qu'elle

avait exigé d'elle-même l'avait rompue. Il lui semblait qu'en moins d'une seconde elle avait sollicité et évité le désastre. Subitement, elle fut gênée de se trouver seule avec Nikita dans sa chambre. L'air, entre eux, paraissait chargé d'effluves électriques. Les objets avaient un aspect sec, inhabituel, menaçant, comme aux approches de l'orage. Ouvrant la porte, elle appela Prosper Raboudin, sous prétexte de discuter avec lui les conséquences de son départ. En revoyant ce rond visage sans mystère, elle fut soulagée. Il proposa, tout de go, d'embaucher Nikita comme serveur :

— Il est aimable, dégourdi ! Il empochera de bons pourboires ! Que voulez-vous de plus ?

Sophie feignit de se réjouir hautement de l'aubaine :

— Quelle merveilleuse idée ! Tu vois que tout s'arrange, Nikita !

Elle exagérait son contentement, comme si elle se fût penchée, une tasse de bouillon à la main, vers un malade qui refuse de se nourrir. Nikita n'entendait rien, ne voyait rien, attentif sans doute, à quelque écroulement intérieur. Pour le tirer de son hébétude, elle lui demanda de vérifier si le tarantass était en état de reprendre la route. Ils allèrent l'examiner ensemble, dans la remise du charron, près de la maison de poste. Toutes les réparations avaient été faites ; les essieux bavaient de suif ; les bandages en fer des roues brillaient, comme neufs. Nikita considérait avec tristesse cette voiture si bien entretenue, dans laquelle il aurait dû continuer son voyage et qui allait emporter Sophie, toute seule, vers un pays d'où elle ne reviendrait plus.

★

Le lendemain, à l'aube, le tarantass, attelé en troïka, s'arrêta devant l'auberge. Toute la domesticité sortit de la maison pour assister au départ. Sophie grimpa dans la caisse et s'installa de son mieux entre des ballots de paille recouverts de toile. Nikita arrima les bagages en tirant sur des cordes. Il avait le teint blême, les yeux rouges et respirait fort, sans desserrer les dents. Depuis qu'elle lui avait annoncé son départ, il semblait vouloir se détacher d'elle et s'enfermer dans sa coquille pour éviter de souffrir. Prosper Raboudin garnit un panier avec trois poulets froids, du pain, du lard, du sucre, des bouteilles de vin.

— Il y en a vingt fois trop, dit Sophie ! Je ne pars pas pour l'Amérique !

— On ne sait jamais ce qui peut arriver ! dit l'aubergiste. Aux stations, méfiez-vous des gens qui vous demanderont de faire route avec eux. Si votre cocher vous propose un raccourci, refusez de le prendre. Ne payez jamais avec de gros billets...

Il l'accablait de recommandations qu'elle écoutait distraitement, plus occupée à suivre les gestes de Nikita et à lire dans ses pensées. Ce garçon avait été son compagnon de voyage, le confident de ses fatigues, de ses craintes, de ses espoirs, son protecteur et son protégé. Pourquoi fallait-il qu'il parût exiger d'elle autre chose que de la confiance ? Pourquoi ne pouvait-elle lui laisser voir tout le chagrin qu'elle éprouvait de leur séparation sans risquer de le torturer davantage ? Il était là, devant elle, bien vivant, avec tant de force dans ses muscles et tant de faiblesse dans son âme ! Rien n'était encore perdu. Et, dans quelques minutes... Elle ne savait pas renoncer, se résigner. Un malaise montait dans sa poitrine. Les cheveux blonds de Nikita coupés trop court, ses pommettes hâlées, son iris d'un bleu violet, indéfinissable...

— Alors barynia, on y va ? demanda le cocher.

Elle tressaillit. Nikita releva la tête. Ses yeux s'agrandirent. Ils exprimaient si intensément la désolation, la terreur, la tendresse, que Sophie fut comme roulée par une vague.

— Une seconde ! murmura-t-elle. Je voudrais qu'on vérifie si je n'ai rien oublié dans ma chambre...

Un domestique se précipita. Ayant gagné du temps, elle ne sut qu'en faire. Le regard rivé à celui de Nikita, elle supportait difficilement cet embarras précurseur des adieux.

— Il sera très bien, chez nous, dit Prosper Raboudin. Je le mettrai d'abord au service, puis aux cuisines, puis — pourquoi pas ? — à la comptabilité...

Du ciel gris et bas, quelques gouttes se détachèrent. Un vent froid, soufflant du lac Baïkal, fit courir un frisson sur les bras de Sophie. Elle se pelotonna sous la couverture d'ours. Le domestique revint, sans avoir rien trouvé. Plus d'excuse. Il fallait partir. Le cocher se signa.

— Au revoir, M. Raboudin, au revoir, Nikita ! dit Sophie.

— Que Dieu vous garde, barynia ! chuchota Nikita.

Et, dans un geste fou, saisissant la main de Sophie, il la porta à ses lèvres. Le valet d'écurie, qui se tenait à la tête des chevaux, bondit de côté, comme pour laisser passer une avalanche. L'équipage se rua en avant, excité par les sifflements et les claquements de fouet du cocher. Essieux, roues, traverses, craquaient à chaque cahot. Sophie se retourna, une brusque impression de vide au fond du cœur. Là-bas, au milieu de la chaussée, un petit groupe de gens agitaient la main. Parmi eux, une silhouette d'homme, plus haute que les autres, les épaules carrées, les cheveux jaune paille. Entre lui qui restait et elle qui fuyait, un lien s'allongeait, s'étirait, allait se rompre... Soudain, elle fut délivrée. Le tarantass avait tourné le coin de la rue. Elle traversa toute la ville sans rien voir et ne s'éveilla de sa méditation qu'en apercevant, au bord de la route, la rivière Angara, largement étalée, avec ses îlots rocailleux, ses noires forêts accrochées aux falaises et ses colonies d'hirondelles, volant et criant audessus d'une crique sablonneuse.

6

Il commençait à faire sombre, lorsque le tarantass quitta le troisième relais. La route n'était plus qu'un passage caillouteux, taillé irrégulièrement au flanc de la montagne. En contrebas, l'Angara roulait des eaux rapides et crachait de colère sur les rochers qui obstruaient son cours. Un tronc d'arbre, couvert d'oiseaux blancs, flottait en se dandinant parmi les vagues. A chaque tour de roue, la vallée s'élargissait. Un air plus vif rafraîchit le visage de Sophie. A travers le grincement des essieux, elle discerna un bruit monotone de flux et de reflux : le ressac. Une mer grise et plate s'étala devant elle, avec, tout au fond, des pics neigeux, enfumés de brume.

— Et voilà notre Baïkal, dit le cocher, notre sainte réserve de poissons !

Les torrents écumeux qui jaillissaient des ravines, les falaises escarpées, couronnées de bouleaux et de pins, le miroitement de l'eau crépusculaire, les gros nuages suspendus à l'horizon, tout cela conférait au paysage un caractère de sauvagerie, de solitude et de mystère, dont il semblait que le cocher même fût conscient. Il arrêta ses chevaux à un tournant d'où on surplombait le lac.

— Que se passe-t-il ? demanda Sophie.

— Rien. C'est l'habitude. Arrivé ici, chacun doit réfléchir très fort à ce qu'il désire. Au milieu du fleuve, se trouve « le rocher du *chaman* ». Si le *chaman* qui est dans le rocher vous entend, vous serez exaucée. Faites un vœu, barynia !

A Saint-Pétersbourg, elle eût ri de cette croyance absurde, mais, ici, elle était moins sûre d'elle-même. Le pays où elle voyageait devait avoir sur l'esprit un pouvoir de fascination. Tout devenait phantasme, dans ce désert sans fin. Elle ne put s'empêcher de penser à Nicolas, à Nikita, avec une ferveur superstitieuse. Peu à peu, les ténèbres s'animaient autour d'elle. Rassurés par l'immobilité de la voiture, des milliers d'oiseaux saluaient la venue de la nuit par des pépiements, des rires, des cacardements, d'abord timides, puis de plus en plus sonores. Des canards sauvages, rentrant d'une pêche dans le lac, échangèrent des appels gutturaux avant de se poser. Ensuite, ce fut le tour des grands cygnes, qui dominèrent longtemps le tumulte avec leurs battements d'ailes et leurs notes aiguës. Quand le cri des canards et des cygnes s'affaiblit et laissa distinguer celui des sarcelles, l'oie lança son chant de triomphe, bientôt repris par tous les palmipèdes assemblés sur le rivage. Le vacarme atteignait son paroxysme, lorsque soudain, comme sur l'ordre d'un chef d'orchestre, les oiseaux se turent. Un bout de lune se montra entre deux nuages. Des frissons d'argent plissèrent l'eau du lac. Le repos de la nuit ne fut plus interrompu que par le sifflement d'un petit pluvier courant sur le sable du Baïkal.

Sophie regretta que Nikita ne fût pas auprès d'elle pour entendre ces voix. Depuis son départ d'Irkoutsk, elle rapportait à lui les moindres incidents de la route. Qu'elle admirât un site, qu'elle se plaignît d'un mauvais chemin, qu'elle s'impatientât, qu'elle s'inquiétât, ou qu'elle fût heureuse, c'était avec lui qu'elle avait envie d'échanger ses impressions. Le cocher clappa de la langue et les chevaux repartirent, sans qu'elle eût adressé un souhait au *chaman* caché dans la pierre.

Vers minuit, le tarantass s'arrêta devant la baraque en bois de la station. Une vingtaine de voyageurs somnolents étaient affalés sur les bancs de la salle commune. Tous attendaient le bateau qui, le lendemain, devait les transporter, avec leurs voitures, de l'autre côté du Baïkal, en coupant le lac à l'endroit où il est le moins large, entre Listvénitchnoïé et Boïarskoïé. Ils se serrèrent en maugréant pour donner une place à Sophie. Elle s'assit entre une petite vieille au visage méchant et un gros homme chevelu, barbu, botté, qui était un marchand de bestiaux, à en juger par l'odeur d'étable que dégageaient ses vêtements. Une lampe à huile répandait une lueur sinistre sur ces figures que la fatigue penchait vers le sol. Tout à coup, Sophie sentit la cuisse chaude du marchand qui se plaquait contre sa cuisse. Elle s'écarta. Il se rapprocha d'elle. Sans presque tourner la tête, il lui versait, du coin de l'œil, un regard sirupeux. Ses lèvres charnues, entrouvertes dans une forêt de poils roux, laissaient passer une respiration haletante. Elle ne pouvait s'éloigner davantage sans bousculer la petite vieille et, avec elle, toute la rangée des dormeurs.

— Laissez-moi, Monsieur ! chuchota-t-elle.

Il n'eut pas l'air de l'entendre et avança son genou, son épaule, pour mieux la toucher. Au même moment, elle éprouva une démangeaison suspecte. Elle regarda ses mains. Des punaises couraient dessus. Dressée d'un bond, elle secoua ses vêtements et marcha résolument vers la porte : elle préférait encore passer la nuit dans sa voiture. Elle dut enjamber quelques paysans étendus sur le plancher. Eventés par ses jupes, ils ouvraient l'œil et la toisaient de bas en haut. Eux aussi étaient assaillis de punaises. Mais ils ne s'en souciaient pas.

Dehors, un air froid lui lava la figure. Les nuages finissaient de manger la lune. Le lac Baïkal n'avait plus de bords. On entendait le clapotis de ses vagues, dans le noir. Sophie mit longtemps à retrouver son tarantass, parmi tous ceux qui stationnaient devant la maison de poste.

Une fois étendue sur les ballots de paille, dans la caisse, elle plaça un pistolet chargé à proximité de sa main. C'était Prosper Raboudin qui lui avait recommandé de prendre cette arme en voyage. Sur son conseil également, elle avait cousu tout son argent dans l'ourlet de sa robe. Mais saurait-elle se défendre, si quelqu'un l'attaquait ? La couverture d'ours tirée jusqu'au menton, la capote de la voiture descendue en visière, elle grelottait de froid et scrutait, devant elle, cette nuit inconnue, d'où, à chaque seconde, pouvait surgir le danger. Au moindre frémissement d'air, au moindre craquement de branche, son cœur s'arrêtait de battre. Elle mesurait la folie qu'elle avait commise en continuant sa route toute seule. Encore huit cents verstes, soit une dizaine de jours — elle ne pouvait croire qu'elle atteindrait Tchita sans encombre ! Ah ! si Nikita avait été auprès d'elle, avec quelle sérénité elle se fût endormie, ce soir, dans la voiture ! Elle l'imagina, veillant sur elle, la tête droite, les épaules paisibles. Plus elle songeait à lui, plus elle se découvrait vulnérable, et plus elle éprouvait le besoin de sa présence, de sa force, de sa douceur. Roulant la tête sur les coussins, elle l'appela à voix basse, dans une sorte de délire. Il lui sembla que, s'il était apparu devant elle, en cette minute, elle se fût jetée dans ses bras. Par peur, par gratitude, par tendresse ? Elle ne le savait plus. La fièvre de la fatigue lui mettait le feu aux joues, des larmes l'oppressaient. Soudain, elle entendit un chuchotement innombrable. Une troupe se rapprochait en froissant l'herbe. Glacée de terreur, elle saisit son pistolet. Sa main tremblait. Le bruit se précisa. C'était une grosse pluie, frappant le sol avec la rage de tout tremper, de tout crever, de tout emporter. Isolée du monde par des draperies d'eau, Sophie se rassura. Aucun bandit ne s'aventurerait jusqu'à elle dans le déluge. Nikita, ne pouvant venir, lui déléguait, par magie, ce moyen de protection. Elle s'étonna de cette idée, si peu conforme à son caractère. Etait-elle sur le point de changer, sous l'influence du climat, des êtres, des événements ? Elle s'assoupit, épuisée, en écoutant ruisseler et soupirer la nuit.

Quand elle s'éveilla, le soleil illuminait un paysage froid, mouillé et luisant. Les menaces s'étaient dissipées avec l'ombre. La maison de poste bourdonnait de voix discordantes. Vingt personnes devaient assiéger le samovar. Sophie traversa la route et descendit vers le lac Baïkal. Le rivage était couvert de galets multicolores et parfaitement polis. Bleu pâle, rouge foncé, vert amande, violet tendre, ils se prolongeaient, en pente douce, dans l'eau. Des flocons de brume restaient accrochés à la fourrure noire des montagnes. Un vent joyeux, venu du large, faisait claquer la capote du tarantass. Transie, endolorie, Sophie prit du sucre et du pain d'épice dans son panier et se rendit dans la salle commune pour boire du thé chaud.

Le marchand, qui avait tenté de l'aborder la veille, lui fit un grand salut hilare et lui demanda si elle avait bien dormi. Elle ne lui répondit pas. Il se vexa et dit :

— Je croyais qu'on n'était plus en guerre avec la France, depuis Napoléon !

Elle finissait de se restaurer, quand le maître de poste annonça l'arrivée du bateau. C'était une vieille barcasse ventrue, avec un pont plat, une voile carrée et des tolets pour les avirons. Déjà, des escouades de paysans bouriates, au teint bronzé, aux yeux bridés, tiraient les voitures jusqu'à l'embarcadère. En descendant la berge, elles prenaient de la vitesse, et les hommes s'arc-boutaient pour les retenir. Un pas d'écart, et elles se fussent abîmées dans l'eau avec leur chargement. La large passerelle, qui reliait le navire à la terre ferme, tremblait, pliait sous les roues. L'un après l'autre, les tarantass s'arrêtaient sur le pont.

Sophie allait monter à bord, lorsque, dans un allègre tintement de clochettes, débouchèrent quatre troïkas de la poste. Les voyageurs se regardèrent avec consternation : le service du courrier primant tout, ils étaient sûrs de ne pas trouver de chevaux à Boïarskoïé.

A huit heures du matin, le bateau leva l'ancre. Pas besoin de rames. Un vent égal et bien appuyé gonflait la voile. S'il ne faiblissait pas, on atteindrait la rive d'en face vers le soir.

Une dizaine de tarantass et de télègues encombraient le pont. Des colis s'entassaient contre les rambardes. L'espace réservé aux passagers était si restreint, que beaucoup préférèrent s'installer dans leurs voitures. Assise au milieu de la caisse, le dos calé sur des coussins, Sophie admirait le lac dans sa plénitude matinale. La surface de l'eau, vert émeraude, frissonnait à peine au passage de la brise. Au nord, l'horizon était sans limites comme celui d'un océan. Au sud, le regard se heurtait à de hautes montagnes : celles du premier plan étaient nettes et noires, plus loin, elles devenaient bleues et, tout au fond, elles poudroyaient et se désagrégeaient, telle de la craie broyée au soleil. Bercée par une houle légère, Sophie se rappela le jour où elle avait traversé l'Iénisséï sur un bac. Même glissement régulier entre l'infini du ciel et celui des ondes, même détachement de l'esprit... Mais alors, Nikita était accoudé près d'elle à la rambarde. Elle entendit sa voix familière : « Vous êtes impatiente d'arriver, barynia... C'est pourtant beau, ce que nous voyons là !... » Gonflée de tristesse, elle le chassa, le renvoya à sa nouvelle vie. Il avait dû commencer son travail chez Prosper Raboudin. Courant de la cuisine à la table d'hôte, il n'avait guère le temps de penser à elle. Il l'oublierait en bavardant et en riant avec les autres serveurs. C'était très bien ainsi. Elle lui avait remis cent roubles en partant. Il ne manquerait de rien. Et s'il obtenait ses papiers, s'il la rejoignait à Tchita ?... Elle en eut une bouffée de chaleur. Les images se succédaient, vague après vague, dans son cerveau, l'une effaçant l'autre. Ce qu'elle accomplissait là, quand et comment l'avait-elle voulu ? Par quel enchaînement s'était-elle laissé entraîner au bout du monde ? On eût dit qu'une mystérieuse erreur de direction avait fait entrer dans sa vie des événements qui ne lui étaient pas destinés !

La navigation continua dans le calme, jusqu'à la fin du jour. Des oiseaux criards rasaient les vagues et s'élevaient d'un coup d'aile à des hauteurs vertigineuses. Quand le soleil disparut, une lueur de forge embrasa l'horizon. La rive dansait, noire, sur des reflets de sang, d'or et d'azur. Une jetée sur pilotis s'avançait assez loin dans l'eau. Sans attendre l'accostage, les passagers descendirent de leurs voitures et se massèrent devant le portillon de la rambarde. Sophie s'étonna de leur hâte. Puis soudain, elle en comprit la raison : le service du courrier allait accaparer tous les chevaux pour la journée, mais il n'en était pas moins important de prendre rang sur le registre du maître de poste, car les premiers clients inscrits seraient, le lendemain, les premiers à partir. Or, la station était à cinq cents pas du débarcadère. Dès que la passerelle fut abattue, il y eut une ruée de tous les voyageurs vers la maison du relais. On courait, on se bousculait, on s'entre-dépassait en gravissant la berge. Le gros marchand tenait la tête. Une petite vieille béquillait en queue du peloton. Si Nikita avait été là, il eût devancé tout le monde. Découragée, Sophie quitta le bateau la dernière, sans se presser.

7

Toute la nuit, Nikita roula le projet dans sa tête. A l'aube, il se leva avant les autres serveurs, prit son baluchon, traversa le dortoir sur la pointe des pieds et sortit dans la rue. Une brume grise montait de la rivière et noyait la ville. Personne sur le trottoir. Çà et là brillait une lanterne au bout de sa potence. Le marchand de chevaux, dont on lui avait parlé la veille, à l'office, habitait de l'autre côté d'Irkoutsk, au bord de l'Angara. C'était un ancien forçat, du nom de Goloubenko. On le disait arrangeant. Nikita regrettait de n'avoir pas pensé plus tôt à le voir. Deux jours perdus ! Deux grands jours, pendant lesquels, lavant la vaisselle dans l'eau grasse, poussant le feu, balayant les ordures, il n'avait cessé de songer à sa barynia avec désespoir. Incapable de vivre loin d'elle, il préférait risquer la prison, le knout, la mort, mais essayer de la rejoindre. Il l'avait compris, au réveil, en faisant sa prière. Ce fut illuminé par cette idée fixe qu'il se présenta devant Goloubenko. Le maquignon était trapu, chauve, avec un visage raboteux et dur comme un poing fermé. Il fit entrer Nikita dans un appentis proche de l'écurie et lui offrit de s'asseoir à une table, devant un carafon de vodka.

— Je n'ai pas le temps, dit Nikita. Je voudrais t'acheter un cheval.

— Quel genre de cheval ? demanda Goloubenko. Pour le travail, pour la promenade, pour le voyage ?...

— Pour le voyage.

— Tu veux aller loin ?

— Oui.

Le petit œil noir de Goloubenko brilla d'une lueur narquoise et Nikita se sentit deviné.

— Très loin ? insista Goloubenko. Vers l'Est, vers l'Ouest ?

— Ça ne te regarde pas !

— Bien répondu, mon fils ! Mais pourquoi ne t'adresses-tu pas plutôt à la maison de poste pour avoir un cheval ? Ça te reviendrait moins cher !

Nikita haussa les épaules et ne répondit pas.

— N'aurais-tu pas égaré tes papiers, par hasard ? reprit Goloubenko.

Et devant l'air furieux du garçon, il éclata de rire :

— Ne t'inquiète pas, mon pigeon ! Ce n'est pas moi qui te blâmerai d'être plus ou moins en règle avec les autorités ! Tu m'es sympathique ! Je vais te vendre un cheval, un bon cheval ! Et pas cher !

Nikita se prépara à la secousse : il n'avait sur lui que les cent roubles de Sophie. Dire qu'il avait failli les refuser ! Que ferait-il si Goloubenko exigeait plus ? Affolé, il murmura :

— Tu sais, je ne suis pas riche !

— Je m'en doute. Mais moi, il faut que je vive. Cinquante roubles, ça te convient ?

Le soleil parut sur la figure de Nikita.

— Ça me convient ! dit-il.

— Un de mes hommes te guidera pour sortir

de la ville. Après, tu te débrouilleras. Autant que possible, évite la grande route...

Enhardi par la bienveillance de Goloubenko, Nikita demanda :

— Tu ne connaîtrais pas quelqu'un qui pourrait me procurer un autre cheval, quand le mien sera fatigué ? Je payerais la différence...

— Comment veux-tu que je te réponde, puisque je ne sais pas de quel côté tu vas ? dit Goloubenko.

— Vers le Baïkal, avoua Nikita.

Goloubenko versa de la vodka dans des gobelets en corne. Ils burent, mangèrent un morceau de hareng et s'essuyèrent la bouche avec leur manche.

— Ajoute cinq roubles et je te renseignerai, dit Goloubenko.

— C'est promis.

— L'argent sur la table.

— Voilà.

Goloubenko compta les assignats, les roula, les glissa dans sa botte et dit :

— En arrivant à Listvénitchnoïé, au bord du lac, tu t'arrêteras chez un nommé Spiridon. Tu lui diras que tu viens de ma part. Il t'aidera. Je te le jure par le Christ !

Tout en parlant, il avait tiré de sa poche une cordelette à laquelle pendaient trois petits cônes d'ivoire.

— Qu'est-ce que c'est ? demanda Nikita.

— Des dents de loup. Je t'en fais cadeau. Quand tu voudras aller très vite, tu accrocheras ça à l'encolure de ton cheval. Il aura si peur, qu'il filera ventre à terre ! Personne ne pourra le rattraper !

— Je te remercie, dit Nikita.

Ils burent encore une rasade, puis Goloubenko,

prenant Nikita par le bras, le conduisit vers l'écurie.

Une heure plus tard, Nikita était en rase campagne. Selon le conseil de Goloubenko, il ne suivait pas la grande route, mais un chemin parallèle, trop étroit pour les voitures. Son petit cheval asiatique, aux membres nerveux, à la longue crinière grise dépeignée, trottait en pensant à autre chose. Nikita lui réchauffa l'humeur en sautant quelques ruisseaux. Puis il le lança au galop, sans trop l'exciter. Prosper Raboudin avait dû s'apercevoir du départ de son nouveau serveur. Mais il n'était pas homme à donner l'alerte. Rien à craindre de ce côté-là. La matinée était belle. Des bois de bouleaux dressaient dans la plaine leurs troncs lisses et blancs comme des cierges d'église. Une cloche sonnait dans un lointain village. Nikita espérait atteindre le bord du Baïkal à la nuit tombante. S'il trouvait une monture de rechange et si Sophie était retardée en route, peut-être pourrait-il la rattraper avant Tchita ! Après l'avoir revue, il la suivrait à distance, pour éviter de lui attirer quelque désagrément. A l'idée de leur rencontre, il sentait un torrent se précipiter dans ses veines. Dieu le poussait dans le dos. Il devait se raisonner pour remettre son cheval au pas, de temps à autre.

★

Les départs ayant lieu dans l'ordre de l'inscription sur le registre de poste, le tarantass de Sophie était le dernier d'une file de six voitures. Pelotonnée sous la capote, elle respirait la poussière soulevée sur la route par les attelages précédents. Un vacarme de roues cerclées de fer lui cassait la tête. Elle pensait à l'encombrement aux prochains relais et enrageait que tous ces gens fussent assurés d'être servis avant elle. Tirant son cocher par la manche, elle cria :

— Essaye de les dépasser !

— C'est interdit par le règlement, barynia ! répondit l'homme.

Elle lui tendit un rouble. Il prit la pièce pardessus son épaule et dit :

— Non, barynia.

Au second rouble, il changea d'avis.

— Que Dieu nous assiste ! Cramponnez-vous !

Les chevaux, cinglés d'un coup de fouet, s'élancèrent. Le tarantass se déporta sur la gauche, roula deux roues sur la chaussée, deux roues dans l'herbe et distança la première voiture, d'où partirent des cris de protestation. Les quatre voitures suivantes eurent le même sort. Elles étaient trop lourdement chargées pour lutter de vitesse avec l'attelage de Sophie. Bientôt le grincement de leurs essieux, le tintement de leurs clochettes, se perdirent dans l'éloignement. Un peu honteuse de ce passe-droit, Sophie se dit, en manière d'excuse, que nul n'avait de meilleure raison qu'elle d'être pressée. Elle devait se répéter souvent qu'elle allait voir son mari pour retrouver l'exaltation nécessaire à son entreprise. « Dans huit jours, je serai auprès de lui. Sa joie, sa gratitude ! Nous serons de nouveau heureux ! Il le faut, sinon rien n'aurait plus de sens, ni mon voyage, ni mon amour, ni l'univers où nous vivons !... »

En arrivant au relais de Kabansk, elle reçut un choc : Nikita était dans la cour. Elle faillit crier. Mais aussitôt l'illusion se dissipa. Comment avait-elle pu prendre pour Nikita ce valet d'écurie, grand et blond, au visage sans âme ? Recrue de tristesse, elle se réjouit à peine en apprenant qu'il y aurait des chevaux frais dans une heure. Le soir tombait. Le maître de poste alluma une lampe. Sophie ouvrit son panier à provisions et mangea seule, sur un coin de table, en pensant à d'autres repas de voyage, dont elle n'avait pas, sur le moment, savouré toute la douceur.

★

Les corbeaux s'étaient retirés, pour dormir, au sommet des sapins géants ; les bergeronnettes s'enfonçaient dans les herbes aquatiques ; les hirondelles poussaient leurs derniers appels avant de se poser sur les saillants des bancs de sable ; et Nikita, chevauchant le long de l'Angara, se préparait au silence du crépuscule, quand soudain, de tous les côtés à la fois, éclatèrent les cris des canards, des oies et des cygnes sauvages. Emerveillé, il arrêta son cheval. Ce chant nocturne n'était pas fait pour les oreilles des hommes. L'âme des bêtes s'y exaltait jusqu'à la pâmoison. Sophie avait-elle entendu, comme lui, cet étrange concert ? Il ne voulait rien vivre de beau, de grand, d'émouvant, dont elle n'eût sa part. Chaque lieu qu'il traversait, il se disait qu'elle l'avait traversé avant lui et le site en était comme sanctifié. Il la cherchait dans les ornières de la route, au flanc des montagnes, dans l'architecture des branches, parmi les nuages du ciel. Combien de verstes les séparaient l'un de l'autre ? Cent cinquante, deux cents ?... Nikita supputait l'écart, se perdait dans ses calculs et recommençait en trichant. Son cheval épuisé avançait avec peine. Il ne lui avait fait prendre de repos que trois fois depuis Irkoutsk. Si Goloubenko n'avait pas menti, il trouverait une autre monture à Listvénitchnoïé.

Quand il atteignit le village, toutes les maisons semblaient endormies. Bien que la localité fût peu importante, elle servait de relais : il pouvait donc y avoir un piquet de gendarmes dans les parages. Nikita n'osa s'aventurer dans la rue principale. Il mit pied à terre et entra dans un pré. Ne valait-il pas mieux se reposer là, deux ou trois heures, et repartir sur le même cheval, sans rien demander à personne ? Mais la bête ne tiendrait pas. Elle boitait, elle était hors d'haleine. Il lui caressa l'encolure. Elle hennit. Il eut peur et l'entraîna sous le couvert d'un petit bois de sapins. Là, il se trouva nez à nez avec un garçon d'une dizaine d'années, qui tirait de l'eau d'un puits. Ils se regardèrent, aussi interloqués l'un que l'autre. L'enfant ouvrit la bouche pour hurler.

— Sais-tu où habite Spiridon ? demanda Nikita précipitamment.

Et il sourit pour rassurer le gamin. Celui-ci hésita un moment, pris entre un reste de méfiance et un début de sympathie. Il avait une tête toute ronde, avec des yeux clairs et un nez retroussé. Enfin, il dit en souriant, lui aussi :

— C'est la dernière maison, par là ! Le dessus de la porte est peint en bleu. Tu ne peux pas te tromper.

Et il s'éloigna, d'une démarche claudicante, entre ses deux seaux, qui perdaient de l'eau à chaque secousse.

Nikita contourna le village pour passer inaperçu. Devant la demeure de Spiridon, une inquiétude le retint encore. N'allait-il pas donner, tête baissée, dans un piège ? Il se raisonna et frappa au battant. L'homme qui lui ouvrit était grand, maigre, avec une barbe noire striée de fils blancs et la marque des forçats sur le haut de la joue : à cet endroit, le poil ne poussait plus. Les sourcils froncés, les poings fermés, il arrêta Nikita sur le seuil et demanda d'une voix enrouée :

— Que me veux-tu ?

— Je viens de la part d'un ami.
— Je n'ai pas d'amis.
— Goloubenko.
Aussitôt, Spiridon se dérida.
— Goloubenko ! s'écria-t-il. Goloubenko ! Cette vieille canaille ! Il n'est pas encore crevé ? Eh bien ! Tant mieux ! Tant mieux !
Quels souvenirs de crime et de captivité liaient les deux hommes ? Riant et soupirant d'une joie rétrospective, Spiridon fit entrer Nikita dans la maison. Une lampe à huile brûlait sur une table. Une autre, plus petite, devant les icônes. Nikita se signa. Au fond de la pièce, dans la pénombre, une femme gisait sur un grabat de chiffons.
— Debout, Eudoxie !
Sur l'ordre du maître, Eudoxie se leva, en chemise. Elle était jeune encore, avec de gros yeux effrayés, un menton rond, et une tresse jaune et lourde, qui pendait sur son épaule. Elle servit du pain et du lard au visiteur. Ayant mangé jusqu'à en avoir un poids sur le ventre, Nikita engagea la conversation à propos du cheval. Spiridon se déclara prêt à le remplacer, moyennant un petit supplément de vingt roubles, puisqu'il s'agissait de rendre service à un ami. En acceptant son offre, Nikita fût resté avec vingt-cinq roubles en poche pour finir son voyage. C'était trop peu. Il marchanda. On se topa dans la main pour douze roubles cinquante kopecks. Après quoi, Spiridon révéla à Nikita qu'un certain Valouïeff, qui habitait de l'autre côté du Baïkal, à Kabansk, pourrait, en cas de besoin, lui fournir un relais pour le même prix.
— Tu lui diras que tu viens de ma part. Il te traitera comme un prince. Pour commencer, tu vas passer la nuit ici !
— Non, dit Nikita. Il faut que je reparte.

— Tu ne peux pas ! Le bateau ne revient que dans deux jours !

— N'y a-t-il pas un chemin pour contourner le lac ?

— Si, mais il est mauvais et ça rallonge !

— Tant pis. Je suis pressé.

— Tu ne tiens plus debout !

— Je dormirai en selle.

Eudoxie le regardait, attendrie, somnolente, le sein pointant sous la chemise.

— C'est bien, dit Spiridon, je vais te préparer un cheval et t'indiquer la route. A ta santé !

Ils trinquèrent avec du kwass. Eudoxie se recoucha. Mais, retirée dans l'ombre, elle ne cessait d'observer le voyageur. Il avait conscience de lui plaire et cette pensée augmentait son malaise. Chaque fois qu'il découvrait un trait de concupiscence ou de ruse chez une femme, il en était choqué, comme si elle eût commis un crime en dépréciant le sexe auquel appartenait Sophie. Ce fut avec soulagement qu'il se retrouva dehors, dans la nuit.

A mesure que le chemin s'élevait dans la montagne, l'horizon reculait et le lac s'étalait plus largement, au clair de lune. Son eau lisse était rayée, çà et là, d'un trait de diamant. Parfois, un rideau d'arbres s'avançait au trot et masquait le paysage. Les sapins, immobiles et sombres, étaient découpés dans du fer. Leurs ombres, en dents de scie, barraient la route. Le cheval les traversait et ressortait intact. Il allait bon train. Nikita n'avait pas besoin de le conduire. Jadis, il aurait eu peur de voyager seul, dans la nuit, parmi les fantômes et les esprits malins. Ce soir, il avait l'impression d'être lui-même un fantôme. Abandonné au bercement de la selle, il avait perdu la notion de son corps, il ne pensait plus, il existait à peine. Il s'endormit et se réveilla en sursaut. Rien n'avait changé. Le cheval marchait toujours entre des arbres noirs, sous une lune de lait.

★

A Verkhné-Oudinsk, Sophie fut, une fois de plus, arrêtée par manque de chevaux. Le maître de poste jurait qu'il en aurait dans les vingt-quatre heures. Pour tuer le temps, elle visita la bourgade, qui étalait ses maisonnettes de bois au bord de la Sélenga. Nulle part ailleurs, elle n'avait senti à ce point la proximité de la Chine. Certes, une cathédrale dressait dans le ciel ses coupoles aux vives couleurs et la colline du cimetière était hérissée de croix orthodoxes, mais les boutiques de la place du marché exhibaient toutes des inscriptions en chinois et en russe. Lettres entortillées verticalement, planchettes dorées et sculptées, pendues aux devantures, lampions de papier, costume étrange des passants, dialecte aux intonations aiguës, tout cela dépaysait et amusait Sophie. Elle croisa de nombreux Bouriates, à la figure jaune et huileuse. Les plus humbles avaient des habits de peau de chèvre ou de mouton et, sur la tête, un bonnet pointu, dont les pans retombaient sur leurs oreilles. Les plus riches, vêtus de longues robes bleues aux parements brodés, portaient une queue de cheveux dans le dos et un petit chapeau surmonté d'un bouton d'argent. La coiffure des femmes élégantes était entremêlée de chapelets de corail, de nacre et de malachite, de plaques et d'anneaux de métal, de monnaies d'or et de cuivre. Elles étalaient toute leur fortune sur elles. Le cliquetis de leurs ornements les accompagnait comme une musique de louanges.

Mille objets, provenant de Chine, tentèrent Sophie dans les magasins : tissus précieux, fourrures, figurines d'ivoire... Mais l'argent, cousu dans l'ourlet de sa robe, était sacré. Elle ne le dépenserait qu'à la dernière extrémité, pour améliorer le sort de Nicolas ! Elle regagna la maison de poste, heureuse de n'avoir rien acheté.

Le lendemain, elle reprit la route, à travers une plaine sablonneuse d'où émergeaient, de loin en loin, les tentes coniques de quelques familles indigènes. Uniques habitants de cette région, les Bouriates tenaient tous les relais et fournissaient tous les chevaux. C'étaient des bêtes si impétueuses, que seuls ceux qui les avaient dressées pouvaient les conduire. D'une station à l'autre, Sophie voyait se succéder, sur le siège de son tarantass, des gamins aux faces mongoles, engoncés dans des fourrures pisseuses et n'ayant pour fouet qu'un bâton très court, avec une cordelette au bout. Les roues arrachaient aux ornières des tourbillons de poussière grise et de cailloux brillants. Dans ces nuées, surgissait parfois, au bord de la piste, un cavalier solitaire, coiffé d'un chapeau pointu. Il portait, en bandoulière, un arc et un carquois plein de flèches. Hiératique, il guettait Sophie du fond des âges. Ailleurs, c'était un troupeau qui barrait la route. La femme qui le menait était assise à califourchon sur un bœuf. Tunique en peau de mouton et pantalon de cuir, cheveux tressés et ornés de médailles, elle riait de sa large bouche aux dents gâtées. Le cocher descendait pour l'aider à dégager le passage à coups de badine ; un fleuve de cornes se divisait et s'écoulait de part et d'autre de la voiture ; les chevaux frémissaient de peur ; on repartait dans un concert de meuglements.

A la nuit tombante, il fallut s'arrêter dans un

village de yourtes pansues. La plus vaste servait de relais. Il n'y avait plus de chevaux. Le maître de poste, qui baragouinait le russe, invita Sophie à entrer sous sa tente. Elle y vit toute la famille assise, en tailleur, devant un feu. Les visages, éclairés par-dessous, ressemblaient à des masques de bois grossièrement sculptés. Une fumée épaisse montait le long du piquet qui soutenait le toit. Pour tout ameublement, deux divans en nattes de feutre, des coussins de cuir et une table basse supportant des statuettes de dieux bouddhiques, des timbales et des trompettes, sans doute destinées au culte. Sophie avait faim et froid. Le maître de poste lui offrit de la viande de mouton crue, séchée au soleil et salée. C'était, disait-il, l'unique nourriture des Bouriates :

— Bon ! Très bon ! Essaye !...

Sophie considéra le lambeau de chair noircie, racornie et nauséabonde, que son hôte lui présentait du bout des doigts, et secoua la tête, l'appétit coupé. Déçu, il insista pour qu'elle bût, au moins, du thé de brique, qui fortifie. Elle se rappela cet affreux breuvage laiteux, grisâtre, puant la graisse de mouton, qu'elle avait goûté chez le vieux *chaman*, entre Bérikoulskoïé et Podiélnitchnaïa. Tout le tableau resurgit dans sa mémoire, avec une netteté saisissante, pendant que la femme du maître de poste remplissait son bol. Le visage inquiet de Nikita, quand le vieux sorcier avait jeté une pierre magique dans l'eau : « Vous ne devriez pas boire, barynia ! » Elle sourit de tristesse, comme si ce souvenir eût été le plus précieux de son existence. Reverrait-elle Nikita un jour ? Elle avait besoin de cet espoir pour continuer son voyage. Soudain, une crainte la frappa : « Pourvu qu'il ne parte pas sans passeport, sans feuille de route ! J'aurais dû lui faire jurer qu'il n'essayerait pas de me rejoindre, tant que sa situation ne serait pas en règle ! Comment ai-je pu oublier à ce point son caractère impulsif ?... Mais il sait bien que, s'il venait à Tchita, on m'interdirait de le garder sans papiers ! Il n'envisage tout de même pas de finir ses jours en hors-la-loi ! Peut-être que si, d'ailleurs ! Il est assez fou pour cela ! S'il passait outre, s'il arrivait jusqu'à moi, que ferais-je ? Oh ! dans ce cas, bien sûr, je m'arrangerais pour le cacher, pour le sauver !... Que vais-je chercher là ? Il paraissait plutôt résigné, le jour de notre séparation... » Elle se calmait. Nikita redevenait un garçon sage, respectueux de la police et assidu à son travail.

— Tu ne bois pas, barynia ? demanda le maître de poste.

Tous les Bouriates s'étaient assemblés autour de Sophie et l'observaient amicalement. Pour leur être agréable, elle vida son bol, en se brûlant, et évita de faire la grimace, bien qu'elle fût écœurée.

On lui prépara une couchette près du feu. Elle s'allongea. Sa fatigue était telle, que ses paupières se fermaient par intervalles. Entre deux chutes dans le noir, elle rouvrait les yeux et voyait, devant le brasier, des gnomes accroupis dans leurs vêtements de cuir trop larges. Hommes et femmes fumaient la pipe. Personne ne parlait. Ce silence, cette immobilité, ces lueurs dansantes devenaient, peu à peu, les éléments d'un rêve. Sophie s'assoupit avec la sensation d'être plus en sécurité sous cette tente bouriate que dans sa chambre à Saint-Pétersbourg.

La barrière de Verkhné-Oudinsk était gardée militairement, comme celle de toutes les bourgades importantes. Nikita vit bouger, de loin, les plumets de quelques shakos et prit au large pour contourner la ville. Son intention était de chevaucher par des sentiers le plus longtemps possible, avant de redescendre sur la grande route, qui, malgré tout, était plus commode à suivre. Malheureusement, le cheval que lui avait vendu Valouïeff, à Kabansk, n'était pas aussi résistant que les deux autres. Une jument, d'un beau gris pommelé, avec une tête folle. Il allait perdre du temps avec cette bête trop nerveuse, trop fragile, qui, déjà, écumait, tremblait, soufflait en claquant des naseaux. Comme le chemin montait un peu, à tout moment elle s'arrêtait, et il fallait la solliciter des talons pour l'obliger à repartir.

Vers midi, au plus chaud du soleil, ils atteignirent un petit bois de pins, sur une colline, d'où on surplombait la piste poudreuse du courrier postal. Nikita mit pied à terre et dessella sa monture. Elle avait le dos mouillé. Il la bouchonna avec de l'herbe, la promena en rond et attendit qu'elle fût calmée pour la conduire à un ruisseau. Dans deux ou trois heures, pensait-il, elle serait assez reposée pour reprendre le voyage. Lui-même avait les os rompus, les muscles gourds, la tête pesante comme du plomb. Sans l'excitation d'arriver au but, il se fût écroulé de fatigue. Dans l'ensemble, d'ailleurs, tout se passait le mieux du monde. S'il avait pu prévoir qu'il était si facile de traverser la Sibérie en fraude, il fût parti, à cheval, en même temps que Sophie !

Il tira de son baluchon un bout de cette viande séchée, dont les Bouriates faisaient leur ordinaire. Suivant leur exemple, il mordait dans la nourriture à pleines dents et tranchait le morceau avec son coutelas, au ras des lèvres. Bien mâchée, la chair de mouton finissait par perdre son goût. Du moins, essayait-il de s'en persuader ! Rassasié, il remit son coutelas au fourreau, dans sa ceinture, attacha son cheval à un arbre et s'allongea sur le dos. Les aiguilles de pin lui offraient une couche élastique. Sa nuque reposait sur une racine incurvée en forme de chevet. Les yeux ouverts, il voyait, au-dessus de lui, les enfléchures complexes des branches. Derrière ces lignes entrecroisées, le ciel semblait encore plus haut et plus éblouissant. « Ne pas dormir ! se disait-il. Surtout, ne pas dormir ! » Et il s'endormit.

La sensation d'un vide à ses côtés l'éveilla brusquement. Il regarda autour de lui et ne vit plus le cheval. S'était-il détaché en tirant sur sa longe ? Saisi d'inquiétude, Nikita se dressa, les jambes ankylosées. Sans monture, il était perdu. Il n'avait pas assez d'argent pour en acheter une autre. Et il ne pouvait continuer son chemin à pied ! « Cette bête ne doit pas être loin ! Je vais la retrouver ! » Il se mit à fouiller dans le bois, en appelant, en sifflotant, en clappant de la langue. Les troncs s'écartaient à son passage, sur des perspectives désertes et monotones. Parvenu à la lisière, il scruta la route, dans le creux et, tout à coup, la joie lui fut rendue : sa jument, très à l'aise, broutait l'herbe au bord de la piste. « Merci, mon Dieu ! » dit Nikita. Et il dévala rudement la pente, en sautant les pierres qui lui barraient le chemin. Quand il arriva en bas, la jument avait de nouveau disparu. Mais il l'entendit hennir, dans un fourré, cent pas plus loin. C'était une bête espiègle, indisciplinée. Il courut dans cette direction, écarta les broussailles et se trouva devant deux gendarmes. Ils tenaient leurs propres chevaux par la bride et entouraient la jument, qui continuait à mâcher un peu d'herbe sèche, l'œil innocent, féminin, la queue chassant les mouches.

Le cœur de Nikita tomba en chute libre. Ses genoux faiblirent. L'un des gendarmes était vieux, avec une moustache filandreuse, une verrue sur la narine et un œil terne, sans méchanceté. L'autre, rondelet et rougeaud, avait des joues de souffleur de verre. Tous deux étaient sanglés dans des capotes grises, un fusil en bandoulière et le sabre au côté.

— Que veux-tu ? demanda le plus jeune.

— Ce cheval... balbutia Nikita.

— Il est à toi ?

— Oui.

— Qu'est-ce qui me le prouve ?

Nikita perdit contenance. Son visage ne savait pas mentir. Il marmonna :

— Rien... J'étais dans le petit bois avec lui... Il s'est détaché... Je viens le rechercher, c'est tout...

— Et que faisais-tu dans le petit bois ?

— Je dormais.

— Tu voyages ?

— Oui.

— Pourquoi pas par la grande route ?

— C'est moins encombré par les petits chemins.

— Et moins surveillé aussi, peut-être ! Montre-moi tes papiers !

La nuit se fit dans la tête de Nikita. Puis une idée le traversa, de part en part, fulgurante.

— Ils sont restés là-haut, dans mon baluchon, dit-il.

— Nous allons voir ça !

Les deux gendarmes se remirent en selle.

— Je peux remonter sur mon cheval ? demanda Nikita.

— Oui, dit le vieux. Mais marche entre nous.

Nikita enfourcha la jument, à cru, l'encadra

bien dans ses jambes et fit appel à toutes ses forces, à tout son calme, comme pour paraître devant Dieu.

— Tu viens d'où ? reprit le vieux.

— De Tomsk ! dit Nikita à tout hasard.

— Et où vas-tu ?

— A Pogrominskaïa...

— Pour quoi ?

— Pour affaires de famille... J'ai un oncle, là-bas, qui est très malade... Il voudrait... il voudrait me voir... me bénir...

Tout en parlant, il tira subrepticement de sa poche le collier de dents de loup que lui avait remis Goloubenko et le passa sur l'encolure de la jument. Aussitôt, elle dressa les oreilles. Ses veines frémirent. Nikita donna des talons dans ses flancs, la frappa du plat de la main, la poussa en avant, et elle partit dans un galop de terreur, comme si elle avait eu réellement une meute de loups à ses trousses. D'abord surpris, les deux gendarmes se lancèrent à la poursuite du fugitif en criant :

— Arrête ! Arrête !...

Nikita pensa : « Ou je les distance et je suis sauvé, ou ils me rattrapent et mieux vaut mourir. Va, ma jolie, va ma mésange ! » Elle le comprenait, elle jetait toute sa force, toute sa jeunesse, dans une détente si souple, que la terre riait sous ses sabots. Derrière elle les deux gendarmes s'essoufflaient dans une galopade laborieuse. Evitant de se retourner, par crainte de ralentir l'allure, Nikita sentait que le péril s'éloignait de lui à chaque foulée. Au lieu de remonter vers le petit bois, il filait vers l'Est, parallèlement à la route. Encore dix minutes de ce train, et il serait seul dans le désert. Une détonation claqua, parfaitement inoffensive et ridicule. C'était un juron de poudre, une menace en l'air avant d'abandonner la partie. Un deuxième coup de feu retentit, plus bête encore que le précédent. Nikita, ivre de sa victoire, tapota l'encolure de la jument pour la remercier. Au même instant, elle se déroba sous lui, comme happée par un gouffre. En plein élan, il roula par terre avec elle. La violence du choc l'étourdit. Son crâne avait cogné le sol et une vibration persistait dans ses oreilles et dans sa mâchoire. Il mit une seconde à comprendre que la jument avait été blessée. Elle hennissait de douleur, la tête dressée, l'œil rond d'épouvante, un trou de sang dans la cuisse postérieure gauche. Son flanc haletant écrasait la jambe de Nikita. Il ne parvenait pas à se dégager et les gendarmes arrivaient sur lui, le plus jeune menant la course, l'autre loin derrière. « Tout est perdu ! », conclut Nikita en se remettant sur pieds avec un grand effort. Et, d'instinct, bien qu'il n'eût plus aucune chance de s'enfuir, il partit, droit devant lui, en boitant. Le gendarme le rattrapa et brandit son sabre, avec autant de fureur que de maladresse. Nikita esquiva le coup.

— Sale chien ! hurla le gendarme.

Et il voulut le frapper encore. Cette fois, Nikita entendit la lame siffler à son oreille. Une fureur démente l'emporta contre cette brute apoplectique et moustachue, qui prétendait l'empêcher de rejoindre Sophie. Il saisit au vol le bras du gendarme et le tordit si violemment, que l'autre lâcha son sabre, jura, cracha et se pencha sur sa selle. D'une secousse, Nikita le désarçonna, comme il eût tiré un sac de farine au bas d'une planche. Mais, entraîné par le poids de son adversaire, il tomba, lui aussi. Roulant l'un sur l'autre, ils se bourraient de coups de poing, s'étranglaient, se soufflaient leur haine et leur peur au visage. « Si je pouvais lui prendre son cheval ! », se dit Nikita.

Le gendarme lui échappa, sauta sur ses pieds et ramassa son sabre. Nikita dégaina son couteau.

— Lâche ça ! Lâche ça ! Tu es fou ? cria l'homme. Tu vas voir !...

Et il marcha à l'attaque, en faisant de grands moulinets. Il était grimaçant, hargneux, hideux, stupide. « Choisis, mon Dieu : lui ou moi ! », songea Nikita avec un tremblement de prière. Une fois, deux fois, il se déroba, par des bonds de côté, à de molles estocades. La troisième fois, un revers l'atteignit à l'épaule. Il chancela, serra les dents et poussa son couteau dans la capote grise qui s'avançait à sa rencontre. Quelle simplicité ! La lame perça l'étoffe, creva la peau lardée et musclée du ventre, frémit d'une courte résistance et pénétra ensuite facilement dans les chairs. Les yeux du gendarme s'écarquillèrent jusqu'à saillir de ses orbites. Il prit un air scandalisé. Ce qui lui arrivait était inadmissible ! Nikita le pensait aussi. Imbu de respect devant cette masse vacillante, il fit un pas en arrière pour ne pas la recevoir sur lui. Le corps fut secoué par un énorme hoquet, plia et s'effondra. Cette chute, le couteau restant planté, approfondit la plaie. Une tache rouge s'élargit dans l'herbe.

Derrière le dos de Nikita, un galop se rapprochait. Mais il ne l'entendait pas, égaré dans un rêve de verdure et de sang. « J'ai tué un homme. Il le fallait. Pardonne-moi, mon Dieu ! » Puis il avisa le cheval du mort. « Fuir ! En ai-je encore le temps ? » La réponse fut un terrible coup sur sa nuque. L'autre gendarme l'avait rejoint et le sabrait. Il perdit connaissance.

8

Le tarantass s'arrêta, en grinçant, au bord de la rivière, le cocher se tourna vers Sophie, désigna du fouet la berge opposée, fit un mince sourire mongol, et dit simplement :

— Tchita !

Bien qu'elle fût, depuis longtemps, préparée à cette minute, elle ne pouvait croire que le voyage fût terminé. Son bonheur ressemblait à un désarroi. La Terre promise s'étalait devant elle : c'était une hauteur sablonneuse, avec quelques bicoques de bois cernant une maison rouge, surmontée d'un drapeau. Plus loin, se dressaient les bulbes en cuivre terni d'une église. Le paysage d'alentour était composé d'herbe galeuse, de buissons et de flaques, où se reflétait le ciel. Des collines bleutées et sans épaisseur bordaient l'horizon. Elles étaient décalées l'une par rapport à l'autre, comme des cartons glissés dans des rainures. Le cocher voulut se remettre en route, mais Sophie l'arrêta : elle ne pouvait se présenter au commandant de Tchita sans avoir corrigé le désordre de sa toilette. Ouvrant un sac de voyage, elle en tira un peigne, une brosse, divers flacons et une glace à main. Dans le cadre ovale du miroir, apparut un visage pâle, fatigué, marqué de poussière. Des mèches de cheveux pendaient sur son front et sur ses joues. Elle se jugea affreuse, se recoiffa, se lava la figure avec un mouchoir mouillé d'eau de rose, épousseta sa robe et remit d'aplomb son chapeau en velours vert bouteille, aux rubans mordorés noués sous le menton. C'était à la fois une question de dignité et de stratégie féminine. De temps à autre, le cocher se retournait sur elle et la regardait, bouche bée. Quand elle se fut réconciliée avec son image dans la glace, elle dit :

— Va, maintenant. Tu m'arrêteras devant la maison du commandant.

Il fallait traverser la rivière à gué. Le tarantass descendit la pente et entra dans l'eau jusqu'aux moyeux. Sur l'autre rive, des gamins saisirent les chevaux au mors pour les aider à sortir de la vase. Après quelques glissades, les roues retrouvèrent le sol ferme. Sophie redressa son chapeau, qui avait chaviré dans les secousses. Ruisselante, cahotante, la voiture s'engagea dans l'unique rue du village. Enfin, le cocher tira sur ses guides :

— C'est ici, barynia.

Elle reconnut, derrière une palissade, au milieu d'un jardin bien taillé, la grande bâtisse peinte en rouge qu'elle avait aperçue de loin. A l'entrée, dans une guérite rayée de noir et de blanc, une sentinelle montait la garde. Sophie ordonna au cocher de l'attendre, passa devant le factionnaire indifférent et se dirigea, d'un pas résolu, vers le perron. Elle ne savait rien de l'homme qu'elle allait affronter maintenant, sinon qu'il était général, qu'il s'appelait Stanislas Romanovitch Léparsky, et que Nicolas Ier l'avait, malgré ses soixante-douze ans, institué commandant du nouveau bagne de Tchita.

Un sous-officier la reçut dans le vestibule, lui demanda son nom et la pria de patienter. Son Excellence était occupée. « Encore une Excellence ! », pensa Sophie avec résignation. En avait-elle assez vu, depuis le commencement de ses démarches ! Il semblait qu'on ne pût rien entreprendre, en Russie, sans se heurter, d'étape en étape, à un général assis derrière une table chargée de papiers. Elle était si pressée d'avoir des nouvelles de Nicolas que, malgré sa fatigue, elle se mit à marcher de long en large, dans l'antichambre, pour calmer ses nerfs. Au bout de quelques minutes, lentes comme des heures, le sous-officier resurgit, claqua des talons et ouvrit une porte.

En pénétrant dans le bureau, Sophie eut le sentiment d'y être déjà venue dans une autre vie. Meubles d'acajou, rideaux verts, portrait du tsar, piles de dossiers à couvertures jaunes, encrier en malachite, c'était le décor habituel des audiences administratives. Même le général qui s'inclinait devant elle ne lui était pas inconnu, bien qu'elle le vît pour la première fois. Il avait un vieux visage fripé, aux pommettes roses, à la moustache grise hérissée, et aux petits yeux froids et malins. Ses cheveux clairsemés étaient brossés en avant, sur son front et sur ses tempes. Le drap vert de son uniforme se plissait, en accordéon, sur sa poitrine.

— Un courrier d'Irkoutsk m'a averti de votre prochaine arrivée, Madame, dit-il en français. Je vous souhaite la bienvenue à Tchita.

Il parlait presque sans accent, d'une voix aux résonances nasales. « Voici donc le maître de Nicolas, pensa-t-elle rapidement. Celui dont dépendra notre bonheur à tous deux, dans les années à venir ! » Dominant son angoisse, elle remercia Léparsky pour ses bonnes paroles, mit un charme discret dans son sourire et accepta de s'asseoir.

— Je suppose que vous avez hâte d'avoir des nouvelles de votre mari, Madame, reprit-il.

— Oui, Excellence ! balbutia-t-elle. Je n'osais vous le demander ! Mais je meurs d'inquiétude ! Comment va-t-il ?

— Le mieux du monde !

— Sait-il que je suis là ?

— Pas encore.

— L'avez-vous prévenu, du moins, que j'étais en route ?

— Je n'aime pas donner aux prisonniers des espoirs qu'un événement fortuit risque toujours de détruire.

— Sans doute, Excellence... Vous avez raison... Quand pourrai-je le voir ?

— Mercredi. C'est le jour de visite.

Sophie le considéra, interloquée :

— Mais, nous ne sommes que lundi !

— En effet.

— Et d'ici là ?...

— N'insistez pas, Madame.

Cette fin de non-recevoir la désola. Elle fut sur le point de s'emporter, mais se ravisa et rentra ses griffes. Instruite par l'expérience, elle savait maintenant que, dans ce genre de conflits, la douceur était plus efficace que l'indignation.

— Excellence, murmura-t-elle, je vous supplie de me comprendre ! Voici trois mois et demi que j'ai quitté Saint-Pétersbourg ! J'ai couvert six mille verstes pour rejoindre mon mari ! Ne me faites pas attendre deux jours encore la joie de le rencontrer !

Tandis qu'elle s'exaltait, le général Léparsky l'observait avec un intérêt paisible. Il devait avoir l'habitude des récriminations féminines, avec Catherine Troubetzkoï, Marie Volkonsky, Alexandra Mouravieff... Sophie eut l'impression de se retrouver devant Benkendorff à Saint-Pétersbourg, ou devant Zeidler à Irkoutsk. Chez ces généraux, grands ou petits, la fonction dévorait l'homme. Si l'un portait plus de décorations que l'autre sur la poitrine, tous avaient la même raideur de maintien, la même politesse compassée et la même aridité de cœur. Des automates, dirigés à distance par le pouvoir central.

— Je regrette qu'il me soit impossible de vous donner satisfaction, Madame, dit Léparsky. Les choses doivent suivre leur cours. Justement, j'ai un document à vous faire signer... Un simple additif au règlement dont vous avez pris connaissance à Saint-Pétersbourg...

Il lui présenta un papier. Elle lut rapidement :

« 1° Je m'engage à ne pas essayer de voir mon mari par des moyens illicites et à ne le rencontrer que les jours fixés par le commandant.

« 2° Je m'engage à ne lui procurer ni argent, ni papier, ni encre, ni crayon sans l'autorisation du commandant.

« 3° Je m'engage à ne lui faire parvenir aucune boisson alcoolisée, ni vodka, ni vin, ni bière.

« 4° Je m'engage, lors des visites, à ne parler avec lui qu'en russe, pour être comprise du factionnaire qui nous surveillera.

« 5° Je m'engage à ne pas envoyer de lettres autrement que par l'intermédiaire du commandant, à qui je les remettrai ouvertes. »

Sans aller jusqu'au bout, Sophie, agacée, dit :

— Ce sont des détails !...

— Ici, les détails ont plus d'importance que les

généralités, Madame. Veuillez signer au bas de la page.

Elle s'exécuta. Il reprit le papier et le rangea dans un tiroir, sans la quitter des yeux. Ce regard d'entomologiste était fort désagréable. Sous quelle étiquette la classait-il ? « Vive, résolue, orgueilleuse, mais vulnérable par certains côtés... » Elle rougit.

— Je vous ai fait réserver une chambre dans une maison de paysans, reprit-il. Vous m'excuserez de ne pouvoir vous offrir mieux. Un de mes hommes vous conduira.

— Très bien, Excellence, mais, pour l'entrevue avec mon mari...

— Ne vous ai-je pas dit : après-demain ?

Arrêtée en plein élan par cette petite phrase sèche, elle devina que Léparsky ne céderait pas et, furieuse, attristée, baissa la tête.

Elle se retrouva, roulant dans son tarantass, avec un soldat qui marchait à côté des chevaux. On s'arrêta au bout du village, devant une maisonnette de rondins. Un paysan noueux, tanné et moussu, se tenait sur le pas de la porte, avec sa femme beaucoup plus jeune, coiffée d'un fichu rouge. Ils firent de profonds saluts à Sophie et se nommèrent comme étant ses hôtes, Porphyre Zakharytch et Pulchérie.

Les bagages furent vite déchargés. Sophie pénétra dans une chambre minuscule, au plafond bas, meublée d'un lit, d'une table et d'une chaise. Après les gîtes d'étape, sales et inconfortables, ce local lui parut d'une propreté avenante. L'unique fenêtre donnait sur un ravin envahi de broussailles. Un ruisseau roulait, en contrebas, ses eaux fortes et troubles. Des moutons à grosse laine noire paissaient sur la rive opposée. Tandis que Sophie inspectait son nouveau domaine, Zakharytch et Pulchérie dévisageaient, avec une vénération timide, cette étrangère venue de la capitale pour s'installer dans leur masure.

— Je serai très bien ici, dit-elle en leur souriant à tous deux.

Et, soudain, elle dressa l'oreille. On chuchotait, on bougeait, derrière la cloison. Elle se crut espionnée et dit vivement :

— Qu'est-ce que c'est ?

Zakharytch se plia en deux, une main sur le cœur :

— On vous attend, à côté.

— Qui ?

— Les autres dames.

A l'instant, un doigt discret frappa au vantail, une voix chantante demanda en français : « Pouvons-nous entrer ? » et Sophie, ouvrant la porte, se trouva devant trois jeunes femmes, qui la regardaient avec une curiosité affectueuse.

— Enfin, vous voilà ! s'écria l'une d'elles. Nous vous attendions depuis hier ! Je suis Catherine Troubetzkoï. Et voici Marie Volkonsky et Alexandrine Mouravieff ! N'êtes-vous pas trop fatiguée par le voyage ? Comment Léparsky vous a-t-il reçue ? N'avez-vous besoin de rien ?

Un peu étourdie par l'amabilité des visiteuses, Sophie les examinait en répondant à leurs questions. La princesse Catherine Troubetzkoï était menue, rondelette, avec de larges yeux, d'un bleu foncé, dans un visage pâle. Il paraissait incroyable que cette petite femme, à l'aspect fragile, eût fléchi par son obstination la volonté du tsar et ouvert la voie aux autres épouses de condamnés politiques. Auprès d'elle, la princesse Marie Volkonsky, haute, svelte, gracieuse, avait l'air d'une enfant égarée parmi les grandes personnes. Dans sa figure basanée, d'une pâte tendre, couronnée d'épais cheveux bruns, le sourire des lèvres corrigeait la tristesse du regard. Vingt ans à peine ! Pour rejoindre en Sibérie un mari qu'elle n'aimait guère et qui avait le double de son âge, elle avait rompu avec sa famille et abandonné son fils encore au berceau. C'étaient deux filles et un fils que Mme Alexandra Mouravieff avait laissés, elle, en se lançant, tête perdue, sur la route de Tchita. Elle était belle, grave, digne, avec une peau mate et des prunelles noires, qui lui donnaient le type espagnol. Sophie connaissait l'histoire de ces trois femmes, comme, sans doute, elles connaissaient la sienne. Une même cause les unissait, mieux que ne l'eussent fait des années de relations mondaines à Saint-Pétersbourg. Elle leur demanda, comme à Léparsky, si elles avaient des nouvelles récentes de Nicolas.

— Rassurez-vous, dit Marie Volkonsky, il est en bonne santé et l'annonce de votre arrivée lui a remonté le moral.

— Comment ? Il sait donc ?... dit Sophie.

— Bien sûr ! Nous lui avons fait parvenir un billet, en cachette, ce matin ! Quand devez-vous le voir ?

— Après-demain seulement !

— C'est ce que je craignais, soupira Catherine Troubetzkoï. Le général Léparsky se retranche, une fois de plus, derrière le règlement !...

— Il ne faut pas nous laisser faire ! décréta Marie Volkonsky. Nous irons le trouver ensemble, en délégation ! Nous lui exposerons ce que son attitude a d'inamical, de... sadique ! Parfaitement... de sadique !

Toute heureuse d'avoir osé ce mot, elle regardait ses deux amies avec une fierté enfantine et revendicatrice.

— Quel genre d'homme est ce général Lépar-sky ? demanda Sophie.

— Un geôlier ! Un tortionnaire de l'âme ! Un ogre ! répondit Marie Volkonsky.

— Il voudrait surtout en avoir l'air ! corrigea Catherine Troubetzkoï. Mais, dans le fond, je crois qu'il tente l'impossible pour concilier la rigueur des consignes reçues avec la sympathie que nous lui inspirons.

— Evidemment ! si vous le comparez à l'affreux Bournachoff !... dit Marie Volkonsky. Celui-là, c'était l'antéchrist en personne. Il commandait les mines de Blagodatsk où travaillaient nos maris. Car, vous ignorez peut-être, Madame, que les huit prisonniers de la première catégorie ont été envoyés dans les mines et y sont demeurés près d'un an ! Il y a quinze jours encore, nous nous trouvions là-bas, avec eux ! On vient à peine de les transférer à Tchita pour les réunir avec leurs camarades moins durement condamnés ! Nous sommes donc, nous aussi, nouvelles venues dans ce village !

— Mais mon mari ?...

— Il est toujours resté à Tchita, dit Alexandrine Mouravieff. Entre-temps, on a agrandi le bagne...

Au lieu de calmer Sophie, ces premières informations attisèrent son impatience. A deux pas de Nicolas, elle souffrait plus de ne pas le voir, que si des centaines de verstes les eussent encore séparés. Elle était arrivée au but et rien, semblait-il, n'avait changé pour elle. Sa seule ressource était d'interroger les autres sur les émotions qui l'attendaient. Heureusement, la gentillesse des trois femmes la mettait à l'aise. C'était un plaisir pour elle de renouer, après des mois de dépaysement, d'incommodité et de fatigue, avec des personnes de son milieu. Elles étaient habillées très simplement. Leurs visages aux traits délicats contrastaient avec leurs robes de servantes. Zakharytch apporta des tabourets. On s'assit autour d'une table vide.

— Comment se passent les visites ? demanda Sophie. Est-ce nous qui allons voir ces messieurs ?

— Non, dit Marie Volkonsky. On vous amènera Nicolas Mikhaïlovitch sous escorte. Un imbécile de soldat écoutera tout ce que vous chuchoterez avec votre mari. Et, après une trentaine de minutes, demi-tour, en route pour le bagne !

— C'est abominable !

— La première fois, oui ! Après, on s'habitue. On attend même ces brèves entrevues comme des instants de paradis. Mais nous bavardons, nous bavardons, et il va être l'heure !

— L'heure de quoi ?

— C'est une surprise, dit Alexandrine Mouravieff. Je vous invite chez moi.

— Laissez-moi, au moins, le temps de me changer, de me rafraîchir ! dit Sophie.

— Non ! Non ! Après, il sera trop tard !

Elles étaient surexcitées, mystérieuses, à la façon de trois pensionnaires préparant une farce. Sophie s'étonna de cette gaieté puérile, de cette vaillante ingénuité, qui fleurissaient à l'ombre du bagne. L'instinct de vivre était plus fort que les contraintes inventées par les hommes pour l'étouffer. Elle remit son chapeau et suivit les jeunes femmes dans la rue.

Le crépuscule salissait le ciel, quand elles arrivèrent à la maisonnette d'Alexandrine Mouravieff. Ramassant leurs jupes, elles grimpèrent, l'une après l'autre, par une échelle, dans le grenier. Là, s'amoncelaient des caisses, des sacs, des outils, des chiffons, sous les molles voilures des toiles d'araignée. Les dames avançaient prudemment, parmi les écueils. Le plancher pourri craquait sous leurs pas. Guidée par Marie Volkonsky, Sophie s'approcha d'une large lucarne.

— Regardez ! Droit devant vous ! dit Catherine Troubetzkoï.

Penchée dans l'embrasure, Sophie découvrit, en contrebas, une palissade continue de pieux, qui délimitait un grand espace rectangulaire. Le portail de l'enclos était fermé. Une sentinelle faisait les cent pas, l'arme sur l'épaule, devant sa guérite. Derrière l'enceinte, s'alignaient des baraques en bois. Une cinquantaine de silhouettes imprécises bougeaient dans la cour.

— Ce sont eux ! chuchota Marie Volkonsky.

Sophie écarquilla les yeux et respira avec effort. Etait-il possible que Nicolas — son Nicolas ! — fût parmi ce troupeau de prisonniers grisâtres ? Elle essayait de le reconnaître, mais la pénombre et l'éloignement empêchaient de discerner les visages.

— Ne serait-ce pas lui, là-bas, tout au fond, qui pousse une brouette ? demanda Marie Volkonsky.

— Peut-être... Je ne sais pas !... dit Sophie avec désespoir.

Il lui semblait que Nicolas s'était fondu dans la masse, qu'il y avait perdu sa figure et son âme, qu'elle ne le retrouverait jamais.

— Moi, déclara Catherine Troubetzkoï, je crois plutôt que Nicolas Mikhaïlovitch est près de la porte du hangar, avec mon mari.

— Que dites-vous là, Catache ? s'écria Alexandrine Mouravieff. Nicolas Mikhaïlovitch est beaucoup plus grand ! Celui auquel vous pensez est M. Lorer, j'en donnerais ma main à couper !

— Ah ! si seulement nous avions des jumelles ! soupira Marie Volkonsky.

Quelques prisonniers, les ayant aperçues, les saluèrent en levant le bras.

— Restez seule à la fenêtre, dit Catherine Troubetzkoï à Sophie. Ainsi, votre mari saura que vous êtes arrivée.

Les trois jeunes femmes s'écartèrent. Sophie agita son mouchoir. Elle s'adressait à un seul homme ; trente lui répondirent.

— Cela ne sert à rien ! dit-elle en laissant retomber sa main. Que font-ils dans la cour ?

— Depuis deux jours, ils ne sortent plus pour travailler et réparent quelque chose dans la prison, dit Alexandrine Mouravieff. On va bientôt les mener à la soupe.

Comme certains prisonniers continuaient à faire des signaux, des gardiens intervinrent. Il y eut une bousculade sans brutalité entre uniformes et camisoles. Des éclats de voix frappèrent les oreilles de Sophie. Les détenus se calmèrent. Un roulement de tambour les rassembla sur deux rangs. On se serait cru dans la cour de récréation d'un collège. Les hommes marquaient le pas. Sophie perçut un cliquetis sourd, comparable à celui qu'eussent fait des centaines de pièces de monnaie remuées dans un sac : c'étaient les chaînes des condamnés. Jamais encore, elle n'avait pensé avec précision aux fers que portait Nicolas. Un froid mortel la pénétra jusqu'aux os. Ce bruit descendait en elle profondément, se mêlait à sa vie intime, aux échos de son propre cœur. Elle ne pourrait plus l'oublier. En regardant mieux, elle voyait ce qu'elle n'avait pas remarqué d'abord : un paquet de maillons noirs entre les jambes de chaque forçat. Ils se dandinaient, alourdis à la base. Quand ils se mirent en marche, pour rentrer dans leurs casemates, le tintement s'accentua. Marie Volkonsky se boucha les oreilles.

— C'est affreux ! s'écria-t-elle. Je ne peux m'y habituer !

— Ne leur ôte-t-on jamais leurs chaînes ? demanda Sophie, la gorge serrée.

Les trois femmes s'entre-regardèrent avec tristesse.

— Jamais, dit Alexandrine Mouravieff. C'est ainsi qu'on vous amènera Nicolas Mikhaïlovitch. Préparez-vous à un grand choc. Pour ma part, j'ai éclaté en sanglots !

— Moi aussi, dit Marie Volkonsky. Mon mari avait l'air si épuisé, si misérable, avec ses anneaux aux chevilles ! Je n'ai pu résister ! Sans réfléchir, je me suis agenouillée devant lui et j'ai baisé ses chaînes !

— J'ai eu le même geste que vous, dit Catherine Troubetzkoï en ramenant frileusement un châle de laine noire sur ses épaules.

Là-bas, les hommes s'engouffraient lentement, tête basse, dans une porte. Presque tous, avant de disparaître, se retournaient vers la lucarne.

— C'est étrange, murmura Sophie, il me semble que moi, en voyant les fers de mon mari, je n'aurais pas envie de les embrasser mais de les retirer !

— Comme vous êtes Française ! dit Alexandrine Mouravieff en souriant.

Le bruissement métallique s'éloignait dans le crépuscule. Tendue vers les derniers prisonniers de la colonne, Sophie cherchait encore Nicolas et souffrait que la conjonction de leurs regards fût si incertaine. Quand il n'y eut plus personne dans la cour, elle éprouva un vertige. Le poids de son voyage lui tomba sur les épaules. Elle cacha son visage dans ses mains.

— Accepteriez-vous de souper avec nous, ce soir ? lui demanda Catherine Troubetzkoï.

9

Le jour se levait, quand deux soldats vinrent tirer Nikita de sa cellule. Meurtrier d'un gendarme, il avait vu son affaire réglée en un tournemain : pas d'instruction, pas de débat, pas de jugement, une simple décision administrative. Condamné, la veille, à cent coups de knout, il savait qu'il allait mourir. Le colonel Prokhoroff, commandant militaire de Verkhné-Oudinsk, lui avait bien promis de réduire sa peine de moitié s'il passait aux aveux. Mais il ne voulait révéler ni son nom, ni la raison de sa présence en Sibérie, ni sa condition de serf attaché à la famille des Ozareff, de crainte que Sophie ne fût recherchée et inquiétée par sa faute. De toute façon, puisqu'il lui serait désormais impossible de la rejoindre, il ne voyait aucune raison de rester en vie. Les mains liées derrière le dos, il marchait dans un couloir, en pensant au bonheur qu'elle lui avait donné en voyage. Après de si hautes joies, n'était-il pas normal de disparaître ? La perfection porte en elle-même un goût d'éternité. Au sommet de la montagne, il n'y a que le ciel pour qui veut monter encore. Plus fort que toutes les misères humaines,

Nikita s'élevait et s'assouvissait dans la solitude et le néant. Il n'avait plus honte de son état misérable, ni de sa criminelle convoitise. Il n'était plus un moujik, puisqu'il devait mourir ; il était prince, officier, poète... Sophie serait à lui entièrement dans l'autre monde, comme elle ne l'aurait jamais été dans celui-ci. C'était le *chaman* qui l'avait décidé, en leur faisant boire, à tous deux, de son eau magique. Quel était donc cet oiseau dont il leur avait parlé ? Ah ! oui, le sourdaud, merveilleux coq des bois, que la passion exalte au point qu'il se laisse tuer sans y prendre garde. « Après, tout deviendra clair, pour elle et pour moi. Une félicité surnaturelle et innocente. Non dans le domaine des corps, mais dans celui des âmes... »

Il faillit manquer une marche. Une vive lumière lui frappa les yeux. Dans une courette, derrière le poste de garde, il vit des soldats alignés, l'arme au pied, le shako sur la tête. Devant eux, déambulait le colonel Prokhoroff, petit et ventru. Au milieu de l'espace libre, un large panneau de bois était fiché en terre, verticalement. Il portait un trou, en haut, pour la tête du condamné, deux autres, sur les côtés, pour ses mains. Un gaillard râblé, à la figure jaune d'Asiate, se tenait près du chevalet de torture. Vêtu d'une blouse rouge et d'un pantalon noir bouffant, il ressemblait à un cocher en costume de fête. Sans doute, était-ce le bourreau. Les soldats dénouèrent les liens de Nikita, lui arrachèrent sa chemise, le poussèrent à genoux, et lui engagèrent le cou et les poignets dans les ouvertures de la cangue. Immobilisé de toutes parts, le dos bombé, la face tendue vers l'aurore, il pria Dieu de le faire succomber très vite. Il regrettait sincèrement d'avoir tué le gendarme. Mais il ne se sentait pas coupable, puisqu'il avait agi par amour. Pouvait-on considérer de la même façon l'incendie allumé par une main criminelle et celui allumé par la foudre ? « Tu sais cela, mon Dieu, n'est-ce pas ? Mieux que ceux qui me jugent ! Tu es avec moi, contre eux. Tu es, comme moi, amoureux de Sophie ! » Cette idée étrange le traversa au moment où une ombre s'interposait entre lui et le soleil. Le colonel Prokhoroff fit plier une badine entre ses mains gantées et demanda :

— Eh bien ? Tu te décides à parler ? Qui es-tu ? D'où viens-tu ?

Nikita ne répondit pas. La sueur perlait à son front. Pour se distraire, il contempla le ciel de marbre gris, veiné de rose. Il faisait froid et sec. Les soldats, tous pareils, avaient des haleines de vapeur. Leurs yeux étaient fixés dans le vide. Ce qui se passait ici ne les concernait pas.

— C'est bon ! dit le colonel. Vous pouvez commencer.

Le bourreau recula de dix pas, avec lenteur, assura de son poing le knout à la longue lanière terminée par une languette de cuir racorni, puis s'avança rapidement vers le chevalet, plissa les yeux et brandit le bras. Pendant une tierce de seconde, Nikita attendit le choc dans l'angoisse. Une brûlure atroce lui fendit les omoplates. Les bords de la courroie, incurvés, amincis, tranchants comme des lames de rasoir, s'incrustèrent dans sa peau. Au lieu de soulever la lanière pour la dégager, l'exécuteur la tira à lui horizontalement, ce qui arracha au patient une bandelette de chair. Nikita poussa un râle entre ses dents serrées... Trois, quatre, cinq... Les coups tombaient en croix, de l'épaule droite au flanc gauche et de l'épaule gauche au flanc droit. Entre deux cinglades, le bourreau reprenait sa distance, soufflait et secouait la mèche du fouet pour en faire glisser le sang. Au vingtième coup, il s'arrêta pour boire de la vodka. Le dos de Nikita n'était qu'une plaie. Une herse de feu était posée dessus. Son cœur avait des bonds désordonnés de poisson. Un goût de fer coulait sur sa langue. Il appelait la mort de toutes ses forces, mais quelque chose en lui l'obligeait à survivre, son corps supplicié résistait stupidement à la destruction, à la délivrance. Le colonel Prokhoroff était devenu pâle, ses joues tremblaient. Sans doute, ne pouvait-il supporter la vue de la douleur.

— Vas-tu parler, ordure ? dit-il avec colère, comme si Nikita, en s'obstinant, lui eût compliqué la besogne. Si tu parles, tu t'en tireras ! Je te ferai détacher après cinquante coups...

« Ils ont détaché le Christ, le croyant mort. Mais sa mère l'a soigné dans un souterrain. Il a recouvré l'usage de la parole. Et il s'est caché au fond du désert. Et il a vécu vieux, très vieux, dans la solitude et la méditation... » Ce que disait le *chaman* empêchait Nikita d'entendre ce que disait le colonel. Le Christ n'avait-il pas changé d'idée en vieillissant ? Etait-il d'accord avec ce que prêchaient, en son nom, ses disciples ? Ne considérait-il pas l'Evangile comme une œuvre de jeunesse qu'il eût fallu retoucher ? Qui sait si, à soixante-dix ans, à quatre-vingts ans, il n'avait pas conçu un autre message pour le monde, un message de plus grande sagesse et de plus grand bonheur, un message qui rapprochait la créature du créateur, la nuit du jour, la vie de la mort ? Personne n'avait entendu les dernières paroles du Seigneur. Le vent des sables avait emporté sa voix, enseveli son secret. C'était pour cela que les hommes étaient encore méchants. Un Christ ridé, flétri, au regard mélancolique et à la barbe blanche de grand-père, se pencha sur Nikita. Il fut transi d'une peur horrible. Et si c'était le diable qui prenait ces traits-là ? Il eût voulu se signer, mais ses mains étaient prisonnières de la cangue. La fièvre entrechoquait ses dents. « Toi qui as souffert, aide-moi à souffrir ! » Il vivait au temps de Ponce Pilate. Des Juifs haineux l'entouraient. Il récita en lui-même : « Notre Père qui es aux cieux... »

— Vas-y ! dit le colonel Prokhoroff.

— « Que Ton nom soit sanctifié... »

Un coup, d'une violence fulgurante, trancha net sa prière. Il hurla à s'en écorcher la gorge. Maintenant, les douleurs se succédaient à intervalles réguliers, se couchaient l'une sur l'autre, dessinaient des carrés, des losanges. Il avait à peine le temps de reprendre sa respiration entre deux claquements de lanière sur ses épaules. Lucide une seconde, il discernait devant lui les chaussures sales des soldats, une flaque gelée, un tas de crottin, un mur de briques, puis tout chavirait, tout se brouillait, il sombrait dans un écœurement mortel. Vingt-huit, vingt-neuf... Sophie était-elle déjà arrivée à Tchita ? Avait-elle revu Nicolas Mikhaïlovitch ? Si oui, toute à son bonheur, elle ne pensait plus à Nikita. C'était ce qu'il devait espérer de mieux : pour qu'il pût prendre possession d'elle dans la mort, il importait qu'elle l'oubliât dans la vie. Cette idée folle s'enfonçait dans sa peau à chaque coup.

De nouveau, une pause. On changeait de bourreau. Un soldat jeta un seau d'eau à la figure de Nikita. Il aspira avidement cette fraîcheur de source. Son enfance lui revint. La rivière. Le village. Un fichu rouge dans un champ de blé... Peu après, le supplice recommença, avec une régularité implacable. Le knout sifflait, se multipliait, tel un vol de vautours. Ils arrivaient de tous les coins de l'horizon et fouillaient le dos de Nikita de leurs becs et de leurs ongles. Il les détesta puis les ignora soudain. Sa souffrance évoluait. Il percevait moins la cuisson et davantage les chocs. Tout se passait à l'intérieur. Chaque heurt ébranlait son corps, sourdement, jusqu'aux racines, arrêtait le sang dans ses veines, coupait l'air dans ses poumons.

A partir du cinquante-quatrième coup, il perdit le compte. Aucune idée n'entrait plus dans sa tête. L'univers devint pour lui quelque chose de fermé, de lointain, d'hostile, où il n'avait que faire. Il s'évanouit, rouvrit les yeux et sentit qu'une vague de froid montait de ses jambes dans sa poitrine et enveloppait son cœur. Ensuite, il ne vit plus rien. Au fond de la nuit, des voix résonnèrent :

— Voulez-vous vérifier, je vous prie...

— Il vit encore, Votre Haute Noblesse. Que faisons-nous ?

— Continuez.

Au quatre-vingt-septième coup, le bourreau s'arrêta de lui-même. Depuis un moment, il frappait une viande inerte. Des soldats détachèrent le corps et tentèrent de l'asseoir sur un tambour. Nikita s'effondra, la face contre terre. Il était mort. Un médecin accourut, souleva la tête par les cheveux, la laissa retomber et dit :

— Terminé, Votre Haute Noblesse.

10

Assis sur une paillasse, dans la nuit infusée de clair de lune, Nicolas regardait l'alignement de ses camarades endormis et mesurait sa chance. Après la preuve d'amour qu'il venait de recevoir, il n'aurait plus jamais le droit de se plaindre. Demain matin, on le conduirait, sous escorte, auprès de Sophie. Il aurait voulu crier son bonheur à tout le monde. L'obligation de respecter le sommeil d'autrui l'étouffait. Comment ses voisins pouvaient-ils prendre du repos, tandis que lui attendait l'aube comme une délivrance ? Brusquement, il constata qu'il avait très soif. Tout irait mieux quand il aurait bu. La cruche était à l'autre bout de la salle, sur une table. Il repoussa ses couvertures, attacha ses chaînes à sa ceinture par une courroie et se mit debout dans un cliquetis de maillons. Ce bruit n'éveilla personne. Il formait le fond habituel de toutes les rumeurs du bagne. Même la nuit, les gestes inconscients des dormeurs ranimaient cette musique, par intermittence. Les lits, une vingtaine par chambrée, étaient si rapprochés, qu'il fallait se glisser de profil pour passer entre les deux rangs. Un poêle fumait près de la porte, dans un âcre relent de suie. Odeur pour odeur, celle que dégageait le baquet réservé aux besoins naturels était plus forte encore. Dans cette pestilence, les prisonniers, recrus de fatigue, faisaient des rêves de liberté.

Marchant à petits pas, Nicolas regardait, à droite, à gauche, ce cimetière d'ambitions. Pas un de ces forçats qui n'eût été naguère un homme fortuné. Princes, généraux, poètes, fils de famille étaient réduits à un dénominateur commun. Les voir, c'était mesurer la précarité des biens de ce monde, tout ce qu'un revers suffit à entraîner dans l'abîme... Cependant, leur sort n'était pas très rude, en Sibérie. On les employait, huit heures par jour, à d'absurdes travaux de terrassement. La nourriture qu'ils recevaient était exécrable, mais copieuse. Les gardiens les traitaient avec égard. Ils ne comptaient pas un seul condamné de droit commun parmi eux. Rien que des décembristes. Le plus pénible, pensait Nicolas, c'étaient ces chaînes. Mais cela aussi deviendrait supportable. Pour lui du moins. A cause de Sophie ! Les dormeurs soupiraient, geignaient, se retournaient dans leur misère, et il les considérait avec une pitié amicale, comme s'il eût été un roi parmi les mendiants.

Arrivé à la table, il se versa un gobelet d'eau et le but d'un trait. Au fond de la chambrée, une toux rauque se fit entendre : Youri Almazoff avait pris froid, la semaine dernière, sous la pluie. Quelqu'un se mit à parler en rêve : c'était Chimkoff. Il avait souvent des cauchemars. Çà et là, le clair de lune doublait d'une ligne d'argent le tranchant d'un nez, le rond d'une épaule, un embrouillement d'anneaux métalliques entre deux pieds aux orteils de cadavre. Désaltéré, Nicolas revint sur ses pas. Il avait gagné cinq minutes sur le temps qui lui restait avant de revoir Sophie. Cinq minutes ! Et la nuit n'en était qu'à la moitié de sa course. Il se rassit sur sa paillasse en faisant tinter ses chaînes. S'il réveillait quelqu'un, il pourrait toujours dire que c'était par mégarde. Son voisin de droite gisait, noir et immobile comme une souche : aucun espoir de ce côté-là ! Son voisin de gauche, Youri Almazoff, paraissait, en revanche, moins inabordable. La fièvre le tourmentait. Il se raclait la gorge dans un demi-sommeil.

— Tu dors ? dit Nicolas.

Pas de réponse. Avec mauvaise foi, Nicolas répéta sa question. Youri Almazoff se souleva sur un coude et grogna :

— Qu'est-ce que tu veux ?

— Rien, rien, dit Nicolas. Je croyais que tu ne dormais pas... Ce poêle fume... Nous allons mourir asphyxiés... Il faudrait le signaler à l'officier de garde...

— On le signalera ! Bonne nuit !

— Si tu es enrhumé, tu devrais refuser de travailler, demain. Léparsky comprendra très bien...

— Je m'embêterais plus si je restais au lit que si j'allais avec vous !

— Tu as peur de la solitude ?

— Oui. Et toi ?

— Moi aussi, dit Nicolas. Plus j'y pense, plus je considère que notre plus grande chance c'est de nous être tous retrouvés à Tchita. On aurait pu nous disperser dans des prisons aux quatre coins de la Russie, on aurait pu nous mélanger à des criminels ! Alors, je serais devenu fou ! Ici, du moins, nous sommes entre amis sûrs, nous avons les mêmes idées ! L'esprit du 14 décembre est demeuré intact parmi nous.

— Parle pour toi ! chuchota Youri en lui tournant le dos.

Nicolas était trop heureux d'avoir trouvé un interlocuteur pour le laisser se rendormir :

— Quoi ? Tu n'es pas d'accord ?

— J'ai sommeil... On en discutera demain...

— Une seconde, Youri ! C'est trop important ! Il faut que tu me répondes avec franchise ! Si c'était à refaire, tu dirais non ?

— Je crois... enfin, il me semble... Sachant ce que je sais... voyant le résultat...

— Là n'est pas la question ! Je te demande si, d'après toi, nous n'avons pas eu raison de jouer le tout pour le tout...

— Nous n'étions pas préparés, nous n'avions qu'une chance sur cent de réussir...

— Mais cette chance risquait de ne plus se représenter avant un siècle ! Devions-nous la laisser passer ?

Youri s'enfonça de tout son poids, dans le mutisme. Il avait une respiration sifflante. Cent fois déjà, ils avaient évoqué ce dilemme, en aboutissant à des conclusions diverses. C'était un grand sujet de conversation pour tous les prisonniers. Jour après jour, ils analysaient entre eux les raisons de leur échec. Ils refaisaient le 14 décembre à tête reposée. S'ils avaient eu, seulement, des amis sûrs dans la cavalerie de la garde, si, au lieu de rester en carré sur place, le régiment de Moscou s'était lancé à l'attaque du Palais d'Hiver, si les insurgés avaient disposé de quelques canons !... De supposition en supposition, ils remportaient la victoire et sortaient de leur mirage, les fers aux pieds.

— Il m'est arrivé de douter, comme toi ! reprit Nicolas. Mais, maintenant, je suis persuadé que nous ne pouvions agir autrement. Si nous n'avions pas bougé, le 14 décembre...

Youri lui coupa la parole :

— Si nous n'avions pas bougé le 14 décembre, nous serions aujourd'hui à Saint-Pétersbourg, heureux, considérés, pleins d'espoir ; nous irions au théâtre, au bal ; nous verrions de jolies femmes !...

Une quinte de toux le plia en deux.

— Et nous serions dévorés de remords ! dit Nicolas.

— Ça vaut mieux que d'être dévoré de vermine !

— Tais-toi ! Rien n'est plus précieux à l'homme que sa propre estime. Même si notre œuvre était prématurée, elle aura un grand retentissement dans l'histoire de la Russie. Nos meilleurs amis sont encore à naître !

— Chacun se console comme il peut ! marmonna Youri. Pour moi, l'admiration de la postérité ne vaut pas qu'on lui sacrifie une coupe de champagne ou un rire de femme. Rappelle-toi, Nicolas, cette petite danseuse du Grand Théâtre... Katia... dans *Acis et Galatée*... Ces entrechats, ces envolées de chaussons... Et, le soir, le souper chez les tziganes, au Cabaret Rouge... Où est-elle, Katia, maintenant ?... Avec qui fait-elle la coquette ?... Sans doute avec quelque officier qui, le 14 décembre, a été moins bête que nous, et s'est mis du bon côté !... Bientôt, la Néva sera gelée... Les courses en traîneau... Les chansons...

Il fredonna d'une voix fausse :

Jolie fille, blonde et rose,
Montre-moi ton petit pied !
Non, non, barine, je n'ose !
Que dirait mon fiancé ?...

Il se dandinait dans son lit. Ses chaînes cliquetaient en mesure. Soudain, les larmes l'étouffèrent. Il se fâcha.

— Salaud ! cria-t-il. J'étais tranquille ! J'allais dormir ! Pourquoi m'as-tu secoué avec tes histoires ?...

— Vous avez fini de gueuler ? gronda quelqu'un en se retournant. Si vous n'avez pas sommeil, laissez au moins roupiller les autres !

Nicolas se rapprocha de Youri et dit, en baissant le ton :

— Excuse-moi ! J'avais tellement besoin de parler à un ami, ce soir !... Je voudrais te passer un peu de ma confiance... Il y a une phrase de la Bible, que Stépan Pokrovsky nous citait à tout bout de champ : « La lumière des justes donne la joie ; la lampe des méchants s'éteindra... »

— Eh bien ?

— N'est-ce pas une belle prière contre le désespoir ?

— Encore faudrait-il savoir qui sont ces justes et qui sont ces méchants !

— Mais voyons, c'est clair : les méchants sont ceux qui s'opposent par la force au bonheur de l'humanité pour conserver leurs propres privilèges !

— Et les justes ?

— Ceux qui sacrifient leur bien-être, leur tranquillité, leur vie, à une haute conviction !

— En somme, des gens comme toi et moi.

— Oui, Youri.

— Alors, laisse-moi te dire que, pour le moment, les justes sont dans les ténèbres et que la lampe des méchants luit, à des milliers d'exemplaires, par toute la Russie.

— Ça changera, Youri.

— Quand nous serons morts !

— Peut-être avant.

— C'est l'arrivée de ta femme qui te rend si optimiste ?

— Non, balbutia Nicolas, je te jure que ça n'a rien à voir...

— Mais si !... Tu ne tiens plus !... Tu éclates !... Tu voudrais que tout le monde soit heureux parce que tu l'es toi-même !...

Il y eut un long silence. Puis Nicolas demanda :

— Crois-tu qu'elle a pu me reconnaître, de loin, parmi tous les autres ?

— Je ne sais pas, grommela Youri. Je ne pense pas...

— Moi, je l'ai reconnue.

— Evidemment ! Elle était seule à la lucarne !

— Ce n'est pas ce que je voulais dire ! Je l'ai reconnue, telle qu'elle était dans mes souvenirs. Ma femme est un être extraordinaire, Youri !

— Oui, oui...

— D'abord, elle est belle... très belle !...

— Oui...

— Et puis, elle a une âme de cristal... Une âme qui sonne juste quand on la touche...

— Oui...

La voix de Youri s'empâtait.

— Sais-tu comment j'ai fait sa connaissance, à Paris ? demanda Nicolas.

Sa question resta en suspens. Youri s'était endormi, plié en deux, les genoux au ventre. Nicolas se retrouva seul, avec tous les problèmes de sa vie. Autour de lui, ce n'étaient que respirations engorgées, remuements de membres lourds, tintements de fers, craquements de paille. Il s'allongea, les mains sous la nuque, fixa les yeux au plafond et essaya de se rappeler, sans omettre un détail, ce qu'il dirait demain à Sophie.

Vers quatre heures du matin, des nuages cachèrent la lune. La pluie se mit à tomber.

★

— Ce sont eux, barynia ! cria Pulchérie. Vite, vite !

Sophie sortit en courant et s'arrêta sous l'auvent de bois qui protégeait le seuil de la maison. Une bruine froide hésitait entre ciel et terre. Dans cette mouillure, les isbas se ratatinaient en champignons sous leurs grands chapeaux noirs luisants. Un bruissement métallique venait du fond de la rue. Les prisonniers s'avançaient en colonne par deux. Ils étaient vêtus de camisoles grises, de touloupes, de capotes déchiquetées, et portaient des pelles et des pioches sur l'épaule. Dix soldats, armés de fusils, les encadraient. Les chiens du village aboyaient à leurs trousses.

— Ils vont travailler du côté de la Tombe du Diable, dit Pulchérie.

Affaiblie d'émotion, Sophie scrutait ce défilé de visages livides, barbus, défaits, qui oscillaient stupidement au rythme de la marche. De l'un à l'autre elle cherchait son mari et ne trouvait que des inconnus. Allait-on réellement le lui amener ce matin ? Si cette joie lui était refusée, ses nerfs, tendus d'impatience, ne supporteraient pas la déception. Elle n'avait pas dormi de la nuit. A l'aube, elle s'était préparée, hâtivement. Son désir de plaire à Nicolas était tempéré par la crainte de lui paraître trop apprêtée dans sa robe et dans sa coiffure. Elle ne voulait pas que, devant elle, il ressentît plus cruellement encore, par contraste, l'horreur de son état. Si elle avait pu éteindre l'éclat de ses yeux, le lustre de ses cheveux, la chaleur de son teint, elle l'eût fait pour le mettre à l'aise. Du moins le croyait-elle tandis qu'inconsciemment elle se réjouissait à l'idée de le séduire encore. Elle avait revêtu une robe grise à col de dentelle blanche. Le vent dérangeait ses cheveux, rosissait ses pommettes. Dressée sur la pointe des pieds, elle se laissait dévisager, au passage, par tous ces forçats dont quelques-uns, peut-être, l'avaient fait danser jadis, à un bal, à Saint-Pétersbourg. Le défilé tirait à sa fin. Toujours pas de Nicolas. L'angoisse pénétrait Sophie. Soudain, elle poussa un cri : en queue de colonne, cet homme grand et maigre, haillonneux, enchaîné... Un sous-officier et un soldat le firent sortir du rang.

— Nicolas !

Sophie se jeta à sa rencontre. Ils s'étreignirent sous la pluie. Les autres prisonniers se retournaient sur eux et les regardaient avec envie en continuant à patauger, gauche-droite, dans les flaques. Un long moment, elle demeura blottie contre la poitrine de Nicolas, le palpant, le respirant et répétant d'une voix sourde :

— C'est toi ! C'est bien toi ! Enfin !...

Lui, ne pouvait parler. Les larmes débordaient ses paupières rougies. Sa lèvre inférieure tremblait comme celle d'un fiévreux.

— Viens ! dit Sophie.

Elle lui prit la main pour le conduire à la maison. Il marchait lentement, tirant ses chaînes. Le sous-officier entra derrière lui dans la chambre, le soldat resta dans le vestibule.

★

— Encore cinq minutes, s'il vous plaît, rien que cinq minutes ! implora Sophie.

Le sous-officier se gonfla d'importance, pesa le

pour et le contre dans sa grosse tête de bélier et dit :

— C'est bon. Pour cette fois, ça ira !...

Il s'adossa au mur, fourra une poignée de graines de pin dans sa bouche et se perdit dans une mastication rêveuse. Sophie et Nicolas se rassirent au bord du lit. Ayant obtenu ce délai, tout à coup, elle ne sut plus que dire. Seules des paroles banales tournaient encore dans son cerveau. Maintenant qu'elle avait revu son mari, qu'elle avait entendu le récit de ses journées au bagne, qu'elle lui avait raconté son propre voyage, elle était comme décontenancée d'avoir réussi. Plus d'obstacles à surmonter, plus de fatigues à vaincre ! Désœuvrée, apaisée, elle examinait Nicolas avec tendresse. Il avait beaucoup maigri, mais paraissait en bonne santé. On avait dû le raser en prévision de la visite. Sa capote était sale, effrangée aux manches. Entre ses pieds, tel un animal familier, reposait un paquet de chaînes. Marie Volkonsky avait raison : ce qu'il y avait de plus horrible, c'était le spectacle de ces anneaux entravant un être cher, comme s'il eût été un assassin. A tout moment, — c'était plus fort qu'elle — Sophie abaissait les regards sur les chevilles de Nicolas. Il le remarqua et dit :

— Cela surprend, au début... Puis on s'y habitue... Bientôt, tu n'y feras plus attention...

Il était plein d'un calme courage. Elle en fut fière ; elle voulait croire en lui ; peut-être pour se justifier elle-même, pour se donner raison de l'avoir rejoint... Qu'étaient les doutes, les rancœurs d'autrefois, auprès de la chance qu'elle avait aujourd'hui de le soulager dans sa détresse ? Il avait besoin d'elle pour survivre. Cette idée la grisait.

— Et à Saint-Pétersbourg, demanda-t-il soudain, que se passe-t-il ?

La question étonna Sophie, comme si Nicolas lui eût parlé d'une autre planète.

— Je suis partie depuis si longtemps !... dit-elle.

— Oui, oui... enfin... tu dois bien avoir des nouvelles !... Que pense-t-on de nous, là-bas ?

— Rien, Nicolas. La vie a repris son cours normal...

— C'était à prévoir !... Mais, un jour ou l'autre, les droits de l'homme seront reconnus par tous !... Alors, nos bourreaux même nous rendront justice... Ce qui manque le plus, ici, ce sont les livres, les journaux, les informations... Il y aurait une révolution en France, que nous ne le saurions même pas !

Sophie n'aurait jamais cru que la passion de la liberté eut résisté en lui à une aussi terrible déconvenue. Cet entêtement à raisonner dans le vide procédait, pensait-elle, d'un mélange d'héroïsme, d'aveuglement et d'enfantillage. Après l'avoir encouragé dans son enthousiasme, elle hésitait à le suivre, comme si ce qu'il y avait de plus profond, de plus féminin, en elle, se fût opposé aux jeux de la politique avec la force d'un instinct de conservation. Comment l'homme, qui avait si peu de jours à passer sur terre, pouvait-il perdre son temps en discussions théoriques, alors que les éléments essentiels de son destin étaient, depuis des millénaires, l'éveil de l'amour, la naissance d'un enfant, la maladie, la mort d'un être cher, la faim, la soif, le changement de saisons, la chaleur de deux corps unis sur une couche ? Le bonheur ne se situait pas dans les nuages, mais au niveau du sol. Il y avait plus de vérité dans un morceau de pain que dans tous les livres de philosophie du monde. Elle se demanda si c'était son voyage qui l'avait à ce point éloignée des idées et rapprochée de la vie. Nicolas, qui l'observait depuis un moment, murmura :

— A quoi songes-tu ?

— A rien.

— Tu semblais préoccupée.

— Mais non... C'est la fatigue, le dépaysement...

Il inspecta la chambre du regard et dit :

— J'espère que tu te plairas dans cette maison. Mais il te faudrait au moins un domestique !

— Pulchérie m'aide beaucoup, dit Sophie. Plus tard, je prendrai quelqu'un à mon service. Laisse-moi arriver, m'organiser...

— C'est dommage que Nikita n'ait pas pu te suivre !

Elle se troubla. Un vent brûlant courut sur toutes ses pensées.

— Oui, dit-elle, je le regrette. Mais il est très bien à Irkoutsk.

— Peut-être pourra-t-il finalement obtenir ses papiers...

— Peut-être...

— Tu devrais en parler au général Léparsky.

D'une manière inattendue, elle vit de nouveau Nikita couché, à demi-nu, sur le plancher rouge de sa chambre, à Irkoutsk. Ses cheveux blonds en désordre, ses traits crispés de douleur, son regard dilaté, d'un bleu violet, sa respiration saccadée... Il était si proche d'elle, malgré l'absence, qu'elle ferma les paupières, éblouie. Ce souvenir l'emplissait d'une volupté souterraine. Elle eut peur de l'émotion qui se levait en elle.

— J'ai d'autres choses plus importantes à demander au général Léparsky, dit-elle précipitamment.

— Quoi par exemple ?

— Qu'il me permette de te voir plus souvent, plus longtemps, de te faire parvenir des vêtements chauds, de la nourriture, des livres...

— Ma chérie ! balbutia-t-il en se penchant sur elle et en lui baisant les mains. La vie, à Tchita, sera si dure pour toi ! Je ne sais comment te remercier ! Pardonne-moi ! Je t'aime ! Je t'aime !...

Elle supportait, sur ses genoux, cette tête lourde comme un boulet, et se laissait gagner par une pitié engourdissante. Le désir, qui l'avait aiguillonnée tout au long du voyage, l'abandonnait une fois le but atteint. Près de Nicolas, elle avait beau s'exhorter à la folie, ses sens restaient au repos. Elle lui caressait les cheveux machinalement et rêvait à d'autres cheveux, à un autre visage, à une route coupant une plaine sans fin. Dans l'attente vide qui se prolongeait, elle eut l'impression que le temps coulait à l'envers.

Il faisait gris et froid. Le sous-officier mâchait ses graines avec de petits claquements mouillés, sans quitter du regard le couple silencieux. Au bout d'un moment, il grommela :

— Allez, c'est fini !

Sophie ne protesta pas. Nicolas se mit debout dans un bruit de ferraille.

— Nous nous reverrons dimanche ! chuchota Sophie en lui tendant les lèvres.

Ils s'embrassèrent. Elle était tranquille, charitable, sous cette bouche qui écrasait la sienne avec voracité. Le sous-officier toucha l'épaule de Nicolas pour lui faire lâcher prise.

— Où vas-tu, maintenant ? demanda Sophie.

— Rejoindre les autres au travail, dit Nicolas.

Elle sortit sous l'auvent pour le regarder partir

entre ses deux gardiens. Il traînait les pieds dans la boue et trébuchait parfois, à cause des chaînes. Tous les quatre pas, il se retournait pour la voir. Elle souriait, agitait la main. Quand il fut loin, une angoisse la frappa, si brusquement qu'elle en eut le souffle coupé. « Que suis-je venue faire ici ? », se demanda-t-elle.

Devant ses yeux, s'alignaient de petites isbas, entourées de palissades. Une cheminée fumait dans la brume. Un paysan passa, tirant une chèvre par un licol. Il salua Sophie. Elle lui répondit d'un mouvement de tête et rentra dans la maison.

Les principaux personnages de ce roman se retrouvent dans le tome I : Les Compagnons du Coquelicot, *dans le tome II :* La Barynia, *dans le tome IV :* Les dames de Sibérie *et dans le tome V :* Sophie ou la fin des Combats, *qui termine le cycle romanesque de* « La Lumière des Justes ».

Henri Troyat

Né à Moscou en 1911, il est arrivé en France en 1920 et est devenu l'un des plus grands écrivains français. En 1959, il est élu à l'Académie française. Les éditions J'ai lu ont vendu plus de douze millions d'exemplaires de ses livres.

La neige en deuil
10/1

La lumière des justes

1 - Les compagnons du coquelicot
272/4

En arrivant à Paris en 1815, avec les troupes d'occupation russes, Nicolas Ozareff découvre avec enthousiasme les théories démocratiques et tombe amoureux de Sophie, la fille de ses hôtes. L'aventure malheureuse des «décembristes», conspirateurs libéraux, qui tentèrent d'instituer un régime libéral en Russie, en 1825.

2 - La barynia
274/4

3 - La gloire des vaincus
276/4

4 - Les dames de Sibérie
278/4

5 - Sophie ou la fin des combats
280/4

Le geste d'Eve
323/2

Les Eygletière

1 - Les Eygletière
344/4

Avocat parisien fortuné, Philippe Eygletière se remarie avec une femme ravissante, qui n'a que dix ans de plus que l'aîné de ses fils. Peu à peu, la façade de respectabilité bourgeoise de cette grande famille va se désagréger, minée par l'hypocrisie et les compromis.

2 - La faim des lionceaux
345/4

3 - La malandre
346/4

La pierre, la feuille et les ciseaux
559/3

Anne Prédaille
619/3

Grimbosq
801/3

Le Moscovite

1 - Le Moscovite
762/3

Moscou, 1812 : la Grande Armée arrive aux portes de la ville, qui s'embrase dans un gigantesque incendie. Armand de Croué, un jeune émigré français dont la famille s'est réfugiée en Russie à la Révolution voit alors, avec épouvante, les troupes napoléoniennes déferler sur sa terre d'adoption.

2 - Les désordres secrets
763/3

3 - Les feux du matin
764/3

Le front dans les nuages
950/2

Le pain de l'étranger
1577/2

La Dérision
1743/2

Marie Karpovna
1925/1

Viou

- Viou
1318/2

A huit ans, dans la grande maison du Puy qu'elle habite avec ses grands-parents, Viou rêve à son père mort au combat à la Libération et à sa mère qui l'a abandonnée.

- A demain, Sylvie
2295/2

- Le troisième bonheur
2523/2

Le bruit solitaire du cœur
2124/2

Un si long chemin
2457/3

Toute ma vie sera mensonge
2725/1

La gouvernante française
2964/3

La femme de David
3316/1

Aliocha
3409/1

A Paris, en 1924, un adolescent d'origine russe vit difficilement sa condition d'émigré. Il va pourtant retrouver peu à peu la fierté de ses origines, grâce à la littérature et à l'amitié d'un de ses compagnons de lycée.

Youri
3634/1

1917. Youri est le fils des riches Samoïlov, Sonia la fille d'une servante. Emportés dans la tourmente de la révolution russe, les deux enfants découvrent le monde des adultes, sans comprendre...

Les grandes biographies d'Henri Troyat

De la construction d'un état moderne à la révolution de 1917, l'histoire fascinante de trois souverains qui ont marqué l'histoire de la Russie. « En fait, avoue Henri Troyat, chacun de ces monarques m'est apparu comme un personnage de roman aux dimensions démesurées. »

Catherine la Grande
1618/7

Pierre le Grand
1723/5

Nicolas II
3481/5

Grands romans

La littérature conjuguée au pluriel, pour votre plaisir. Des œuvres de grands romanciers français et étrangers, des histoires passionnantes, dramatiques, drôles ou émouvantes, pour tous les goûts...

ADLER Philippe

Bonjour la galère !
1868/1

Les amies de ma femme
2439/3

ANDREWS™ Virginia C.

Fleurs captives

Dans un immense et ténébreux grenier, quatre enfants vivent séquestrés. Pour oublier leur détresse, ils font de leur prison le royaume de leurs jeux, le refuge de leur tendresse, à l'abri du monde. Mais le temps passe et le grenier devient un enfer. Et le seul désir de ces enfants devenus adolescents est désormais de s'évader... à n'importe quel prix.

- Fleurs captives
1165/4
- Pétales au vent
1237/4
- Bouquet d'épines
1350/4
- Les racines du passé
1818/5
- Le jardin des ombres
2526/4

La saga de Heaven

- Les enfants des collines
2727/5

Les enfants des collines, c'est l'envers de l'Amérique : la misère à deux pas de l'opulence. Dans la cabane sordide où elle vit avec ses quatre frères et sœurs, Heaven se demande comment ses parents ont eu l'idée de lui donner ce prénom : «Paradis». Un jour, elle apprendra le secret de sa naissance, si lourd que la vie de son père en a été brisée, mais si beau qu'elle croit naître une seconde fois.

- L'ange de la nuit
2870/5
- Cœurs maudits
2971/5
- Un visage du paradis
3119/5
- Le labyrinthe des songes
3234/6

Ma douce Audrina
1578/4

Etrange existence que celle d'Audrina ! Sur cette petite fille de sept ans, pèse l'ombre d'une autre : sa sœur aînée, morte il y a bien longtemps dans des circonstances tragiques et qu'elle est chargée de faire revivre.

Aurore

Un terrible secret pèse sur la naissance d'Aurore. Brutalement séparée des siens, humiliée, trompée, elle devra payer pour les péchés que d'autres ont commis. Car sur elle et sur sa fille Christie, plane la malédiction des Cutler...

- Aurore
3464/5
- Les secrets de l'aube
3580/6
- L'enfant du crépuscule
3723/6
- Les démons de la nuit
3772/6
- Avant l'aurore
3899/5 (Avril 95)

ATTANÉ Chantal

Le propre du bouc
3337/2

AVRIL Nicole

Monsieur de Lyon
1049/2

La disgrâce
1344/3

Isabelle est heureuse, jusqu'au jour où elle découvre qu'elle est laide. A cette disgrâce qui la frappe, elle survivra, lucide, dure, hostile, adulte soudain.

Jeanne
1879/3

Don Juan aujourd'hui pourrait-il être une femme ? La belle Jeanne a appris, d'homme en homme, à jouir d'une existence qu'elle sait toujours menacée.

L'été de la Saint-Valentin
2038/1

La première alliance
2168/3

Sur la peau du Diable
2707/4

Dans les jardins de mon père
3000/2

Il y a longtemps que je t'aime
3506/3

L'amour impossible entre Antoine, 14 ans, et Pauline, sa belle-mère.

BACH Richard

Jonathan Livingston le goéland
1562/1 Illustré

Illusions/Le Messie récalcitrant
2111/1

Un pont sur l'infini
2270/4

Grands romans

BELLETTO René
Le revenant
2841/5
Sur la terre comme au ciel
2943/5
La machine
3080/6 (Mars 95)
L'Enfer
3150/5
Dans une ville déserte et terrassée par l'été, Michel erre. C'est alors qu'une femme s'offre à lui, belle et mystérieuse...

BERBEROVA Nina
Le laquais et la putain
2850/1
Astachev à Paris
2941/2
La résurrection de Mozart
3064/1
C'est moi qui souligne
3190/8
L'accompagnatrice
3362/4
De cape et de larmes
3426/1
Roquenval
3679/1
A la mémoire de Schliemann
3898/1 (Avril 95)

BERGER Thomas
Little Big Man
3281/8

BEYALA Calixthe
C'est le soleil qui m'a brûlée
2512/2

BLAKE Michael
Danse avec les loups
2958/4

BORY Jean-Louis
Mon village à l'heure allemande
81/4

BRAVO Christine
Avenida B.
3044/3

BROUILLET Chrystine
Marie LaFlamme
- Marie LaFlamme
3838/6
En 1662, à Nantes, la mère de Marie est condamnée au bûcher. Pour sauver sa fille, elle lui fait épouser un riche et cruel armateur, Geoffroy de St Arnaud. Mais Marie aime Simon et pour conquérir sa liberté, elle est prête à tout. Même à s'embarquer pour la Nouvelle-France, qui va devenir le Canada...
- Nouvelle-France
3839/6 (Mai 95)

BULLEN Fiona
Les amants de l'équateur
3636/6

TERROIR

Romans et histoires vraies d'une France paysanne qui nous redonne le goût de nos racines.

BRIAND Charles
De mère inconnue
3591/5
Le destin d'Olga, placée comme domestique chez des paysans angevins et enceinte à 14 ans.

CLANCIER G.-E.
Le pain noir
651/3

GEORGY Guy
Voir aussi page 26
La folle avoine
3391/4
Orphelin, Guy-Noël vit chez sa grand-mère, une vieille dame qui connaît tout le folklore et les légendes du pays sarladais.

JEURY Michel
Le vrai goût de la vie
2946/4
Une odeur d'herbe folle
3103/5
Le soir du vent fou
3394/5
Un soir de 1934, alors que souffle le vent fou, un feu de broussailles se propage rapidement et détruit la maison du maire...

LAUSSAC Colette
Le sorcier des truffes
3606/1

MASSE Ludovic
Les Grégoire
Histoire nostalgique et tendre d'une famille, entre Conflent et Vallespir, en Catalogne française, au début du siècle.
- Le livret de famille
3653/5
- Fumées de village
3787/5
- La fleur de la jeunesse
3879/5 (Mars 95)

PONÇON Jean-Claude
Revenir à Malassise
3806/3

SOUMY Jean-Guy
Les moissons délaissées
3720/6
Mars 1860. Un jeune Limousin quitte son village natal pour aller travailler à Paris, dans les immenses chantiers ouverts par Haussmann. Chaque année, la pauvreté contraint les gens de la Creuse à délaisser les moissons... Histoire d'une famille et d'une région au siècle dernier.

VIGNER Alain
L'arcandier
3625/4

VIOLLIER Yves
Par un si long détour
3739/4

Grands romans

BYRNE Beverly
Gitana
3938/8 (Juin 95)

CAILHOL Alain
Immaculada
3766/4 Inédit
Histoire d'un écrivain paumé, en proie au mal de vivre. Un humour désespéré teinte ce premier roman d'un auteur bordelais de vingt ans, qui s'inscrit dans la lignée de Djian.

CAMPBELL Naomi
Swan
3827/5

CATO Nancy
Lady F.
2603/4
Tous nos jours sont des adieux
3154/8
Sucre brun
3749/6
Marigold
3837/2

CHAMSON André
La Superbe
3269/7
La tour de Constance
3342/7

CHEDID Andrée
La maison sans racines
2065/2
Le sixième jour
2529/3
Le choléra frappe Le Caire. Ignorante et superstitieuse, la population préfère cacher les malades car, lorsqu'une ambulance vient les chercher, ils ne reviennent plus. L'instituteur l'a dit : «Le sixième jour, si le choléra ne t'a pas tué, tu es guéri.»
Le sommeil délivré
2636/3
L'autre
2730/3
Les marches de sable
2886/3
L'enfant multiple
2970/3
Le survivant
3171/2
La cité fertile
3319/1
La femme en rouge
3769/1

CLANCIER Georges-Emmanuel
Le pain noir
651/3
Le pain noir, c'est celui des pauvres, si dur, que même les chiens n'en veulent pas. Placée à huit ans comme domestique chez des patrons avares, Cathie n'en connaîtra pas d'autre. Récit d'une enfance en pays Limousin, au siècle dernier.

CLERC Christine
Jacques, Edouard, Charles, Philippe et les autres
3828/5

CLÉMENT Catherine
Pour l'amour de l'Inde
3896/8 (Avril 95)
Le roman vrai des amours de Nehru et de Lady Edwina Mountbatten, l'une des plus grandes dames de l'aristocratie anglaise, femme du dernier des vice-rois des Indes britanniques.

COCTEAU Jean
Orphée
2172/1

COLETTE
Le blé en herbe
2/1

COLOMBANI Marie-Françoise
Donne-moi la main, on traverse
2881/3
Derniers désirs
3460/2

COLLARD Cyril
Cinéaste, musicien, il a adapté à l'écran et interprété lui-même son second roman Les nuits fauves.
Le film 4 fois primé, a été élu meilleur film de l'année aux Césars 1993. Quelques jours plus tôt Cyril Collard mourait du sida.
Les nuits fauves
2993/3
Condamné amour
3501/4
Cyril Collard : la passion
3590/4 (par J.-P. Guerand & M. Moriconi)
L'ange sauvage (Carnets)
3791/3

CONROY Pat
Le Prince des marées
2641/5 & 2642/5
Le Grand Santini
3155/8

CORMAN Avery
Kramer contre Kramer
1044/3

DAUDET
Voir page 23

DeMILLE Nelson
Le voisin
3722/9

DENUZIERE Maurice
Helvétie
3534/9
A l'aube du XIXe siècle, le pays de Vaud apparaît comme une oasis de paix au milieu d'une Europe secouée par de furieux soubresauts. C'est cette joie de vivre oubliée que découvre Blaise de Fonsalte, soldat de l'Empire, déjà las de l'épopée napoléonienne. De ses amours clandestines avec Charlotte, la femme de son hôte, va naître une petite fille aux yeux vairons.
La Trahison des apparences
3674/1

Grands romans

DHÔTEL André
Le pays où l'on n'arrive jamais
61/2

DICKEY James
Délivrance
531/3

DIWO Jean
Au temps où la Joconde parlait
3443/7

1469. Les Médicis règnent sur Florence et Léonard de Vinci entame sa carrière, aux côtés de Machiavel, de Michel-Ange, de Botticelli, de Raphaël... Une pléiade de génies vont inventer la Renaissance.

DJIAN Philippe

Né en 1949, sa pudeur, son regard à la fois tendre et acerbe, et son style inimitable, ont fait de lui l'écrivain le plus lu de sa génération.

37°2 le matin
1951/4

Se fixer des buts dans la vie, c'est s'entortiller dans des chaînes... Oui, mais il y a Betty et pour elle, il irait décrocher la lune. C'est là qu'ils commencent à souffrir. Car elle court derrière quelque chose qui n'existe pas. Et lui court derrière elle. Derrière un amour fou...

Bleu comme l'enfer
1971/4
Zone érogène
2062/4
Maudit manège
2167/5
50 contre 1
2363/2
Echine
2658/5
Crocodiles
2785/2

Cinq histoires qui racontent le blues des amours déçues ou ignorées. Mais c'est parce que l'amour dont ils rêvent se refuse à eux que les personnages de Djian se cuirassent d'indifférence ou de certitudes. Au fond d'eux-mêmes, ils sont comme les crocodiles : «des animaux sensibles sous leur peau dure.»

DOBYNS Stephen
Les deux morts de la Señora Puccini
3752/5 Inédit

DORIN Françoise

*Elle poursuit avec un égal bonheur une double carrière. Ses pièces (*La facture, L'intoxe...*) dépassent le millier de représentations et ses romans sont autant de best-sellers.*

Les lits à une place
1369/4

Pour avoir vu trop de couples déchirés, de mariages ratés (dont le sien !), Antoinette a décidé que seul le lit à une place est sûr. Et comme elle a aussi horreur de la solitude, elle a partagé sa maison avec les trois êtres qui lui sont le plus chers. Est-ce vraiment la bonne solution ?

Les miroirs truqués
1519/4
Les jupes-culottes
1893/4
Les corbeaux et les renardes
2748/5

Baron huppé mais facile à duper, Jean-François de Brissandre trouve astucieux de prendre la place de son chauffeur pour séduire sa dulcinée. Renarde avisée, Nadège lui tient le même langage. Et voilà notre corbeau pris au piège, lui qui croyait abuser une ingénue.

Nini Patte-en-l'air
3105/6
Au nom du père et de la fille
3551/5

Un beau matin, Georges Vals aperçoit l'affiche d'un film érotique, sur laquelle s'étale le corps superbe et intégralement nu de sa fille. De quoi chambouler un honorable conseiller fiscal de soixante-trois ans ! Mais son entourage est loin de partager son indignation. Que ne feraiton pas, à notre époque, pour être médiatisé ?

Pique et cœur
3835/1

DUBOIS Jean-Paul
Les poissons me regardent
3340/3
Une année sous silence
3635/3
Vous aurez de mes nouvelles
3858/2 (Février 95)

DUNKEL Elizabeth
Toutes les femmes aiment un poète russe
3463/7

DUROY Lionel
Priez pour nous
3138/4

EDMONDS Lucinda
En coulisse
3676/6

ELLISON James
Calendar girl
3804/3

FIELD Michel
L'homme aux pâtes
3825/4

Grands romans

FOSSET Jean-Paul

Chemins d'errance
3067/3

Saba
3270/3

FREEDMAN J.-F.

Par vent debout
3658/9

FRISON-ROCHE

Né à Paris en 1906, l'alpinisme et le journalisme le conduisent à une carrière d'écrivain. Aujourd'hui il partage son temps entre de grands reportages, les montagnes du Hoggar et Chamonix.

La peau de bison
715/3

La vallée sans hommes
775/3

Carnets sahariens
866/2

Premier de cordée
936/3

Le mont Blanc, ses aiguilles acérées, ses failles abruptes, son pur silence a toujours été la passion de Jean Servettaz. C'est aussi pour cela qu'il a décidé d'en écarter son fils. Mais lorsque la montagne vous tient, rien ne peut contrarier cette vocation.

La grande crevasse
951/3

Retour à la montagne
960/3

La piste oubliée
1054/3

La Montagne aux Écritures
1064/2

Le rendez-vous d'Essendilène
1078/3

Le rapt
1181/4

Djebel Amour
1225/4

En 1870, une jolie couturière épouse un prince de l'Islam. A la suite de Si Ahmed Tidjani, elle découvre, éblouie, la splendeur du Sahara. Décidée à conquérir son peuple, elle apprend l'arabe, porte le saroual et prend le nom de Lalla Yamina.

La dernière migration
1243/4

Les montagnards de la nuit
1442/4

Frison-Roche, qui a lui-même appartenu aux maquis savoyards, nous raconte le quotidien de ces combattants de l'ombre.

L'esclave de Dieu
2236/6

Le versant du soleil
3480/9

GEDGE Pauline

La dame du Nil
2590/6

L'histoire d'Hatchepsout, reine d'Egypte à 15 ans. Les splendeurs de la civilisation pharaonique et un destin hors série.

GEORGY Guy

La folle avoine
3391/4

Le petit soldat de l'Empire
3696/4

L'oiseau sorcier
3805/4

GOLDSMITH Olivia

La revanche des premières épouses
3502/7

GOLON Anne et Serge

Angélique

Marquise des Anges
2488/7

Lorsque son père, ruiné, la marie contre son gré à un riche seigneur, Angélique se révolte. Défiguré et boîteux, le comte de Peyrac jouit en outre d'une réputation de sorcier. Derrière cet aspect repoussant, Angélique va pourtant découvrir que son mari est un être fascinant...

Le chemin de Versailles
2489/7

Angélique et le Roy
2490/7

Indomptable Angélique
2491/7

Angélique se révolte
2492/7

Angélique et son amour
2493/7

Angélique et le Nouveau Monde
2494/7

La tentation d'Angélique
2495/7

Angélique et la Démone
2496/7

Angélique et le complot des ombres
2497/5

Angélique à Québec
2498/5 & 2499/5

La route de l'espoir
2500/7

La victoire d'Angélique
2501/7

Grands romans

ROULT Flora

près des études à l'Ecole des arts écoratifs, elle devient journaliste romancière. Elle écrit d'abord vec sa sœur Benoite, puis seule.

laxime ou la déchirure
8/1

n seul ennui, les jours accourcissent
7/2

40 ans, Lison épouse Claude, plomate à Helsinki. Elle va écouvrir la Finlande et les fants de son mari. Une erreur ?

tout à fait la même, tout à fait une autre
74/3

ne vie n'est pas assez
50/3

émoires de moi
67/2

passé infini
01/2

temps s'en va, madame...
11/2

elle ombre
98/4

coup de la reine Espagne
69/1

amour de...
34/1 (Juin 95)

ARVEY Kathryn

itterfly
52/7 Inédit

EBRARD Frédérique

teur de nombreux livres pors avec succès à l'écran; son uvre reçoit la consécration avec Harem, Grand Prix du Roman l'Académie française 1987.

n mari, c'est un mari
3/2

vie reprendra printemps
31/3

chambre de Goethe
98/3

Un visage
1505/2

La Citoyenne
2003/3

Le mois de septembre
2395/1

Le Harem
2456/3

La petite fille modèle
2602/3

La demoiselle d'Avignon
avec Louis Velle
2620/4

Le mari de l'Ambassadeur
3099/5

Sixtine est ambassadeur. Pierre-Baptiste est chercheur à l'Institut Pasteur. Opposés, l'aventure les réunit pourtant, au beau milieu d'une révolution en Amérique centrale, et va les entraîner jusqu'au Kazakhstan, en passant par Beyrouth et le Vatican !

Félix, fils de Pauline
3531/2

Le Château des Oliviers
3677/7

Entre Rhône et Ventoux, au milieu des vignes, se dresse le Château d'Estelle, son paradis. Lorsqu'elle décide de le ramener à la vie, elle ne sait pas encore que son domaine est condamné. Aidée par l'amour des siens et surtout celui d'un homme, Estelle se battra jusqu'au bout pour préserver son univers.

HOFFMAN Alice

L'enfant du hasard
3465/4

La maison de Nora Silk
3611/5

HUBERT Jean-Loup

Le grand chemin
3425/3

HUMPHREYS Josephine

L'amour en trop
3788/5

JAGGER Brenda

Les chemins de Maison Haute
2818/9

A 17 ans, Virginia hérite de la fortune des Barthforth. Mais dans cette Angleterre victorienne, une femme peut-elle choisir son destin ? Contrainte d'épouser un homme qu'elle n'aime pas, Virginia se révolte.

La chambre bleue
2838/8

JEAN Raymond

La lectrice
2510/1

JEKEL Pamela

Bayou
3554/9

En 1786, les Doucet s'installent au bayou Lafourche, en Lousiane. Quatre femmes exceptionnelles vont traverser, en un siècle et demi, l'histoire de cette famille.

Columbia
3897/8 (Avril 95)

Du XVIIIe siècle à nos jours, l'épopée des pionniers indiens et européens de l'Oregon. Cinq générations de femmes et d'hommes héroïques et attachants, dont les bonheurs et les drames vont marquer l'histoire de cette immense contrée du nord-ouest des Etats-Unis.

JULIET Charles

L'année de l'éveil
2866/3

KANE Carol

Une diva
3697/6

Achevé d'imprimer en Europe (France)
par Brodard et Taupin à La Flèche (Sarthe)
le 10 avril 1995. 6134 L-5
Dépôt légal avril 1995. ISBN 2-277-13276-4
1er dépôt légal dans la collection : août 1974
Éditions J'ai lu
27, rue Cassette, 75006 Paris
Diffusion France et étranger : Flammarion